Jasmine Haynes

Zähme mich!

JASMINE HAYNES

ZÄHME MICH!

Erotischer Roman

Aus dem Englischen von
Anna Wichmann

Weltbild

Besuchen Sie uns im Internet
www.weltbild-editionen.de

Genehmigte Lizenzausgabe für Weltbild EDITIONEN
in der Weltbild GmbH & Co. KG,
Steinerne Furt, 86167 Augsburg

Titel der Originalausgabe: »What happens after dark«

Einbandgestaltung: Nele Schütz Design, München
Titelmotiv: shutterstock_conrado
Satz: DTP-Verlagsservice Apel, Wietze
Druck & Bindung: CPI – Clausen & Bosse, Leck
Printed in the EU

Für meine Mutter,
weil sie eine ganz großartige Frau ist.
Ich liebe dich, Mum!

Danksagung

Ich danke meinem besonderen Netzwerk aus Freunden, die mich unterstützen, mit mir brainstormen und mich ermutigen: Bella Andre, Shelley Bates, Jenny Andersen, Jackie Yau, Ellen Higuchi, Kathy Coatney, Pamela Fryer, Rosemary Gunn und Laurel Jacobsen. Und natürlich gilt mein Dank auch meiner Agentin Lucienne Diver und meiner Lektorin Wendy McCurdy.

Prolog

Er legte den Kopf in den Nacken und genoss es, ihren Mund auf sich zu spüren. Großer Gott! Sie wusste genau, was ihn anmachte. Langsam senkte er den Kopf und öffnete die Augen, um ihren Anblick in sich aufzunehmen, wie sie auf dem dicken marineblauen Teppich vor ihm kniete und ihr das seidige lange Haar über den Rücken herabfiel. Mit ihren roten Fingernägeln, den roten Lippen und der alabasterfarbenen Haut war sie schöner als jedes Model auf dem Titel einer Zeitschrift.

Er stöhnte, als ihre Zunge eine empfindliche Stelle berührte. Seine Beine zitterten, seine Anspannung stieg, und das Verlangen wuchs in ihm.

Seit sechs Monaten unterstand sie seinem Befehl. Seit der Nacht, in der er sie in einem Klub in der Innenstadt von Derek gewonnen hatte, ihrem gewalttätigen Freund. Sie war nicht für die Klubszene geschaffen, und er hatte sie Derek abgenommen, wie die Kriegsbeute eines Faustkampfes, was sie im Grunde genommen auch war, da er ihn zusammengeschlagen hatte, um sie zu retten.

Und sie war eine großartige Beute. Sie drückte seinen Schwanz, neckte ihn und trieb ihn in den Wahnsinn. Er glaubte, sein Kopf müsste explodieren. Doch er schob seine Finger in ihr Haar und drückte sie nach hinten. »Noch nicht«, murmelte er.

Sie sah mit Augen, die wie Saphire wirkten, zu ihm hinauf. »Habe ich etwas falsch gemacht, Meister?« Ihre Stimme war sanft und süß und glich dem Plätschern eines Baches in der Ferne.

Sie bestand darauf, ihn Meister zu nennen, als ob er ihr Dom und sie seine Sklavin wäre. Dieser dominante Lebensstil war ihm derart fremd gewesen, dass er sich erst einmal im Internet informiert hatte, nachdem er sie in diesem Sexklub in San Francisco entdeckt hatte. Es gab einige Aspekte daran, die er durchaus genoss – sie zu fesseln, ihr die Augen zu verbinden, das Spanking, Spielzeuge, sie dazu zu bringen, ihre Grenzen auszuloten –, aber die Erniedrigung, Degradierung, sie zum Weinen zu bringen, sie wie ein Ding einem anderen Mann zu geben (wobei er Derek erwischt hatte), all das mochte er nicht. Sie ließ sich gern dominieren, aber sie musste sich auch wie jemand Besonderes fühlen. Sie brauchte Bestätigung und litt, wenn man sie ignorierte.

Doch es war ihm ohnehin unmöglich, sie zu ignorieren. Selbst wenn sie nicht bei ihm war, träumte er von ihr. In seinen heißen Fantasien war sie mit Handschellen an sein Bett gefesselt und flehte ihn an, sie zu besteigen. Ja, ihm gefiel die dominante Rolle. »Ich habe dir doch gesagt, dass du dich zurückhalten sollst«, tadelte er sie streng.

»Du solltest mich dafür bestrafen«, flüsterte sie. »Weil ich so eine Schlampe bin und so ungezogen.«

Das war noch etwas, das ihr gefiel: Beleidigungen. Schlampe, Nutte, wenn nicht gar Schlimmeres. Zuerst hatte er es nur getan, weil es sie anmachte, doch dann war er selbst dadurch noch geiler geworden. Durch sie hatte er gelernt, wie heiß man durch schmutziges Bettgeflüster werden konnte. Und dann war da noch die Sache mit der Bestrafung …

»Leg dich aufs Bett, du Hure«, ordnete er an, und seine Erektion wurde noch steifer, als das Blut in seinem Penis pulsierte.

Sie biss sich auf die Unterlippe, zog die Luft ein, und ihre Nasenflügel flatterten vor Aufregung. Dann stand sie anmutig auf und ging mit ruhigen Bewegungen zum Bett. Er zog die Vorhänge zu, um die kalte Januarnacht auszusperren, und das weiche Licht im Schlafzimmer umspielte ihren schlanken Körper, die eleganten Rundungen ihres Rückens und ihres Hinterns. Sie hatte lange und geschmeidige Gliedmaßen und kleine Brüste mit dunklen Höfen. Mit ihren ein Meter fünfundsiebzig war sie eine große Frau, und selbst barfuß überragte er sie nur um wenige Zentimeter. Über seine Größe hatte er sich nie viele Gedanken gemacht, und obwohl Derek größer und kräftiger gewesen war, hatte er sie dennoch gewonnen.

Sie kletterte auf allen vieren auf das große Bett und reckte ihm ihren herzförmigen Hintern entgegen.

»Auf den Rücken«, befahl er. »Spreiz deine Arme und Beine!«

Sie legte sich hin, und ihre Muschi glänzte. Ihre Haut bildete einen starken Kontrast zu der dunkelroten Bettwäsche und schien förmlich zu glühen. »Ich weiß, dass ich böse gewesen bin, Meister. Du musst mich bestrafen und mich so beschimpfen, wie ich es verdient habe.«

Er ging davon aus, dass sie einige Beziehungen hinter sich hatte, die tief in ihr verborgene Unsicherheiten ans Licht gebracht hatten, weil sie jetzt auf solche Dinge stand. Die Arschgeige Derek war bestimmt nicht der Erste gewesen. Allerdings konnte er nicht leugnen, dass er sie auch gern mal zärtlich geliebt hätte und sich nach mehr Intimität sehnte. Er wollte mehr über sie wissen, mehr als nur Sex von ihr, sich auf tieferer Ebene mit ihr vereinen. Doch er verspürte auch Macht, wenn er sie dominierte. Sie ergötzten sich beide an ihren schmutzigen kleinen Spielchen. Er hatte erst die fellbesetzten Handschellen gekauft und dann das Himmelbett, an dem er sie anbringen konnte. Die Schals in der obersten Schublade seiner Kommode, mit denen er ihr die Augen verbinden oder sie fesseln konnte, verbargen eine Vielzahl an Spielzeugen, die er an ihr ausprobierte.

Er hoffte nur, dass keine seiner Töchter in den Semesterferien in seinen Sachen herumwühlte.

»Schal oder Handschellen?« Anhand ihrer Entscheidung konnte er ihre Stimmung immer recht gut einschätzen. »Was hast du verdient, du dreckige kleine Schlampe?«

Ihre Lippen teilten sich, und ihre Augen schienen noch dunkler zu werden. »Handschellen«, flüsterte sie.

Sie wollte es also etwas härter. Vermutlich war heute bei der Arbeit irgendwas vorgefallen. Nicht, dass sie ihm je etwas über ihr Leben abseits ihrer Beziehung erzählt hätte. Selbst wenn er sie danach fragte, blieb sie verschlossen. Dieses ausweichende Verhalten musste er ihr noch austreiben, und er war zuversichtlich, dass ihm das gelingen würde. An diesem Abend hatte sie sehr angespannt gewirkt, als sie zu ihm gekommen war. Eigentlich war sie schon seit Wochen ungewöhnlich gestresst, und er hatte herausgefunden, dass sie umso stärker dominiert werden wollte, je härter ihr Tag gewesen war.

»Breiter, Schlampe«, forderte er und hielt eine ihrer zarten Fesseln fest. Sie streckte sich für ihn, und ihr Duft stieg ihm in die Nase und wirbelte um ihn herum. Er war steif und begehrte sie, aber die Nacht wäre rasch zu Ende, nachdem er gekommen war, und er wollte sie in die Länge ziehen.

Sie blieb nie über Nacht. Sie kuschelten danach auch nicht. Er wusste weder genau, wo sie wohnte noch wie die Firma hieß, für die sie arbeitete, sondern nur, dass sie fünfunddreißig und ledig war, keine Kinder hatte, als Buchhalterin arbeitete und promiskuitiv war. Dass er in den vergangenen sechs Monaten ihr einziger Liebhaber gewesen war, war ungewöhnlich.

Doch er sah es auch als Bestätigung dafür, dass er ihr das gab, was sie brauchte.

Sie sehnte sich nach der Unterwerfung, aber am besten gefiel es ihr, wenn er in ihrem Mund kam und sie sein Sperma schlucken konnte. Dabei genoss sie jedes Stöhnen und jeden seiner Lustschreie. Wenn es ihm nicht gelang, sie zum Orgasmus zu bringen, bevor er kam, dann erreichte sie den Höhepunkt gar nicht. Es war fast so, als bräuchte sie den Orgasmus nicht, um sich befriedigt zu fühlen.

Doch in diesem Moment gierte es ihn nach *ihrem* Höhepunkt, er wollte *ihr* Lust schenken und spüren, wie sich ihr Körper nach ihm sehnte.

Nachdem er um das Bett herumgegangen war, fesselte er ihren zweiten Fuß, um danach ihre Handgelenke an den Bettpfosten festzubinden. Er fragte sie nicht, ob es zu fest war, da sie ihm ohnehin nur antworten würde, dass sie alles ertragen würde, was er mit ihr machte.

»Was hast du mit mir vor, Meister?«, wollte sie mit zitternder Stimme wissen, doch es war keine Furcht, sondern Verlangen, das ihre Stimme beben ließ. Wenn sie gefesselt war, konnte er sie dazu zwingen, sich gehen zu lassen.

»Möchtest du, dass ich dich ficke?«, murmelte er, kletterte aufs Bett und beugte sich über sie, um ihren Duft in sich aufzunehmen. Ihm wurde beinahe schwindlig.

»Ich bin deine Hure und tue, was immer du willst, Meister.«

Was er wollte? Himmel! Er wollte so viel, all die Dinge, die sie zurückhielt, und vor allem wollte er *sie*. Ihre Gedanken, ihre Gefühle, ihre Ängste, ihre Freude, ihre Vergangenheit. Ja, all diese Dinge, aber vorerst musste er sich mit weniger zufriedengeben und es genießen, bis sie ihm mehr gab.

Er packte ihr Kinn, hielt es fest und zwang sie, ihm in die Augen zu sehen. »Ich möchte, dass du meinen Namen schreist, wenn du kommst.«

Sie blinzelte mehrmals schnell, und ihm war klar, dass es nicht das war, was sie hören wollte. Sie wollte *seinen* Orgasmus. Doch sie war seine Sklavin, daher gab sie ihm die Antwort, die er erwartet hatte. »Das werde ich.«

Er presste seine Lippen auf ihre, küsste sie aber nicht. »Ich werde dich jetzt lecken, meine süße kleine Schlampe. Denn genau so sollst du kommen«, flüsterte er ihr zu.

Daraufhin verspannte sie sich. Er hatte es ihr noch nie mit dem Mund gemacht, wenn sie nicht gefesselt war. Eigentlich brachte er sie nie mit dem Mund, der Zunge oder den Fingern zum Orgasmus, wenn sie sich bewegen und somit wehren konnte. Aber das gefiel ihm, da sie ihm in diesen Augenblicken wirklich gehörte und sich gehen ließ. Als würden die Fesseln ihr eigentlich die Freiheit schenken.

»Aber musst du nicht auch kommen?« Ihre Stimme hob sich am Ende des Satzes wie bei einer Frage, klang aber dennoch schmeichelnd wie bei einer Sirene.

Großer Gott, ja, natürlich musste er in ihr oder in ihrem Mund kommen. Oder durch ihre Hand. Sie würde ihn auf jede Art bearbeiten, wenn er sie ließ. Doch er wollte ihren Höhepunkt, den Gipfel ihrer Kapitulation.

»Ich werde dich lecken, und du wirst schreien.« Er legte sich auf sie, Haut auf Haut, und sah ihr in die weit aufgerissenen Augen mit den geweiteten Pupillen, während sich ihre Nippel gegen seine Brust drückten. »Nicht wahr?«

Sie gab nach. »Ja, Meister«, flüsterte sie, doch es war kaum mehr als ein Hauchen.

Dann rutschte er langsam tiefer und kostete ihre Haut, ließ seine Zunge über ihre Brüste, ihren Bauch bis hinunter zu den gestutzten Haaren auf ihrem Venushügel gleiten.

»Du riechst so gut.« Er atmete tief ein und berührte sie dann kurz mit der Zunge. »Und du schmeckst auch so gut.« Er liebte ihre Muschi, sie war großartig, voll, pink und ihre Klit prachtvoll.

Er leckte sie und genoss ihren Geschmack in seinem Mund. Gott! Wie er das liebte! Sie zerrte an ihren Fesseln, und ihr leises Stöhnen erfüllte den Raum. Er steckte erst einen und dann noch einen zweiten Finger in sie und verwöhnte abwechselnd ihren G-Punkt und ihre Klit.

Sie keuchte. Stöhnte. Das war Musik in seinen Ohren. Dann begannen ihre Beine zu zittern, ihre Schreie wurden lauter, sie rief seinen Namen, und ihr Körper zuckte. Er hörte nicht auf, sondern verlängerte ihren Orgasmus, bis sie schließlich erschöpft auf dem Laken lag und sich ihr dunkles Haar auf dem Kissen ausgebreitet hatte.

Ihren Geschmack noch auf den Lippen, legte er sich neben sie. »Hat dir das gefallen?«

»Es war himmlisch, Meister.« Sie schluckte und schloss die Augen.

Er wollte gar keine Bestätigung, aber das kam ihm doch irgendwie … zu schnell. Es war fast so, als ob sie ihn besänftigen wollte.

»Aber du bist nicht gekommen«, fügte sie hinzu.

Er sah sie lange und abschätzend an und in ihm schien etwas zu zerbrechen. »Hattest du etwa auch keinen Orgasmus?«

Erneut schluckte sie. Es war fast so, als hätte sie einen nervösen Tick entwickelt. »Doch.«

»Lüg deinen Meister nicht an!« Er biss die Zähne zusammen, weil ihm noch andere Worte auf den Lippen lagen. Er konnte sie *Schlampe, Hure, Nutte* nennen, fast so, als ob er sie verführen wollte, doch im Nachhinein klangen diese Worte bei Weitem nicht mehr so erregend.

Sie holte tief Luft, sodass sie ihre Brust hob, und ihre Haut färbte sich rosa, aber nicht so, als hätte sie gerade einen großartigen Orgasmus gehabt, sondern eher aus Nervosität.

»Ich bin sehr verärgert, dass du nicht gekommen bist.« Er verwendete eine Sprache, die sie verstand und auf die sie reagierte.

Doch dieses Mal wich sie ihm aus. »Ich werde dir einen blasen«, flüsterte sie. Dann bewegte sie die Arme und zerrte an den Fesseln, als ob sie es kaum erwarten könnte, ihn zu berühren. »Ich werde es dir besorgen.«

In seinem Inneren breitete sich Kälte aus. »Wie oft hast du den Orgasmus nur vorgetäuscht?«

»Noch nie«, flüsterte sie und sah seine Nase, seine Wange, seinen Mund an, nur um ihm nicht in die Augen blicken zu müssen.

Aber er spürte ihre Lüge, da sich ihr Körper versteifte. Er fragte sich, wie oft sie ihm den Höhepunkt nur vorgegaukelt hatte, wie oft er so von ihr gefangen und von dem, was er durch sie fühlte, abgelenkt gewesen war, dass er nicht einmal bemerkt hatte, wie gut sie ihm etwas vorspielte.

Scheiße! Er war fünfundvierzig Jahre alt und damit zu alt, um verarscht zu werden, und doch traf ihn diese Lüge schwer. Er wollte ein Teil ihres Lebens sein. Er wollte, dass sie mehr über ihn, seine Töchter und seine Arbeit wusste, sogar von seiner gescheiterten Ehe wollte er ihr erzählen. Und er wollte alles von ihr wissen. Manchmal ärgerte er sich maßlos über die Geheimnisse, die sie vor ihm hatte, wie sie sich emotional zurückhielt. Aber *das hier* war, was sie hatten. Sie rief an, kam zu seinem Haus, ließ sich von ihm beschimpfen, fesseln, die Augen verbinden oder spanken. Wenn sie seiner Gnade ausgeliefert war, konnte er mit ihr machen, was er wollte. Der Sex mit ihr war großartig, aber er wollte etwas Authentischeres von ihr, etwas Realeres, mehr als nur Bruchstücke ihres Lebens. Er wollte eine ganze Nacht mit ihr verbringen, ohne dass sie rasch wieder ging. Danach sehnte er sich schon seit Monaten, aber er hatte sie nicht gedrängt, sondern ihr Zeit gelassen. Nur um herauszufinden, dass sie einige ihrer Orgasmen nur vorgetäuscht hatte. Verdammt noch mal!

»Fick mich«, säuselte sie, und er bemerkte, dass sie ihn verführen wollte. Sie sagte nie, was sie wollte, bat nie um irgendetwas, aber sie konnte Befehle befolgen. Und wie sie Befehle befolgen und ihn um den Verstand bringen konnte! Dass sie jetzt um etwas bat, war neu und passte nicht zu ihr. »Ich werde dafür sorgen, dass du dich gut fühlst«, fügte sie hinzu.

Wenn er in sie eindrang, fühlte er sich mehr als nur gut. Wenn er tief in ihr war, konnte sie ihn in eine andere Dimension befördern. Das war keiner anderen Frau vor ihr je gelungen, nicht einmal seiner Exfrau, als er sie noch für die Frau seiner Träume gehalten hatte.

Er wurde manipuliert. Sie wich dem aus, was er eigentlich von ihr wollte. Wütend stieg er aus dem Bett, stellte sich daneben und starrte auf ihren perfekten Körper herab, der auf dem Rücken vor ihm lag, und verlor sich im Glanz ihrer strahlend blauen Augen. Er wusste, dass er sie ficken würde. Weil er es selbst unbedingt wollte. So war es vom ersten Moment an, in dem er sie gesehen hatte, immer gewesen.

Aber das Spiel musste sich ändern, die Regeln mussten neu geschrieben werden. Er wollte mehr als Sex, er wollte alles. Und er würde es bekommen. Und wenn er ihr befehlen musste, es ihm zu geben.

Schließlich war er der Meister.

Kapitel 1

Bree Mason hatte ihr gesamtes Leben als Erwachsene, wenn nicht sogar noch länger, gelernt, mit Männern umzugehen. Doch in der vergangenen Nacht hatte sie bei *ihm* alles falsch gemacht. Sie war sich nicht sicher, wie genau es ihr gelungen war, die Sache zu vermasseln. Sie hatte gezittert und seinen Namen geschrien, sich unter seinem Mund aufgebäumt und die richtigen Geräusche sowie die entsprechenden Bewegungen gemacht. Es war so viel leichter, den Orgasmus einfach nur vorzutäuschen und es sich später selbst zu machen, wenn ihr danach war. Wenn *sie* diejenige war, die es tat. Wenn es keine Schuldgefühle gab, weil sie von einem Mann berührt wurde und es sich gut anfühlte. Normalerweise mochte sie es nicht, von einem Mann zum Höhepunkt gebracht zu werden, es sei denn, es war Teil einer Bestrafung. Aber dieses Mal hatte Luke Raven gemerkt, dass sie ihm etwas vorgespielt hatte. Nur wie?

Er war der einzige Mann, der je Lust auf Zärtlichkeit verspürt hatte. Ihm gefiel es einfach, wenn sie kam. Sie glaubte fast, dass er manchmal versuchte, in ihre Seele zu blicken. Doch sie hatte Angst, dass er zurückschrecken würde vor dem, was er darin sah, wenn sie es je zuließ.

»Hey, Bree, könnten Sie mal kurz in mein Büro kommen?«

Beim Klang der Stimme erschreckte sich Bree. Ihre Chefin,

Erin DeKnight, stand auf einmal in der Tür ihres Büros, als hätte sie sich wie ein Gespenst einfach materialisiert, und winkte sie zu sich heran. Allein aus Prinzip drehte sich Bree der Magen um. Sie ging immer vom Schlimmsten aus, sie konnte einfach nicht anders. Wenn man damit rechnete, konnte man es zuweilen umgehen und Schadensbegrenzung betreiben. Als Erin Bree das letzte Mal in diesem Tonfall in ihr Büro gebeten hatte, war sie ordentlich zusammengefaltet worden. Natürlich war es allein Brees Schuld gewesen. Wenn man sich seltsam und geheimnisvoll benimmt, bekommt man irgendwann nun mal die Quittung dafür.

Also sprang sie auf, um ihrer Chefin zu folgen und Schadensbegrenzung zu betreiben, falls es erforderlich war.

Erin war vierzig und somit fünf Jahre älter als Bree, aber immer noch schlank und hatte knallrote Haare. Sie war schlank, selbstbewusst und leitete DeKnight Gauges als wäre sie die Kapitänin eines Schiffes. Erin schien nie an sich zu zweifeln, und sie verwies einen nie an Dominic, nur weil er ihr Ehemann und ein Mann war. Gemeinsam leiteten sie die Firma, die von den Angestellten nur DKG genannt wurde, und teilten sich die Verantwortung. Erin kümmerte sich um die alltäglichen Vorgänge wie den Zusammenbau der Ultraschalltestgeräte, die sie produzierten, während Dominic, der Ingenieur, am Design der Produkte arbeitete und den Großteil des Marketings übernahm. In den sechs Jahren, die Bree jetzt für sie arbeitete, hatte sie noch keinen Streit zwischen den beiden mitbekommen. Natürlich hatten sie eine schwere Zeit zu überstehen gehabt, als sie vor etwas über einem Jahr ihren Sohn Jay verloren hatten, doch das war allen bei DKG so gegangen. In den letzten Wochen schien sich Erin allerdings verändert zu haben. Während er zuvor von niemandem erwähnt worden war, weil sie den Schmerz nicht ertragen konnte, standen auf einmal wieder Bilder von Jay in Erins Büro. Als sie die Tasse mit der Aufschrift »Die beste Mutter der Welt« wieder mit zur Arbeit brachte, waren alle ziemlich schockiert gewesen, allerdings kam das auch fast einer Einladung gleich, sich wieder an Jay erinnern zu dürfen.

Erin schloss die Tür, die ihr Büro mit dem runden Raum verband, in dem der Konferenztisch, die gemeinsam genutzten Bürogeräte und die Kaffee-Ecke waren. Wenn man sich einen Kaffee eingoss, konnte man alles hören, was in irgendeinem an den zentralen Bereich angrenzenden Büro gesagt wurde, und manchmal sogar noch Worte verstehen, die in der Fabrik auf der anderen Seite oder im Ingenieursbereich am anderen Ende gesprochen wurden. Wenn Erin die Tür schloss, dann hatte sie etwas zu sagen, das nur Bree hören sollte.

Bree setzte sich auf den Besucherstuhl und faltete die Hände.

Bevor sie sich an ihren Schreibtisch setzte, zog sich Erin ihren Blazer über. »Verdammt, ist das heute kalt.«

Regen prasselte gegen das Fenster des Büros. In der San Francisco Bay war der Januar meist sehr angenehm, häufig war es sogar so warm, dass man etwas Kurzärmliges anziehen konnte. Der Regen kam im Allgemeinen erst im Februar zurück. Doch dieses Jahr sollte anscheinend nasser werden als die letzten. Bree drückte ihre Finger gegeneinander, um sich zu wärmen.

Erin schob ein Blatt Papier über den Schreibtisch. »Das ist

heute Morgen mit der Post gekommen, und ich habe eben mit Marbury telefoniert.«

Denton Marbury war ihr Wirtschaftsprüfer und Steuerberater. Bree war zwar für die Buchhaltung innerhalb der Firma verantwortlich, doch mit Ausnahme der Verkaufssteuermeldungen, die ziemlich einfach waren, hatte sie mit den Abgaben an die Regierung nichts zu tun. Sie beugte sich vor und zog den Brief mit einem Finger näher zu sich heran, bis sie den Briefkopf der Steuerbehörde erkannte. Ihr sackte das Herz in die Hose, und ihr wurde speiübel.

»Sie haben eine Betriebsprüfung angekündigt«, sagte Erin. »Ich habe es vorhin Marbury zugefaxt.«

Selbst wenn man nichts falsch gemacht hat, wird der Puls automatisch schneller, sobald man das Wort *Steuerbehörde* liest.

»Sie müssen sich keine Sorgen machen, Bree. Marbury hat gesagt, er regelt das. Aber Sie müssen die ganzen Akten raussuchen, die sie sehen wollen. Er wird mir eine vollständige Liste aller Belege zumailen, die er braucht, sobald er sich den Brief genau durchgelesen hat.«

Denton Marbury. *Urgs.* Natürlich würde er Bree nicht die Liste schicken. Nein, es musste alles über Erin laufen. In diesem Moment wurde Bree klar, dass sie noch keinen Ton gesagt hatte. Sie schluckte ihren Ärger herunter. »Das ist kein Problem. Wann soll die Betriebsprüfung stattfinden?« Sie gab sich große Mühe, zuversichtlich zu klingen und nicht so eingeschüchtert, wie sie sich fühlte.

»Der Termin ist erst Mitte Februar, aber Marbury braucht die Akten bereits in zwei Wochen, damit er sie durchgehen kann.«

»In zwei *Wochen?*« Brees Stimme klang schrill. Es war Freitag, der fünfte Tag der Jahresinventur. Sie musste noch unzählige Berichte schreiben, die neuen Standardpreise überprüfen, den Geschäftsbericht fertigstellen, die Veränderungen der Arbeitsabläufe analysieren, da die Signalgeber jetzt intern produziert wurden, und hatte auch noch Unmengen anderer Dinge zu erledigen, nicht zu vergessen die ganzen Formulare, die sie an ihre Zulieferer rausschicken musste, und zwar noch vor Monatsende. Am meisten ärgerte sie sich darüber, dass sich Marbury die Akten, die sie ihm zusammenstellte, ohnehin erst am Morgen der Buchprüfung ansehen würde. So war er nun mal. Er war ein großer Mann mit lauter Stimme, die aus der Tiefe seines Bauches zu kommen schien und die immer ein wenig bedrohlich klang, und bei ihm fühlte sie sich … klein. Sie verspürte den schrecklichen Drang, sich zusammenzukrümmen, wann immer sie ihn sah, und dafür hasste sie sich. Das einzig Gute war, dass er sie noch nie wirklich dabei erwischt hatte, wie sie vor ihm zusammenzuckte.

»Das ist eine Menge Arbeit«, stellte Erin fest. »Insbesondere hinsichtlich der Sache mit Ihrem Vater. Soll Marbury dort anrufen und um eine Verschiebung bitten?«

»Nein«, erwiderte Bree rasch. Sie würde es schaffen. Sie war gut organisiert und konnte alles bewältigen. Vor allem wollte sie nicht als klein angesehen werden. »Ich werde mir ansehen, was sie haben wollen, und sage Bescheid, falls es Probleme gibt.« Sie überflog die Liste. »Das sieht alles nach reiner Routine aus.« Dann drückte sie den Brief gegen ihre Brust.

»Bree.«

Bree schluckte. Sie wusste, was jetzt kommen würde. »Mir

geht es gut«, sagte sie und versuchte, Erins Worten Einhalt zu gebieten.

»Ich weiß, wie es Ihnen geht«, meinte Erin freundlich. »Aber wie geht es Ihrem Vater?«

Bree schürzte die Lippen und wusste, dass sie jetzt einen Gesichtsausdruck machte, den sie an sich nicht leiden konnte. »So gut, wie man es erwarten kann.« Sie behauptete nicht, dass es ihm gut ging, denn das wäre gelogen gewesen.

»Dominic und mir tut die Sache sehr leid.«

Die Sache. Die Krebserkrankung ihres Vaters. Seine *Krankheit.* »Vielen Dank«, erwiderte Bree.

»Wenn Sie ein paar Tage freinehmen wollen, lassen Sie es mich wissen. Wir werden uns um alles kümmern.«

»Das weiß ich sehr zu schätzen.« Ihre Finger fühlten sich ganz taub an, wie immer, wenn sie über *die Sache* reden musste.

Sie hatten vor dem Jahreswechsel darüber gesprochen. Gut, sie hatten nach dem großen *Zwischenfall*, als jemand Externes vertrauliche Informationen gestohlen hatte, über ihren Vater gesprochen.

»Ich weiß, dass Sie nicht darüber nachdenken wollen«, fuhr Erin fort, »aber wenn die Zeit gekommen ist, dann haben Sie unsere ganze Unterstützung, was immer auch vonnöten ist.« Das war noch eine Sache, die sich bei Erin kürzlich verändert hatte: Auf einmal konnte sie viel besser mit Mitgefühl und Trauer umgehen.

»Das ist sehr nett von Ihnen, Erin.« Seit dem *Zwischenfall*, wie Bree die Angelegenheit nannte, überschlug sich Erin förmlich damit, sich bei Bree dafür zu entschuldigen, dass sie auch nur auf den *Gedanken* gekommen war, Bree könnte etwas damit zu tun gehabt haben, dass die Verkaufszahlen in fremde Hände gefallen waren. Doch sie hatte sich bei der Arbeit tatsächlich seltsam und geheimnisvoll benommen und konnte es Erin nicht verdenken, dass sie Verdacht geschöpft hatte. Aber das hatten sie überwunden, wenngleich Erin nicht die leiseste Ahnung hatte, wie viel es Bree bedeutete, von ihr akzeptiert zu werden. Erin hatte Brees Gefühle hinsichtlich der Krankheit ihres Vaters nachvollziehen können und ihre Ängste verstanden. Erin wusste, wie es war, den Kopf in den Sand zu stecken und zu versuchen, so zu tun, als wäre nichts passiert und als würde nichts geschehen, sich vorzumachen, alles wäre in bester *Ordnung*.

Erin lehnte sich zurück und hob beschwichtigend die Hände. »Dann werde ich das Thema auf sich beruhen lassen. Ich weiß, dass Sie mit alldem fertig werden, aber wenn Sie das Gefühl bekommen, dass es Ihnen über den Kopf wächst, reden Sie mit mir. Und diese Buchprüfung ist keine große Sache. Marbury wird ihnen schon den Wind aus den Segeln nehmen, das hat er mir versichert.«

Genau. Marbury hatte es Erin versichert, aber es war eine ganz andere Sache, wie er Bree behandelte. Wie dem auch sei. Sie würde damit fertig werden, und wenn sie etwas nicht schaffte, würde sie eben so tun, als ob.

Darin war sie sehr gut. Hatte Luke das nicht selbst gesagt? Als sie an ihn dachte, wurde ihr ganz warm, und die wilde kleine Bestie in ihr wurde besänftigt, was eigentlich merkwürdig war, wenn sie daran dachte, wie sie sich am vergangenen Abend verabschiedet hatten.

Bree stand auf. »Okay, ich mache mich an die Arbeit. Und die Inventardifferenzen prüfe ich bis heute Abend.« Sie war auf einige unstimmige Stellen gestoßen und musste herausfinden, wo das Problem lag, ob die Pläne verkehrt waren oder es Fehler in den Rechnungen für die Materiallieferungen gab.

Als sie wieder in ihrem Büro saß, ging sie die Liste für die Buchprüfung durch. So schlimm war die Sache gar nicht. Das größte Problem waren die Gemeinkosten, die sie für die Inventarbewertung zugrunde legte. Die würde sie erklären müssen, aber sie hatte sich bereits einige Notizen in der entsprechenden Akte gemacht und verwendete immer dieselbe Methode, seitdem sie vor einigen Jahren zu dem neuen System übergegangen waren. Sie hatte Marbury sogar schon alles erklärt.

Ihr Vater war der Ansicht, dass sie in ihrer Karriere schon viel weiter sein müsste, aber sie war kein Manager und eignete sich nicht dazu, andere zu beaufsichtigen. Nein, sie war kaum mehr als eine richtige Buchhalterin. Allerdings wusste sie *alles* über DKG. Und die DeKnights brauchten sie. Außerdem kam sie sehr gut zurecht. Ihr gehörte sogar eine kleine Wohnung drüben in Newark. Sie war unabhängig. Sie war *glücklich*.

Aber sie mochte keine Veränderungen.

Das Telefon auf ihrem Schreibtisch klingelte. »Hier ist Bree Mason. Wie kann ich Ihnen helfen?«

Die Stimme am anderen Ende war kaum mehr als ein Flüstern. »Ich kann das nicht mehr, Brianna. Bitte!«

In Brees Bauch zog sich alles zusammen. Ihre Mutter war die Einzige, die sie Brianna nannte, und das auch nur, wenn sie sich sehr aufregte. »Warum hast du mich nicht auf dem Handy angerufen, Mom?«

»Weil ich wusste, dass du nicht rangehen würdest.«

Okay, sie gab ja zu, dass sie eine schlechte Tochter war. »Ich gehe jeden Tag ans Handy.« Aber nur einmal am Tag, weil sie es öfter einfach nicht ertragen konnte.

»Ich kann mich nicht mehr alleine um ihn kümmern, Brianna.« Sie hörte ihrer Mutter an, dass sie weinte.

»Er muss in ein Hospiz, Mom.«

»Er möchte zu Hause sterben.«

Bree konzentrierte sich auf ihre Atmung. »In einem Hospiz kann man viel besser für ihn sorgen.«

»Das hier ist sein Zuhause.«

Ihre Eltern hatten schon vor Brees Geburt in dem Haus in Saratoga gewohnt. Es hatte vierzigtausend Dollar gekostet, war komplett abbezahlt und inzwischen ein kleines Vermögen wert, obwohl die Immobilienbranche eingebrochen war. Ihrer Meinung nach sollten ihre Eltern das Haus verkaufen und sich ein kleineres, praktischeres suchen.

Aber ihr Vater weigerte sich. Wie immer.

»Du musst dich durchsetzen, Mom, und ihm sagen, dass du es nicht mehr schaffst.«

»Ich würde es schaffen, wenn du nach Hause kommst und mir hilfst.«

Das war es also. Sie wollten, dass sie nach Hause kam. Sie wollten sie zurück. Bei ihrem Vater war vor fünfzehn Monaten Lungenkrebs diagnostiziert worden. Er hatte eine Strahlungstherapie bekommen, und die Krankheit stagnierte eine Weile. Vor zwei Monaten, kurz nach Thanksgiving, hatten die Ärzte dann festgestellt, dass der Krebs in seine Nieren gewandert war. Jetzt war es nur noch eine Frage der Zeit.

Bitte zwing mich nicht dazu, Daddy!

Sie konnte unmöglich wieder nach Hause ziehen. Es fiel

ihr schon schwer genug, jeden Sonntag zum Essen hinzufahren, wozu sie ihre Mutter zwang, seitdem Bree nach dem College in ihre erste eigene Wohnung gezogen war. Am letzten Sonntag war sie davon überzeugt gewesen, dass ihr Vater einen Schlaganfall erlitten hatte. Sein Gesicht war einfach eingefallen, als sie ihn mit zerstampften Pfirsichen gefüttert hatte, als hätten alle Muskeln auf einmal die Funktion eingestellt. Er hatte ausgesehen wie ein Clown mit diesem schiefen Grinsen im Gesicht. Dann war es wieder vorbei, und er hatte weiter seine Pfirsiche gemümmelt, als ob nichts geschehen wäre. Irgendwann hatte auch ihr eigenes Herz wieder angefangen zu schlagen.

Sie konnte das einfach nicht tagaus, tagein machen.

Ihre Mutter weinte jetzt hörbar. Bree hielt die Luft an. Ihre Augen brannten, und sie schniefte.

»Bitte, Brianna, hilf mir! Ich weiß nicht mehr, was ich machen soll.«

Bree dachte an das, was Erin bei ihrem Gespräch kurz vor Silvester gesagt hatte, als Bree ihr gestanden hatte, wie krank ihr Vater war und dass er nicht mehr lange zu leben hatte. Erin hatte gesagt, dass sie kein schlechter Mensch war, nur weil sie nicht hinziehen wollte, sich dem nicht stellen wollte, es nicht mitansehen wollte. Erin fand es verständlich und normal, wenn Menschen so reagierten.

Vielleicht war es ja wirklich normal. Aber Bree wusste, dass sie ein schlechter Mensch war, weil sie ihre Mutter weinen hörte und ihr diesen Wunsch dennoch nicht erfüllte.

Zwing mich nicht dazu! Bitte zwing mich nicht dazu!

Sie war fünfunddreißig Jahre alt und betete wie ein kleines Kind zu Gott. Doch Gott würde sie nicht retten. Er würde ihr nicht aus heiterem Himmel eine andere Alternative anbieten. Letzten Endes wusste sie auch nicht, wie lange sie sich selbst noch im Spiegel ertragen konnte, wenn sie nicht hinfuhr.

»Okay, Mom«, sagte sie schließlich. »Ich komme. Ich bin morgen früh da.« Samstag. Erst musste sie ein paar Sachen packen und ihre Blumen gießen. Sie konnte ihre Pflanzen ja nicht sterben lassen.

Nachdem ihre Mutter aufgelegt hatte, drückte Bree den Hörer an die Brust und konzentrierte sich darauf, einfach weiterzuatmen. Sie konnte das schaffen. Sie konnte stark sein. Sie konnte wie Erin sein.

Aber wenn sie das tun musste, dann brauchte sie irgendetwas, das ihr half, die Sache durchzustehen. Normalerweise bat sie ihn nicht um zwei Abende nacheinander, aber sie brauchte ihn so sehr.

Also stand sie auf und schloss mit einem leisen Klicken ihre Bürotür. Wieder auf ihrem Stuhl, wählte sie seine Nummer, die sie per Kurzwahl gespeichert hatte, und als er ans Telefon ging, sagte sie die magischen Worte: »Willst du mich heute Abend, Meister?«

Kapitel 2

Und wie Luke sie wollte! Er hätte am liebsten durchs Telefon gegriffen und sie berührt, seinen Anspruch auf sie angemeldet. Er saß in seinem geräumigen Büro im zweiten Stock des Silicon-Valley-Unternehmens, das er leitete, und sagte: »Zu meinen Bedingungen.«

»Natürlich, Meister. Ich werde tun, was du willst.«

Er überlegte kurz, was er eigentlich wollte, und dachte dann an das, was sie brauchte. »Du musst bestraft werden.«

»Ja, Meister.« Vor Aufregung wurde ihre Stimme zu einem heiseren Flüstern.

»Du wirst nicht schreien, und du wirst dich nicht wehren, Schlampe.« Bei diesen Worten loderten Hitze und Verlangen in ihm auf.

Er konnte fast schon spüren, wie ihr Körper unter ihm bebte, als sie mit zitternder Stimme antwortete. »Nein, Meister, ich werde mich nicht wehren.«

Dieses Mal würde sie um die Erlösung betteln müssen. Er würde sie spanken, und dann würde er es ihr mit dem Mund machen und sie zum Höhepunkt bringen. Er würde den Orgasmus aus ihr herauszwingen.

»Um wie viel Uhr soll ich da sein, Meister?«

»Wir werden uns nicht in meinem Haus treffen, sondern bei dir.« Er hörte, wie sie erschrocken Luft holte, und hatte bei der Pause, die danach entstand, das Gefühl, als ob sich vor ihm ein schwarzes Loch auftun würde. »Oder wir machen es gar nicht.«

»Bitte zwing mich nicht dazu!« Obwohl sie noch immer flüsterte, schien die Erregung aus ihrer Stimme verschwunden zu sein.

Auch wenn sie es nicht wollte, war es doch genau das, was sie brauchte. Und er brauchte es auf jeden Fall. »Es ist Zeit dafür. So oder gar nicht. Ich werde um acht Uhr da sein.«

»Wir müssen früher anfangen«, entgegnete sie, hielt jedoch inne, als ihr auf einmal klar wurde, dass sie seine Autorität infrage stellte.

Gut. Dann hatte er mehr Zeit mit ihr. »Dann sehen wir uns um sieben.«

»Ich habe keine Bettpfosten oder was anderes, woran du die Handschellen anbringen kannst«, sagte sie.

»Die werden wir auch nicht brauchen, da du alles, was ich mit dir machen werde, akzeptieren wirst, ohne dagegen anzukämpfen.«

Sie zögerte. »Ja, ich werde alles tun«, stimmte sie schließlich zu.

Nicht »Ja, Meister«. Er fragte sich, wieso sie das nicht gesagt hatte und ob das etwas Gutes oder etwas Schlechtes bedeutete. Aber eigentlich war es auch egal. Er hatte bereits entschieden, wie alles ablaufen würde.

»Du musst mir deine Adresse per E-Mail schicken.« Er wusste nicht genau, wo sie wohnte. Aber jetzt würde er dieses Geheimnis und noch einige andere lüften.

»Ja.« Das sagte sie so leise, dass er es kaum hören konnte.

Nachdem sie aufgelegt hatte, geriet er ins Grübeln. Trotz der Dominanz, die er ausübte, überließ er ihr noch sehr viel

Kontrolle. Er rief sie nie an, sondern wartete immer, dass sie ihn anrief, wenn sie ihn brauchte. Auch übte er nie Druck auf sie aus, drängte sie zu nichts und gewährte ihr Freiheiten. Und genau das war das Problem: Er gewährte ihr zu viel Freiheit. Es war Zeit, die Samthandschuhe auszuziehen. Er würde in ihre Wohnung gehen, sie bestrafen und sie zum Orgasmus bringen. Danach würde er sie im Arm halten, und keiner würde schnell wieder das Bett verlassen. Außerdem hatte er vor, die ganze Nacht bei ihr zu bleiben.

Doch bevor er sich die Dinge ausmalen konnte, die er am Abend mit ihr vorhatte, musste er sich um seine Arbeit kümmern. Er griff zum Telefon und wählte eine Nummer.

»Ja, Luke?« Beeman war sofort dran.

»Ich brauche die vorläufigen Zahlen für die Vorstandssitzung am Mittwoch.«

Beeman seufzte. »Sie wissen, dass das unmöglich ist, Luke.« Auch von ihm kein »Ja, Meister.« Als Finanzvorstand sagte Beeman immer, dass etwas unmöglich sei, damit er umso besser dastand, wenn er das, was Luke haben wollte, schließlich doch noch beschaffen konnte.

»Wir reden über vorläufige Zahlen, Beeman. Dem Vorstand ist klar, dass sie sich noch ändern können.«

»Ich habe noch keine Antwort von den Rechnungsprüfern wegen der Rücklagen erhalten.«

»Schreiben Sie eine Notiz dazu, und verdeutlichen Sie, was im schlimmsten und im besten Fall passieren kann.«

»Und mit den Währungsumrechnungen stimmt auch irgendwas nicht.«

Sie hatten vor zwei Jahren eine Fabrik in Deutschland gebaut, doch obwohl die Produkte aus der deutschen Anlage verschickt wurden, lief der Rechnungsversand noch über die USA. Das bereitete der Buchhaltung starke Kopfschmerzen. Die Deutschen mochten es nicht, wenn man ihnen sagte, was sie zu tun hatten. Er begriff, wo das Problem lag, doch das änderte nichts an der Tatsache. »Beeman«, war alles, was er daraufhin sagte.

»Scheiße! Okay. Vorläufige Zahlen bis Mittwoch.«

»Dienstagabend, Beeman. Ich möchte sie mir vor der Sitzung auch noch ansehen können.« Er ging nie uninformiert zu den Vorstandssitzungen.

Sein Finanzchef knurrte widerwillig.

»Danke, Beeman!« Er war eigentlich ein guter Mann und leistete ausgezeichnete Arbeit. Ein Geschäftsführer war nur so gut wie die Leute, die ihn unterstützten, und Luke hatte ein hervorragendes Team zusammengestellt.

Erneut klingelte sein Handy. Irgendwie war das Telefon, sei es das Handy oder das Festnetztelefon, schon fast zu einem Teil seines Körpers geworden. Sein Herz pochte voller Vorfreude, weil er hoffte, dass es noch einmal Bree sein würde.

Doch es war nicht ihre Nummer, die auf dem Display angezeigt wurde. »Hey«, sagte er zur Begrüßung.

»Dad?« Es war Keira, seine Älteste. Sie studierte in San Luis Obispo an der California Polytechnic State University, die kurz Cal Poly genannt wurde.

»Wer sollte denn sonst an mein Handy gehen, Süße?«

»Deine Sekretärin.«

»Die geht doch nicht an mein Handy.«

Keira seufzte, und er konnte beinahe hören, wie sie die Augen verdrehte. »Ich ruf nur an, um dir zu sagen, dass ich mich von Billie getrennt habe.«

»Das tut mir leid, Schatz«, antwortete er. Keira war seit Semesterbeginn mit Billie ausgegangen, Luke hatte ihn jedoch nie kennengelernt.

»Das ist was Gutes.« Allerdings musste sie nach diesem Satz erneut seufzen.

»Freut mich, dass du es so siehst.«

»Er hat angefangen, diese Dominanzscheiße auszuüben.«

Einen Augenblick lang stellten sich Luke die Nackenhaare auf. Niemand durfte sein kleines Mädchen ausnutzen, und er hatte seinen beiden Töchtern beigebracht, selbstbewusst aufzutreten. Doch Keira war noch nicht fertig. »Er hat mir tatsächlich gesagt, dass ich mich nicht mehr mit Stephie treffen darf, weil sie einen schlechten Einfluss auf mich hat.«

Luke schwieg.

»Glaubt der, ich wäre so blöd, Hasch zu rauchen, nur weil meine Freundin das tut? Hält der mich für so ein Weichei?«

Keira war seit der Mittelstufe mit Stephie befreundet. In der Highschool hatte sich Stephie mit seltsamen Leuten eingelassen und angefangen, Marihuana zu rauchen, doch Keira hatte zu ihr gehalten und gehofft, dass sie bald auf den rechten Weg zurückfinden würde. Seine Tochter hatte schon immer einen klugen Kopf gehabt. Sie war stark, hatte eine eigene Meinung und wusste, was sie wollte. Er war davon überzeugt, dass Stephie ohne Keiras Beistand angefangen hätte, härtere Drogen zu nehmen, und abhängig geworden wäre. Gott allein wusste, wie ihr Leben dann ausgesehen hätte.

»Ich bin stolz auf dich, weil du zu deinen Freunden hältst, Schatz. Andere Mütter haben auch schöne Söhne.«

»Himmel, Dad, das ist so ein uralter Spruch.«

Er lachte. »Ich bin ja auch ein uralter Mann. Wann kommen Kyla und du mal wieder nach Hause?« Sie waren zwar erst vor einer Woche wieder gefahren, als die Weihnachtsferien zu Ende gegangen waren, aber er vermisste sie schon wieder.

»Vermutlich in ein paar Wochen. Wir müssen uns erst wieder ans Unileben gewöhnen.«

»Okay, Schatz, aber sag mir rechtzeitig Bescheid, damit ich eure Mom anrufen kann.«

Sie machte ein Kussgeräusch und legte auf.

Er mochte diese kurzen Telefongespräche und dass er von seinen Töchtern oft SMS bekam. Keira war zwanzig, und Kyla, die ein Jahr jünger war, hatte gerade erst an der Cal Poly angefangen. Es war Beths Idee gewesen, ihnen derart ähnlich klingende Namen zu geben. Aber im Grunde genommen war das auch schon alles, was sie von ihrer Mutter hatten. Eigentlich ähnelten sie beide eher ihm. Das hatte Beth auch oft gesagt, dass sie sich ausgeschlossen fühlte, wenn sie mit allen dreien zusammen war, und dass es sei, als ob sie nur ein Schatten oder gar nicht da wäre.

Es gab vieles, was er bedauerte, und dazu gehörte auch, dass ihm nicht einmal aufgefallen war, wie ihm Beth entglitt, bis sie ihm vor fünf Jahren auf einmal gesagt hatte, dass sie es mit ihm nicht länger aushalten könne. Er hatte geglaubt, alles für sie zu tun, war ihr ein treuer Ehemann und brachte genug Geld nach Hause, um ihr das große Haus und alles, was sie haben wollte, zu finanzieren. An diesem Tag war irgendetwas in ihm gestorben. Er hatte den Schmerz, wenn auch nicht die Schuldgefühle in sich begraben können, war aber trotz allem sehr stolz darauf, dass seine Töchter so stark waren. So musste es auch sein. Allerdings war er jederzeit bereit, jeden Typen zu Brei zu schlagen, der ihnen das Herz brach.

Von all dem, was er in seinem Leben erreicht hatte, war er besonders stolz darauf, dass er zwei Töchter großgezogen hatte, die ihn nicht brauchten. Doch er war so darauf bedacht gewesen, das seinen Töchtern beizubringen, dass er die Bedürfnisse seiner Frau so lange missachtet hatte, bis es zu spät gewesen war.

Trotz all der Stärke, die er seinen Töchtern vermittelt hatte, und all der Qualen seiner Frau hatte er sich jetzt für eine Frau entschieden, die sich nach seiner Dominanz sehnte. Das war eine völlig andere Situation. Und verdammt noch mal, er freute sich auf die Intimitäten, zu denen er Bree an diesem Abend in ihrer eigenen Wohnung zwingen würde.

Luke würde in ihre Wohnung kommen. Sie hatte geputzt, abgewaschen, das Bett gemacht, die schmutzige Kleidung weggeräumt und sogar die Badewanne geschrubbt. Normalerweise war Bree immer ein wenig schwindlig, wenn sie wusste, dass sie ihn bald sehen würde. Jetzt war sie jedoch verängstigt. So hatte sie sich das nicht vorgestellt. Sie wollte das voneinander trennen und in einer kontrollierten Umgebung dominiert werden. Sie wollte gehen können, wenn ihr danach war oder wenn ihr irgendetwas zu viel wurde. Wie am vergangenen Abend, als ihm aufgefallen war, dass sie ihren Orgasmus nur vorgetäuscht hatte.

Bree holte tief Luft. »Beruhige dich«, sagte sie leise. Dann ging sie ins Bad und begann ihre Kulturtasche für den Aufenthalt bei ihren Eltern in Saratoga zu packen, der jetzt irgendwie in weite Ferne gerückt zu sein schien. Sie packte

Blusen, Hosen und Blazer in eine Reisetasche. Ihr Koffer lag offen auf dem Bett, halb gefüllt mit Slips, BHs, Socken, Jeans, T-Shirts, Nachthemden, ihrer aktuellen Gobelinstickerei und ihren drei Lieblings-DVDs, der Disney-Version von *Die Schöne und das Biest*, der zwölfteiligen Serie *Jane Eyre* mit Timothy Dalton und *Pitch Black*. Gut, Letzterer war ein Science-Fiction-Film, aber die Rettung des Hauptdarstellers am Ende konnte sie sich gar nicht oft genug ansehen. Erlösung spielte bei all ihren Lieblingsfilmen eine Rolle. Wenn ihr bei ihren Eltern alles zu viel wurde, konnte sie eine dieser DVDs reinschmeißen und sich darin verlieren wie mit einem Halluzinogen. Alice auf dem Weg in den Kaninchenbau.

Sie hatte Erin noch nicht erzählt, dass sie vorübergehend zu ihren Eltern ziehen würde. Erst einmal wollte sie am Wochenende mit ihrer Mutter alles durchsprechen. Da ihr Arbeitsweg von dort aus kürzer wäre als von ihrer Wohnung in Newark aus, schließlich lag das Haus ihrer Eltern gerade mal zehn Minuten von DKG entfernt, konnte sie später kommen und früher gehen. Im Notfall konnte sie auch von zu Hause aus arbeiten. Es würde schon irgendwie klappen.

Wie oft sie dieses Mantra seit dem Gespräch mit ihrer Mutter an diesem Morgen vor sich hin gemurmelt hatte, wusste sie selbst schon nicht mehr. Aber wenn sie sich auch nur vorstellte, sich wieder in diesem Haus aufzuhalten, wurde ihr schon speiübel.

Gott allein wusste, wie sie es dann noch schaffen sollte, sich mit Luke zu treffen. Aus diesem Grund brauchte sie den kommenden Abend auch so dringend, denn er könnte für lange Zeit der letzte sein.

Doch selbst wenn sie jetzt noch nervös war, brauchte sie

die Aufregung, die sie verspürte, wenn sie bei ihm war. Er war wie eine Droge, und wenn sie sich schlecht fühlte, zwang er sie dazu, etwas anderes zu empfinden. Er hatte sie vor Derek gerettet. Die Sache mit Derek war ihr über den Kopf gewachsen. Sie hatten sich online kennengelernt, und in den ersten Wochen war alles gut gelaufen. Dann hatte er angefangen, sie mit in die Klubs zu nehmen. Er hatte sie gezwungen, es anderen Männern mit der Hand zu machen, während er dabei zusah. Das war nicht so schlimm, und es gefiel ihr, dass ihn das anmachte. Alles war okay, solange er dadurch geil wurde. Doch dann geriet langsam alles außer Kontrolle. Er wollte, dass sie anderen Typen einen blies, mit Fremden schlief, sogar mit mehreren auf einmal. Er sprach sogar davon, Geld für ihre Dienste zu nehmen. Das wäre vielleicht noch in Ordnung gewesen, doch sie fühlte sich bei ihm irgendwann nicht mehr wie jemand Besonderes. Die ganze Beziehung richtete sich nur noch danach, dass er wie ein toller Typ rüberkam. Sie war nur noch ein *Ding*, das er herumkommandieren und weggeben konnte. Er fasste sie kaum noch an, und seine Blicke waren ständig auf Wanderschaft. Wenn sie sich weigerte, drohte er ihr Schläge an. Und auf einmal war Luke aufgetaucht. Er nahm sie ihm einfach weg. Bei ihm fühlte sie sich wie ein Juwel. In den letzten sechs Monaten hatte er ihr alles gegeben, was sie brauchte. Dafür musste sie nichts weiter tun, als seine Nummer anzurufen.

Bree warf die letzten Kleidungsstücke in ihren Koffer und verschloss ihn. Sie fuhr ja nicht so weit weg, dass sie nicht zurückkommen und weitere Sachen holen konnte. Außerdem musste sie ja auch hin und wieder herkommen und ihre Blumen gießen. Nachdem sie die Tasche auf den Boden gestellt hatte, stand sie kurz nachdenklich da. Sie konnte ihr Gepäck ja nicht im Flur stehen lassen, da Luke sonst Fragen stellen würde. Und sie wollte nichts erklären müssen. In Bezug auf Luke zog sie es vor, alles, was mit ihm zu tun hatte, abzugrenzen. Es gab ihr normales Leben und die Dinge, die sie mit Luke tat. Niemand sollte je von ihrem geheimen Leben erfahren, von den Männern und all den Dingen, die sie getan hatte.

Sie rollte den Koffer zum Schrank, schob die Kleidung beiseite und schaffte genug Platz, um ihn reinzuschieben. Dann stellte sie die Tasche daneben. Schließlich ging sie noch einmal ins Bad, holte drei Kondome aus der Packung, die sie unter dem Waschbecken aufbewahrte, und steckte sie in ihre Handtasche. Vermutlich würde sie nach dem heutigen Abend so schnell keine Gelegenheit mehr haben, Luke zu sehen, aber sie wollte auf alles vorbereitet sein.

So, das Zimmer war aufgeräumt. Sie richtete die blaue Tagesdecke, sah sich ein letztes Mal um und verließ dann den Raum. Ihre Wohnung lag auf zwei Etagen, oben waren zwei Schlafzimmer und ein Bad, unten befanden sich Küche, Essecke, Wohnzimmer und ein Gästebad. In der Küche entkorkte sie eine Flasche Merlot und ließ den Wein atmen. Sie trank lieber Weißwein, aber Luke bevorzugte roten.

Als es an der Tür klingelte, schlug ihr Herz wieder schneller, teilweise vor Aufregung, aber auch aus Angst davor, ihm gleich einen großen Bereich ihres *anderen* Lebens zu enthüllen. Andererseits war die Zeit, die sie mit ihm verbrachte, für sie realer als alles andere. Sie bezweifelte jedoch, dass er das verstehen würde.

Er war komplett in Schwarz gekleidet und sah mit seinem

Rollkragenpullover, der Jeans und den Turnschuhen aus wie Cary Grant als Meisterdieb in *Über den Dächern von Nizza.* Sein dunkles Haar war ebenfalls schwarz, so rabenschwarz, wie es seinem Nachnamen entsprach. Doch seine Augen waren hellbraun, fast schon bernsteinfarben. Es gefiel ihr, dass er nur wenige Zentimeter größer war als sie. Er war kräftig gebaut, und seine Muskeln passten gar nicht zu einem Büroarbeiter wie ihm. Wäre er über einen Meter achtzig groß gewesen, hätte sein Körper fast schon bedrohlich gewirkt.

»Schön hier«, meinte er. Auf ihrer winzigen Terrasse standen einige Blumentöpfe. Der Regen hatte aufgehört, und ihr Windspiel klingelte leise im Abendwind. Natürlich konnte man auch die lauten Nachbarn auf der anderen Straßenseite hören, ebenso wie die lautstark spielenden Kinder auf dem Parkplatz.

Mit seinem prachtvollen Haus in Atherton konnte man ihr Heim nicht vergleichen, aber es gehörte ihr. Und der Bank. »Komm doch rein!« Sie hielt ihm die Tür auf und verglich sich innerlich mit einer unschuldigen Frau, die einem Vampir erlaubte, über ihre Türschwelle zu treten.

Nur dass sie ihre Unschuld schon vor langer Zeit verloren hatte.

Kapitel 3

Durch die Eingangstür gelangte man gleich ins Wohnzimmer, in dem die Treppe direkt an der Wand, die an die Nachbarwohnung grenzte, nach oben führte. Neben dem Wohnbereich lagen die Küche und eine kleine Gästetoilette mit WC und Waschbecken. Über Bree wohnte niemand mehr, und da sie ganz am Ende des Hauses wohnte, musste sie zumindest nur von einer Seite den Lärm ihrer Nachbarn ertragen. Luke ging ins Wohnzimmer und sah sich interessiert um. Der praktische graublaue Teppich hatte bei ihrem Einzug schon hier gelegen, und die Wände waren weiß gestrichen. Sie besaß eine bequeme Couch mit dazu passendem Zweisitzer sowie einen relativ neuen Flatscreen-Fernseher.

Luke beugte sich vor und begutachtete ihre Stickarbeit, die auf dem Sofa lag, einen historischen Pferdewagen vor einem Herrenhaus. »Hast du das gemacht?«

Bree wurde tatsächlich rot. »Ja.« Das Sticken beruhigte sie.

»Ich hätte nicht gedacht, dass du Handarbeiten magst.«

Warum nicht? Weil es nicht zusammenpasste, wenn eine promiskuitive Schlampe stickte? Das sprach sie jedoch nicht laut aus. Stattdessen deutete sie auf die anderen Stickereien, die an der Wand hingen. »Das mache ich schon seit meiner Kindheit.« Dieses Hobby hatte sie schon immer entspannt. Einige fanden diese Arbeit zwar monoton, doch ihr gefiel es, wie leicht man damit Perfektion erreichen konnte, jeder Stich war derselbe, und das Ergebnis entstand unter ihren Fingern.

»Ich bin beeindruckt.« Er lächelte und ging durch das Wohnzimmer zum Essbereich.

Sie hatte einen Esstisch mit Stühlen von Ikea. Allerdings waren nur ihre Eltern kurz nach ihrem Einzug einmal zum Essen hier gewesen. Meist aß sie allein auf dem Sofa und sah dabei fern.

»Ich habe einen Wein aufgemacht.« Sie deutete auf die Küche. Sie hatten Sex gehabt und so viele schmutzige Dinge zusammen getan, und doch war sie jetzt so nervös wie bei einer ersten Verabredung.

Er lachte. »Das habe ich ganz vergessen. Der Mann sollte ja eigentlich eine Flasche mitbringen. Wie nachlässig von mir.« Er beugte sich vor und schnüffelte an ihren Haaren. »Himmel, riechst du gut! Und die engen Leggings gefallen mir.«

Sie war barfuß, aber ihre Lippen befanden sich fast auf gleicher Höhe. Einige Männer mochten es nicht, dass sie so groß war, da sie sich irgendwie unterlegen fühlten. Luke hatte das nie gestört. Sie starrte seinen Mund an und sehnte sich nach seinem Kuss, machte aber auch keine Anstalten, ihn zu küssen. Stattdessen rieb sie mit der Hand über ihr weißes Lycra-Oberteil. »Ich weiß, dass du dieses Shirt magst.« Sie hatte sich extra für ihn umgezogen. Er mochte es, dass er nur an dem Shirt ziehen musste, um ihre Brüste freizulegen. Die waren zwar nicht gerade groß, hatten aber feste Nippel, die sich, wie sie hoffte, gegen das dünne Material drückten.

Er schluckte den Köder jedoch nicht, sondern machte sich auf den Weg in die Küche. »Hübsch«, sagte er, und damit hätte er sowohl ihre Kleidung als auch ihre Küchenschränke meinen können, über deren Holzoberfläche er gerade mit der Hand strich. Nacheinander öffnete er mehrere Türen.

»Was machst du denn da?« Sie wusste nicht, warum sie das nervös machte, da sie nichts zu verbergen hatte, zumindest nicht in ihren Küchenschränken.

»Ich möchte sehen, was du so in deinen Schränken hast. Wow, du kochst ja tatsächlich!« Er drehte das Gewürzkarussell, in dem sich alles von Muskatnuss und Kardamom über Cayennepfeffer bis hin zu italienischen Gewürzen befand. Auf dem Regalbrett darüber standen Flaschen mit Sojasoße, Sesamöl, Weinessig, Kochsherry und mehr.

»Ich mache gern Chinapfanne«, erklärte sie.

»Sticken und Kochen.« Er zog wie Spock eine Augenbraue hoch. »Ich erfahre gerade eine ganze Menge über dich.«

»Vielleicht solltest du auch noch in den Kühlschrank gucken«, schlug sie trocken vor.

Genau das tat er auch. »Du magst Vanillejoghurt. In Mengen. Und Milch.« Er hatte sich vorgebeugt, um hineinsehen zu können, und drehte den Kopf jetzt zu ihr um. »Sechs Liter? Hast du Kinder, die du mir verschwiegen hast?«

Ihre Haut wurde ganz heiß. »Es ist billiger, sie in großen Mengen zu kaufen. Außerdem mache ich mir jeden Morgen einen großen Michkaffee.« Sie hatte da so ihre Routine. Jeden Morgen kochte sie sich für die Fahrt zur Arbeit einen Milchkaffee. Wenn man jeden Tag zu Starbucks ging, gab man im Jahr locker eintausend Dollar aus. Außerdem mochte sie Routine. Sie war beruhigend, genau wie das Sticken und das Kochen. Wenn man eine gleichbleibende Routine hatte, besaß man die Kontrolle.

»Sparsam, aber mit einem guten Geschmack. Das gefällt mir.« Er zog das Gemüsefach auf, um nachzusehen, ob da noch altes Gemüse vor sich hin gammelte.

Sie machte einen Schritt nach hinten. »Warum machst du das?« Er brachte sie dazu, dass sie sich in ihrer eigenen Wohnung eingeengt fühlte.

Er streckte sich, schloss den Kühlschrank, der mit einem leisen Zischen zuging. »Ich mache was?«

»Dir alles ansehen. Mich überprüfen.«

Er legte ihr die Hand unter das Kinn, und seine Berührung bewirkte, dass ihr ein Schauer über den Rücken lief. »Du hast mich noch nie zuvor in dein Haus gelassen. Ich möchte so viel über dich herausfinden, wie ich nur kann.«

Ständig hatte er ihr Fragen gestellt, doch wenn sie ihm keine Antwort gab, schien ihn das auch nicht weiter zu stören. Das war ihr auch lieber so. »Es ist nur so, dass ich sehr auf meine Privatsphäre bedacht bin.«

Er kam noch näher an sie heran, sodass sich ihre Oberkörper berührten, und sie musste sich zusammenreißen, um nicht zurückzuweichen. Auch wenn er nur wenige Zentimeter größer war als sie, hatte sie jetzt das Gefühl, einen Riesen vor sich stehen zu haben.

»Ich habe dich gefickt, geleckt und gespankt«, murmelte er so sanft, als würde er ihr Liebesschwüre ins Ohr flüstern. »Ich habe dich gefesselt, dir die Augen verbunden und dich gezwungen, meinen Schwanz und meinen Samen in deinen Mund zu nehmen. Findest du nicht, dass ich da ein bisschen mehr über dich wissen sollte?«

Sein Tadel bewirkte, dass sie innerlich zu beben begann.

Er zog ihr Lycra-Shirt herunter, sodass ihre Nippel zu sehen waren. »Ab jetzt haben wir eine neue Regel.« Er streichelte ihre Nippel, bis sie hart wurden. »Wenn ich dir eine Frage stelle, wirst du antworten.« Er starrte ihr in die Augen. »Und du wirst die Wahrheit sagen.« Ihre Nippel fest zwischen dem Daumen und dem Zeigefinger jeder Hand, drückte er zu, und Erregung flammte in ihr auf. »Verstanden?«

Sie keuchte, und ihre Knie wurden weich. »Ja.«

»Ja, was?«

»Ja, Meister.« Sie hatte ihn von sich aus von Anfang an Meister genannt, obwohl er nicht darauf bestanden hatte. Er spielte ihre Spiele der Dominanz und Unterwerfung mit, aber es waren immer *ihre* Spiele gewesen.

Auf einmal war alles anders. Er hatte das Blatt gewendet. Und sie wusste, dass es ihr gefallen würde.

»Führ mich nach oben!« Sie starrte ihn fasziniert mit großen Augen an, nachdem Luke ihre sämtlichen Küchenschränke durchgesehen, sie nach ihren Lieblingsspeisen und allem, was sie gern aß, gefragt hatte. Er hatte sein Weinglas ausgetrunken und spürte das Verlangen im ganzen Körper. Jetzt wollte er sie. Er wollte sie ficken, sie halten und mit ihr alles machen, worauf er Lust hatte.

Sie war für ihn ein Rätsel, und dass sie stickte und kochte, hatte ihn völlig überrascht, ebenso wie ihre vielen Pflanzen. Er hatte sie nie als besonders häuslich eingeschätzt, dafür war sie viel zu sehr an Sex interessiert, allerdings war ihm jetzt auch nicht ganz klar, wieso das eine das andere ausschließen sollte. Beim nächsten Mal sollte sie für ihn kochen, hatte er beschlossen. Denn er wusste noch lange nicht genug über sie, und es gab noch viele weitere Geheimnisse, die er lüften wollte.

Er folgte ihren verlockend wippenden Hüften die Treppe hinauf. Dort gab es zwei Schlafzimmer, ein großes und ein kleines. Überrascht entdeckte er eine Nähmaschine im Gästezimmer, das sie auch als Arbeitszimmer zu nutzen schien, da dort einige Bücherregale, ein Schreibtisch und ein Computer standen. Ihren Computer hätte er gern mal genauer unter die Lupe genommen. Was er da wohl alles finden konnte?

»Dein Zimmer«, sagte er und schob sie vor sich her. Eine blassblaue Tagesdecke bedeckte das Bett, und am Kopfende lagen haufenweise Kissen. Unter dem zugezogenen Fenster stand ein Sekretär, und auf der anderen Seite entdeckte er eine hohe Kommode. Auf der anderen Seite des Bettes befand sich ein Kleiderschrank mit verspiegelten Türen.

In diesen Spiegeln würde er alles sehen können, was er mit ihr anstellte.

»Ich hatte eigentlich mit Stofftieren auf dem Bett gerechnet«. Die hätten zu den gestickten Katzen und Hunden an der Wand gepasst.

Sie lachte. Das war das erste Mal an diesem Abend, dass er sie lachen hörte. Es gefiel ihr nicht, dass er bei ihr eingefallen war, und für sie hatte er das mit jeder Tür, die er geöffnet hatte, getan.

»Die stehen alle auf dem Bücherregal im Nebenzimmer«, erwiderte sie.

Er ging den kurzen Flur hinunter, am Bad vorbei, das zwischen den beiden Zimmern lag, und betrat noch einmal das andere Schlafzimmer. Und da waren sie, bunte Katzen, Häschen, Teddybären, Fische und Welpen aus Plüsch, die auf dem Bücherregal saßen. Bei den Büchern sah er alles von Horror über Mystery bis hin zu Klassikern. Aber was sagte ihm das über sie?

Nicht viel, außer, dass sie wirklich real war. Dass sie Hobbys hatte, Bücher las und eine sanftere Seite besaß als die, die sie ihm bisher gezeigt hatte.

Bisher war sie für ihn tatsächlich nicht mehr als ein Sexobjekt gewesen, da schließlich auch alles, was zwischen ihnen geschah, allein auf Sex basierte. Sie kam in sein Haus, sie machten schmutzige Dinge, sie ging nach Hause. Sie blieb nie über Nacht. Gelegentlich hatte er sie mal zum Essen ausgeführt, meist aber nur, um sie in einem heißen Outfit vorzuführen. Sie hatten nie zusammen vor dem Fernseher gesessen, und er wusste nicht einmal, welche Filme sie mochte.

Er wusste nur, dass man sie führen musste, dass sie das Gefühl brauchte, zu dem gezwungen zu werden, was er von ihr wollte, und dass sie es genoss, von ihm bestraft zu werden, selbst wenn sie manchmal weinte und ihn anflehte aufzuhören. Aus diesem Grund fragte er sich auch immer wieder, wie ihre früheren Beziehungen wohl ausgesehen hatten. Es musste irgendetwas vorgefallen sein, das all das erklären konnte. Trotz allem war er nur zu gern bereit, ihr das zu geben, was sie haben wollte.

»Du hast mir einiges vorenthalten, Bree.«

»Wie meinst du das?« Sie stand mitten im Flur, doch als er aus dem Zimmer kam und sich ihr näherte, wich sie zurück. Sie hatte ihr Shirt wieder hochgezogen, doch ihre Nippel zeichneten sich noch immer unter dem dünnen Stoff ab.

»Du hast noch nie für mich gekocht.«

Sie keuchte auf. »Du willst, dass ich dir *jetzt* was zu essen koche?«

»Nicht jetzt. Stattdessen werde ich dich dafür bestrafen, dass du es mir nie angeboten hast. Eine gute Sub muss sich um alle Bedürfnisse ihres Meisters kümmern, und dazu gehört auch das Essen, und das hast du nicht getan.«

»Aber ich …«

Er stand jetzt so dicht vor ihr, dass er ihr die Finger auf die Lippen legen und ihr das Wort abschneiden konnte. »Ein Meister braucht mehr als nur sexuelle Befriedigung, und du hast mir das ganze Ausmaß deiner Fähigkeiten verschwiegen.«

Ihre Augen waren geweitet und strahlend blau. Ihr schneller Puls war deutlich an ihrer Halsschlagader zu sehen. Ihr Atem strich um seine Finger.

Seine Stimme wurde zu einem Flüstern. »Zieh deine Leggings und dein Höschen aus!«

Ohne ein Wort zu sagen, kam sie der Aufforderung nach und warf die Leggings auf den Fußboden im Flur. Sie hatte ihre Schamhaare gestutzt, und der moschusartige Geruch ihrer Erregung stieg ihm in die Nase und vernebelte seinen Verstand. Sein Schwanz pochte in seiner Jeans.

»Geh ins Schlafzimmer und knie dich mit dem Gesicht zur Wand aufs Bett!« Dann fiel ihm noch etwas ein. »Schlampe«, fügte er der Vollständigkeit halber hinzu.

Ohne zu zögern, drehte sie sich um, und ihre verlockenden Pobacken schienen ihn zu rufen.

Das war es, was sie wollte: Befehle. *Tu dies, mach das!* Kein Nachdenken, keine Fragen. Sein Blut floss schneller durch seine Adern, als er sich ausmalte, was er an diesem Abend alles mit ihr anstellen wollte.

Als er ins Schlafzimmer kam, kniete sie auf dem Bett, hatte den Oberkörper mit gestreckten Armen auf die Tagesdecke gelegt und reckte ihm ihren Hintern entgegen.

»Du magst ein anständiges Spanking, nicht wahr, Hure?«

»Nein, Meister. Das tut weh.«

Er hockte sich neben sie auf den Teppich. »Du magst es, wie es sich anfühlt, du stehst auf den Schmerz.«

»Nein.«

»Lüg mich nicht an! Ich habe dir doch gesagt, die neue Regel lautet, dass du all meine Fragen immer wahrheitsgemäß beantworten musst.«

»Ja, aber …«

Er schlug ihr mit der Hand auf den Hintern, sodass sie aufschrie und nicht weitersprechen konnte.

Dann streichelte er ihr über die sich rötende Haut, wanderte mit der Hand tiefer und legte sie auf ihre feuchte Muschi. »Wenn du das nicht magst, dann bitte mich aufzuhören.«

Sie sagte nichts. Also wollte sie noch mehr.

Doch so leicht wollte er sie nicht davonkommen lassen. »Sag mir, was du willst, Bree!«

»Ich möchte so bestraft werden, dass du mir vergeben kannst. Ich möchte, dass du mich so beschimpfst, wie ich es verdient habe.«

Er rieb ihr über den Hintern. »Das reicht nicht, Bree.« Die Worte, die sie gern hören wollte, würde er ihr verweigern, bis sie ihn darum anflehte. »Sag mir genau, wie du es haben willst!«

Sie drehte den Kopf und sah ihn flehentlich an. »Ich will, was du willst!«

»Glaubst du, es gefällt mir, dir wehzutun?«

Sie verzog den Mund und verschmierte ihren Lippenstift dabei ein wenig. »*Gefallen* ist vielleicht nicht das richtige Wort, aber, ähm, ich habe es verdient, bestraft zu werden. Ich verdiene es, dass du mich als Hure und Schlampe bezeichnest.«

Verdient. Sie würde nicht zugeben, dass es sie anmachte.

Er schlug sie erneut, dieses Mal etwas fester, aber immer noch mit schlaffer Hand, sodass es nicht wirklich wehtat. Sie schloss die Augen und stöhnte.

»Gefällt dir das?«

Sie starrte ihn an.

»Wenn du es nicht magst, werde ich es nicht noch mal machen.«

Daraufhin holte sie tief Luft und presste ihre Lippen zusammen, als ob sie sich weigern wollte zu antworten.

Er schlug ihr nicht erneut auf den Hintern. Stattdessen fuhr er mit den Fingern über ihre Poritze, bis sie in die Feuchtigkeit zwischen ihren Beinen eintauchten. »Du magst es. Du bist feucht. Du willst mehr.«

Sie schluckte schwer, sagte aber noch immer nichts.

Sein Schwanz pochte, und seine Jeans wurde ihm langsam viel zu eng. »Sag es«, murmelte er. »Du bekommst nur, was du willst, wenn du es auch aussprichst.« Er strich zwar über ihre Muschi, drang aber nicht in sie ein, und er spürte, wie sie sich vor Verlangen zusammenzog.

Großer Gott, sie wollten es doch beide. Verdammt, sie musste es einfach nur sagen. Er würde es nicht von sich aus tun. Sie musste zugeben, dass sie es auch wollte.

Endlich bewegten sich ihre Lippen, und die Worte wurden fast lautlos ausgesprochen. »Bitte schlag mich! Bitte sag mir, dass ich deine dreckige Schlampe bin!«

Kapitel 4

Sie wollte nicht darum betteln. Sie wollte es nicht auf diese Weise erflehen müssen. Sie wollte, dass er es einfach tat.

Bree war nicht wirklich eine Sub. Sie hatte immer die Kontrolle und gab nur so viel davon ab, wie sie wollte. Aber als Lukes Hand ein weiteres Mal über ihren Hintern wanderte, musste sie einfach nachgeben. »Bitte«, flüsterte sie. »Ich brauche es.«

Als er in ihre Muschi glitt und sie liebkoste, verlor sie vor Verlangen beinahe den Verstand. Das Stöhnen, das über ihre Lippen drang, passte überhaupt nicht zu ihr. Sie wollte nicht darüber nachdenken, aus welchem Grund sie es auf diese Weise brauchte, so heiß, hart, schmerzhaft und schmutzig. Es war einfach die einzige Art, die sie kannte.

»Deine Pobacken sind ganz warm, du schmutziges Mädchen«, raunte er ihr zu und streichelte sie weiter. Seine Finger umkreisten ihren Anus, dann schlug er sie erneut.

Es schmerzte auf eine so wunderbare Weise, dass ihr der Schmerz direkt in die Klit zu fahren schien, die zu pochen begann. *Mach das nochmal,* wollte sie ihn anflehen. *Bitte, bitte, bring mich dazu, etwas zu fühlen!* Ihre Haut schien unter seiner Berührung zu erbeben.

Sie krallte die Finger in die Tagesdecke, als er sie bestrafte und streichelte, die Finger über ihre Muschi streifen ließ und dieses Mal noch etwas weiter zwischen ihre Beine fasste und ihre Klit berührte. Sie zuckte zusammen. Die Bestrafung und die Wonne gehörten zusammen. Sie konnte das eine nicht ohne das andere haben.

»Möchtest du kommen?«

»Nein.« Noch nicht. Sie zog es vor, eine ganze Weile kurz vor dem Höhepunkt zu stehen. Und er schlug sie nicht fest genug, er hatte ihr noch nicht so wehgetan, wie sie es verdient hatte. Wenn jemand anders sie zum Höhepunkt brachte, dann war das immer mit Schuld und schlechten Gefühlen verbunden. Es sei denn, sie empfand vorher Schmerzen. Sie hatte das Vergnügen nur verdient, wenn sie auch den Schmerz ertragen konnte. Derek hatte gewusst, was sie brauchte, aber Derek war ein Sadist gewesen. Luke war gut zu ihr.

Doch an diesem Abend nahm er sie wieder und wieder, er schlug sie, bis jedes ihrer Nervenenden kribbelte und zuckte und die Tagesdecke bei jeder Bewegung über ihre Nippel scheuerte. Und trotzdem tat ihr der Hintern noch nicht weh genug.

»Sieh in den Spiegel«, sagte er, legte ihr die Hand unter das Kinn und drehte ihren Kopf in Richtung Kleiderschrank.

Er war dunkel, und ihr nackter Hintern und das weiße Oberteil bildeten einen deutlichen Kontrast zu ihm, trotz ihrer dunklen Haare, die auf der hellblauen Tagesdecke ausgebreitet waren. Ihr Hintern leuchtete rot. Er legte ihr die Hand zwischen die Beine, und die Frau im Spiegel stöhnte. Der Anblick war dekadent, frech, verlockend.

Er schlug ihr auf den Hintern, während sie zusah und von Lust überwältigt wurde. »Komm«, forderte er und berührte ihre Klit. Sie erschauderte.

Dann bäumte sie sich auf und ritt auf seiner Hand, stöhnte, keuchte und schrie schließlich auf.

Er schlug sie. »Lügnerin. Du bist nicht gekommen.« Er beugte sich vor und flüsterte ihr ins Ohr: »Dreckige kleine Nutte.«

Sie erbebte. Dieses Wort verwendete er nur selten, aber er wollte, dass sie kam. Er wollte, dass sie einen echten Höhepunkt hatte, nicht so wie vergangene Nacht. Den meisten Männern war es völlig egal gewesen, ob sie ihren Orgasmus nur vorgetäuscht hatte. Aber Luke war anders. Warum musste ihn das überhaupt interessieren?

»Fester, Meister. Ich verdiene ein härteres Spanking.«

»Ich werde dich schlagen, bis du kommst. Ich höre erst auf, wenn du meinen Namen schreist und einen richtigen Orgasmus hast.«

Er schlug fester zu, nur um sie wieder zu streicheln, und dieser gleichbleibende Rhythmus brachte sie beinahe um den Verstand. Ihr Hintern schmerzte, doch dann streichelte er auch schon ihre Muschi und ihre Klit. Sie war feucht und stand keuchend und weinend kurz vor dem Höhepunkt. Es war gleichzeitig schrecklich und wunderbar.

Ein weiterer Schlag. »Nimm das, du dreckige Schlampe.«

Ihr Hintern brannte. Sie hätte am liebsten alles rausgeschrien. »Ich bin eine Hure. Schlag fester zu, Meister, fester!«

»Hure.« Er schlug sie erneut, schob ihr die Hand zwischen die Beine, drückte ihre Klit und steckte die Finger in sie hinein. Es war fast schon brutal. Aber auch perfekt.

Oh Gott, oh Gott!

Seine Hand auf ihr, wieder und wieder, bis sie nach ihm

schrie und ihr der Schmerz in die Beine schoss. Blitzartig implodierte sie, zog die Beine um seine Hand herum zusammen, stieß den Atem aus und konnte nicht mehr klar denken. Dann war sie weggetreten.

Als er Bree so im Spiegel beobachtete, bezweifelte Luke, dass sie jemals zuvor für ihn gekommen war, und falls doch, dann war es nichts im Vergleich zu diesem Orgasmus gewesen. Allein die Art, wie sie seinen Namen aussprach, fast schon den Tränen nah. Er hatte all die Monate nicht mal geahnt, was ihm entgangen war. Er war so ein Idiot.

Er schloss die Augen und rief sich das Bild von ihr bei diesem Orgasmus wieder ins Gedächtnis. Himmel, sie war so wunderschön! Das Spanking war härter gewesen als sonst, seine Hand schmerzte, und er musste sich selbst erst einmal wieder beruhigen. Doch obwohl er sauer sein wollte, dass sie ihm so viel vorenthalten hatte – dass er nicht einmal das ganze *Ausmaß* gekannt hatte –, war das alles viel zu gut, um der Wut freien Lauf zu lassen. Endlich hatte er die Barriere durchbrochen. Er war in ihrem Haus, und er hatte es endlich geschafft, sie zu einem unglaublichen Höhepunkt zu bringen.

Jetzt legte er sich neben sie, sodass er ihre Körper im Spiegel sehen konnte, und strich ihr das Haar aus dem Gesicht. »Das hast du gut gemacht«, lobte er sie. »Du hast deine Bestrafung erhalten, und jetzt verdienst du eine Belohnung.«

Sie schlug die Augen auf und sah ihm im Spiegel in die Augen. Eine normale Frau hätte geantwortet, dass der Orgasmus die Belohnung gewesen sei. Aber nicht Bree. »Soll ich dich zum Höhepunkt bringen?«

Sofort war sie bereit, ihm Lust zu verschaffen, ohne an sich selbst zu denken. »Nein. Du wirst mir was zu essen kochen.«

Sie rollte sich herum und sah ihm ins Gesicht. Ohne die Distanz des Spiegels zwischen ihnen erkannte er das Strahlen in ihren tiefblauen Augen. »Ich werde dir Mu-Shu-Hühnchen kochen.«

»Vergiss den Nachtisch nicht.«

Sie lächelte wie ein Kind, das seinen Eltern gefallen will. »Heißen Schokoladenpudding. Den hat meine Mutter früher immer gemacht.«

Früher? Er wusste nicht einmal, ob ihre Eltern noch lebten oder schon tot waren. Er wusste absolut nichts über sie, außer dass sie ihm nur zu gern einen blies, ihm einen Höhepunkt schenkte, ihm etwas zu essen kochte und ein leckeres Dessert zubereitete. Es ging immer nur um ihn.

Die ganze Zeit hatte er dagegen angekämpft, aber jetzt begriff er, wie er das zu seinem Vorteil nutzen konnte.

Sie wachte im Dunkeln auf und spürte seine Arme auf ihrer Haut. Ihr war warm, und sie fühlte sich eingeengt. Und zwar nicht auf eine angenehme Weise, wie wenn er sie mit Handschellen an sein Bett fesselte. Sie hatte nicht damit gerechnet, dass er die Nacht bei ihr verbringen würde, aber er hatte darauf bestanden. Er wollte tatsächlich *kuscheln*, um Himmels willen. *»Du wirst in meinen Armen einschlafen. Ich möchte es spüren.«* Anstatt den Eisklumpen, der ihr Herz umgab, zu schmelzen, hatte ihr das Angst eingejagt. Sie hatte noch nie eine ganze Nacht neben ihm im Bett geschlafen. Er hatte sie nie darum gebeten, und sie wollte das auch gar nicht. Er brachte sie ganz durcheinander, indem er Dinge tat, die sie nie von ihm erwartet hatte.

Doch ihr Mu-Shu-Hühnchen hatte ihm geschmeckt. Es war einfach und schnell zuzubereiten, und sie hatte Tortillas anstelle der dünnen chinesischen Pfannkuchen verwendet, und es war köstlich gewesen. Heißer Schokoladenpudding passte eigentlich gar nicht dazu, aber auch davon war er begeistert gewesen.

Sein Lob hatte ihr den Atem geraubt und ihr das Gefühl gegeben, eine Art Wunder vollbracht zu haben. Dann hatte er sie aufgefordert, ihn in ihrem dunklen Schlafzimmer mit dem Mund zum Höhepunkt zu bringen. Seinen Worten nach war es das Beste, was er je erlebt hatte. Diese Worte waren es, für die sie lebte. Ich bin die Beste. Ich bin was Besonderes.

Jetzt lagen sie im Bett, seine Brust an ihren Rücken gedrückt, und er bewegte sich ein wenig, sodass sich sein Arm noch enger um sie schlang. Sie konnte sich nicht bewegen, ohne ihn zu wecken.

Männer, immer sagten sie das, was man hören wollte. Bis sie einen leid waren. Bis man nichts Besonderes mehr war. Dann hörten sie auf, einem Komplimente zu machen, und sagten nicht mehr, dass man die Beste sei. Und dann verbrachte man seine ganze Zeit damit, herauszufinden, wie man die Sache wieder in Ordnung bringen konnte, wie man ihre Bedürfnisse voraussah, wie man dafür sorgen konnte, dass sie einem die Sünde vergaben, die sie von einem entfremdet hatte. Natürlich funktionierte das nicht. Danach gab es nur noch die Bestrafung ohne das Vergnügen. Denn auf einmal bedeutete man ihnen nichts mehr. Gar nichts. So hatte sie sich zum Schluss bei Derek gefühlt.

Aber Luke war anders. So lange war sie noch nie mit einem Mann zusammen gewesen. Sie hatten keine Beziehung, aber dennoch war kein Mann sechs Monate bei ihr geblieben. Natürlich war ihr klar, dass es nur deshalb niemand lange mit ihr aushielt, weil mit ihr irgendetwas nicht stimmte, aber sie wusste nicht, wie sie das wieder in Ordnung bringen konnte.

Sein Atem wirbelte die Härchen an ihrem Ohr auf. Durch die dünnen Vorhänge konnte sie sehen, wie das Licht der aufgehenden Sonne langsam die Schatten verdrängte.

Sie hätte nicht im Traum daran gedacht, ihm zu erzählen, dass sie kochen konnte. Da sie allein lebte, gingen die meisten Menschen davon aus, dass sie nicht kochte. Selbst ihre Mutter hatte sie schon gefragt, ob sie abends Tütensuppen essen würde. Sie überlegte, was sie noch für Luke tun konnte, Dinge, die er an ihr besonders mögen würde.

Auf einmal glitt seine Hand über ihren Bauch und umfing eine Brust. Sein Daumen spielte mit ihrem Nippel. Dann zwickte er sie. Bree seufzte. Sie hatte nicht gerade empfindliche Nippel. Aber wenn er fest genug zupackte, dann konnte sie es bis in den Bauch spüren.

Vielleicht würde es ihm gefallen, wenn sie sich die Brüste vergrößern ließ. Sie hatte noch etwas Geld gespart, außerdem glaubte sie, dass es nicht mehr so teuer war wie früher. »Würde es dir gefallen, wenn ich größere Brüste hätte?«

Er schwieg einige Sekunden, und seine Hand lag reglos auf ihr, dann umkreiste er ihre Brust mit den Fingern. »Du bist perfekt.«

Wie ihr Schwanzlutschen und ihre Kochkünste.

»Du musst dich nicht verändern. Ich will eine echte Frau.«

Seine Hand glitt nach unten und berührte ihre Muschi. Auf seinen Wunsch hin schlief sie nackt, und sie war bereits feucht. Seine Morgenlatte drückte sich gegen ihren Rücken. »Ich möchte, dass alles echt ist.«

Sie wusste, dass er damit ihre Orgasmen meinte. »Was soll ich heute Morgen mit dir machen?«, flüsterte sie, und ihr Blick wanderte zum Fenster.

»Spreiz die Beine und masturbier für mich. Ich will dir dabei zusehen.«

Masturbieren war schmutzig und ungezogen, und Luke sah ihr gern dabei zu. Wenn er sie beobachtete, fühlte sie sich wunderschön und begehrt.

Sie bewegten sich beinahe synchron im Bett, als Luke die Bettdecke zurückschlug. Sein Schwanz war steif und warf einen langen Schatten. Er streichelte sich selbst, als sie die Beine spreizte und den Rücken durchbog, ihre Klit mit den Fingern suchte und umkreiste.

»Ich kann sehen, wie feucht du bist.«

»Es ist zu dunkel«, murmelte sie, und ihr Körper bewegte sich bereits unter ihren Fingern und passte sich unbewusst an deren Rhythmus an. Auf diese Weise konnte sie problemlos und ohne Schuldgefühle für ihn kommen, weil er sie nicht berührte.

»Es ist hell genug. Ich mag die Art, wie du masturbierst. Schließ die Augen, und stell dir vor, ich wäre gar nicht hier.«

Sie gehorchte und spürte, wie er sich auf der Matratze bewegte und auf einen Ellenbogen aufstützte. Dann schob sie einen Finger in ihre Muschi, sammelte die Feuchtigkeit und benetzte damit ihre Klit. »Ich bin so eine dreckige Schlampe«, sagte sie und forderte ihn somit auf, ihre Bedürfnisse zu erfüllen.

»Du bist eine dreckige Schlampe, und ich habe eine Fantasie, die dir zeigen wird, was für eine Schlampe du wirklich bist«, flüsterte er, als wäre er Teil eines Traums. »Ich werde dich mit in einen Klub nehmen, dich auf ein sauberes Bett legen, und dort wirst du für Fremde masturbieren. Dann können alle sehen, was für eine Schlampe du bist.«

Bei seinen Worten spürte sie, wie sich etwas in ihr lockerte und ihre Lust aufloderte. Auf einmal erklomm sie neue Höhen, und sie stieß keuchend den Atem aus.

»Du willst es tun, weil du ein schmutziges Luder bist. Ich muss sehen, wie geil sie meine dreckige Schlampe machen kann. Ich möchte, dass sie alle deine hübsche, freche Möse kosten, in dem Wissen, dass du mir gehörst und sie dich niemals haben können.«

Die Schimpfworte, die er sich für sie ausdachte, waren wie zärtliche Worte, und sie stöhnte, als das Bild, das er für sie erschuf, vor ihrem inneren Auge Gestalt annahm. All diese Männer, die sie begehrten, die sich selbst berührten, weil sie sie nicht anfassen durften. Sie drückte ihren Kopf gegen das Kissen, und seine Worte umgaben sie wie ein Singsang.

»Sie werden mich anflehen, damit sie meine dreckige kleine Hure ficken dürfen. Ich werde sie fragen, wie viel sie mir bezahlen würden, damit sie dich haben dürfen. Dann werde ich sie abweisen und ihnen sagen, dass du mir gehörst und dass sie dich nie haben werden, zu keinem Preis der Welt. Meine Schlampe steht nicht zum Verkauf. Sie gehört mir allein.«

Wie schaffte er das, sie derart um den Verstand zu bringen? Eben war sie noch nervös neben ihm im Bett aufgewacht, und jetzt war sie wild vor Verlangen. Er wusste, was sie brauchte, um sich begehrt und besonders zu fühlen.

»Sie werden versuchen, mit mir um dich zu kämpfen. Aber ich werde sie alle schlagen. Kannst du sie hören, meine süße kleine Hure?«, flüsterte er verführerisch.

Sie konnte sie hören. In ihrem jetzigen Zustand war sie nichts weiter als ein Körper, als Empfindungen, nur noch sexuell, und sie hörte, wie sich die Männer um sie stritten.

»Fick sie, flehen sie. Lass uns dabei zusehen, wie du die Schlampe fickst. Und ich werde dich härter ficken als jemals zuvor, während sie uns dabei zusehen.«

Sie war feucht, ihre Klit war unter ihren Fingern ganz hart, und ihr Herz pochte wie wild in ihrer Brust. Seine Fantasie, seine Geschichte, seine Worte gingen immer weiter. Durch ihre eigene Berührung flog sie mit ihm immer höher, bis sie den Gipfel erreichte. Sie schrie auf und erlebte den Orgasmus, als ob er wirklich vor einhundert Männern, die sie begehrten, die für eine Nacht mit ihr eine Million Dollar bezahlen würden, in sie eingedrungen wäre.

Als sie wieder zu sich kam, war es schon fast hell im Zimmer, und Tränen bedeckten ihre Wangen.

Luke lag neben ihr und streichelte versonnen seinen Penis. »Das war verdammt heiß«, murmelte er und hielt ihren Blick fast schon magnetisch fest. »Ich will es tun.«

Kapitel 5

Großer Gott! Ihr dabei zuzusehen, wie sie sich selbst zum Höhepunkt brachte, war fast schon eine religiöse Erfahrung gewesen. Es hatte ihm fast so gut gefallen wie die Art, mit der sie ihm einen blies. Danach hatte Luke sie ins Bad geführt, sie in die Wanne gedrückt, während das heiße Wasser auf sie herabprasselte, dass ihr das lange Haar schwer den Rücken herunterhing, und sie gezwungen, seinen Schwanz zu lutschen, bis er sich in dem Gefühl verloren hatte.

Sie hatte ihm Frühstück gemacht, French Toast mit Puderzucker und Ahornsirup, und jetzt saßen sie zusammen am Frühstückstisch. »Wir werden den Tag zusammen verbringen«, sagte er munter. Schritt eins: Ihr Haus betreten. Schritt zwei: Sie zu zwingen, mehr Zeit mit ihm zu verbringen.

Ihr Kopf schnellte hoch, als hätte er sie mit einem Elektroschocker berührt. »Ich kann nicht.«

Wie schnell sie es ablehnte. Es traf ihn sehr und kam ihm so vor, als würde sie damit auch alles ablehnen, was in den vergangenen zwölf Stunden geschehen war. »Ich bitte dich nicht, bei einer Fantasie mitzuspielen, die ich mir ausdenke, während du masturbierst«, erwiderte er trocken, auch wenn ihn dieser Gedanke reizte. »Ich befehle dir nur, den Tag mit mir zu verbringen.«

Er war nicht gerade prüde. Vor seiner Frau Beth hatte er

zwei Freundinnen gehabt, und obwohl er während seiner Ehe immer treu gewesen war, hatte er in den fünf Jahren nach der Scheidung so einiges erlebt. Vor ein paar Jahren war er einer Frau begegnet, die auf perverse Dinge stand, und sie hatte ihn in die Klubszene eingeführt. Eine Weile hatte er sich dort wie ein Kind im Spielzeugladen gefühlt und alles Mögliche ausprobiert. Als er auf Bree gestoßen war, hatte sich seine Freundin bereits verabschiedet, und er selbst verlor langsam die Lust an den Klubs. Dem Sex fehlte jede emotionale Bindung. Aber wenn er zusammen mit Bree dorthin zurückging …

Im Kontrast zu ihrem dunklen Haar sah Brees Haut im Morgenlicht blass, fast schon ätherisch aus. »Ich würde mitmachen, wenn du das möchtest.«

Es klang fast so, als würde sie ihm lieber seinen Traum erfüllen und vor einer Horde geiler Männer masturbieren, anstatt den Tag mit ihm zu verplempern. Er hätte beinahe laut gelacht, da er sich vorkam wie ein Teenager, den man für den Muskelprotz abserviert hatte. Oder wie die Ehefrau, die es nicht mit den sonntäglichen Sportereignissen aufnehmen konnte. Er wurde zu einem Schwächling degradiert.

Vermutlich hatte er zu lange geschwiegen, denn sie sah sich gezwungen, ihre Abfuhr zu erklären. »Ich muss zu meinen Eltern.«

Dann waren ihre Eltern also noch nicht tot. Diese Information fühlte sich beinahe wie ein Sieg an. Sie hatte von sich aus etwas von sich preisgegeben.

Er notierte das als Punkt für sich und erwiderte: »Dann werde ich es dir erlauben. Wir werden ein anderes Mal einen Tag miteinander verbringen.«

Sie lächelte nicht und stimmte ihm auch nicht zu, sondern wiederholte vielmehr das, was sie bereits zuvor gesagt hatte. »Ich werde tun, was du willst.«

»Was?« Er zwang sie, es zu wiederholen und ihre Absicht in Worte zu fassen.

Sie beobachtete ihn, und das Sonnenlicht fiel zwischen ihnen auf den Tisch und strahlte ihr ins Gesicht. »Für dich masturbieren. Vor Fremden.«

Die Fantasie setzte irgendetwas in ihm in Flammen, und er war steinhart gewesen, als er sie beobachtet und sich die Geschichte ausgedacht hatte. Er stellte sich vor, wie er sie zur Schau stellte, aber gleichzeitig alle Karten in der Hand behielt. Das wäre fast so, als würde er Anspruch auf sie erheben. Und als ob sie diesen Anspruch akzeptieren würde. Das wäre ebenso gut wie vergangene Nacht, als sie in seinen Armen eingeschlafen war. Zumindest am Anfang. Dennoch war dies die seltsamste Beziehung, die er je geführt hatte.

»Wir beide sind echt nicht normal.« Es war eher eine Feststellung als eine Frage.

Dennoch antwortete sie darauf. »Nein, das sind wir nicht.«

»Die meisten Männer würden es hassen, wenn ein anderer Mann ihre Frau ansieht.« Er fand den Gedanken aufregend, und sein Penis wurde schon wieder steif. Er wollte, dass sie in seinen Armen lag, mit ihm Liebe machte, mit ihm die Nacht verbrachte, aber er wollte auch die anderen Dinge nicht aufgeben, die sie verbanden, die Handschellen, die Augenbinden, das Spanken. Die meisten Männer mochten so etwas ebenfalls nicht, aber er war nicht wie die meisten Männer. Und sie war nicht wie die meisten Frauen. Sie waren ganz bestimmt nicht normal, aber sie passten verdammt gut zueinander.

»Du willst es, nicht wahr?«, fragte sie, während sie die Gabel in der Hand hielt und der French Toast auf ihrem Teller kalt wurde.

»Ich möchte, dass der Schwanzlutscher sieht, dass du mir gehörst.« Derek, der gewalttätige Schwanzlutscher. Aber eigentlich ging es um jeden Mann, der sie je gehabt hatte, jeden Mann, der sie berührt und verarscht hatte.

»Das würde mir gefallen«, flüsterte sie.

Er spürte das Verlangen in seiner Brust. Wenn irgendein Mann je versucht hätte, eine solche Macht über eine seiner Töchter auszuüben, dann hätte er den Typen zu Brei geschlagen. Aber für Bree und für ihn war es das Richtige. Das war ein seltsamer Schritt nach vorne für sie. »Eines Tages«, sagte er. Es war ein Versprechen für viele Dinge, die noch kommen sollten.

Sie legte die Gabel auf den Tisch und gab es auf, noch länger so zu tun, als ob sie ihren Teller leer essen wollte. »Ich weiß nicht, wie oft ich mich in den nächsten Wochen um deine Bedürfnisse kümmern kann.«

Sie hatte ihn in ihr Haus und in ihr Bett gelassen, ihm sogar erlaubt, die Nacht hier zu verbringen, und jetzt machte sie einen Rückzieher? Als hätte sie nur gesagt, dass sie diese Dinge in einem Sexklub für ihn tun würde, um ihm einen Knochen hinzuwerfen, bevor sie ihn vor den Kopf stieß. »Und ich dachte, wir würden uns gegenseitig um unsere Bedürfnisse kümmern.« Er hörte selbst, wie giftig sich seine Stimme anhörte.

Sie starrte auf ihren Teller, schürzte die Lippen, und ihr

Haar fiel ihr ins Gesicht. »Ich muss für eine Weile zu meinen Eltern nach Saratoga ziehen.«

Er war ein Arschloch, weil er sich so erleichtert fühlte, dass sie für ihn nicht unerreichbar sein würde. »Stimmt was nicht? Hast du Geldprobleme?« Natürlich wollte er ihr helfen.

Sie schüttelte den Kopf, holte tief Luft, aber als sie diese wieder ausstieß, war es nicht wirklich ein Seufzer, sondern eher ein Zusammensacken. »Mein Vater ist krank.«

Bei ihren Worten lief ihm ein Schauer über den Rücken. Wieder mal hatte er sie falsch interpretiert, aber er wusste auch so wenig über sie, dass er sich oftmals einfach in ihr irrte. »Das tut mir sehr leid.«

»Er stirbt.« Sie sah nicht von ihrem Teller auf.

Luke wollte sie berühren, ihre Hand halten, ihr seine Wärme schenken, aber in diesem Moment schien sie weiter von ihm weg zu sein als jemals zuvor. Dennoch hatte sie es ihm erzählt und damit etwas mehr Nähe zugelassen. »Du kannst mich jederzeit anrufen, wenn du mich brauchst«, versicherte er ihr.

Zum ersten Mal sah sie ihm in die Augen, und er erkannte den Schmerz in ihr. »Ich will nicht gehen, Luke.«

Etwas in ihm erbebte. Er stand auf, ging um den Tisch herum und hockte sich neben ihren Stuhl, um ihr die Hand auf den Oberschenkel zu legen. »Niemand stellt sich gern der Tatsache, dass die eigenen Eltern irgendwann sterben.« Er hatte seine verloren und verstand sie nur zu gut.

»Hältst du mich für einen schlechten Menschen?«, fragte Bree mit zitternder Stimme.

»Nein«, murmelte er beruhigend. »Das tue ich nicht.« Auf einmal hatte er eine Ahnung, warum sie ihn am vergangenen Tag angerufen hatte. Sie brauchte ihn, er war ihr Wundermittel, und das berührte ihn tief. »Ich bin für dich da, Baby.«

Sie biss sich auf die Unterlippe. »Wie wäre es, wenn ich dich mitten in der Nacht anrufe und wir Telefonsex haben?«

»Das wäre verdammt heiß.« Ihm war bewusst, dass es beim Telefonsex weniger um Sex, sondern vielmehr um Trost gehen würde.

»Und was ist, wenn ich sage, dass ich dich sehen muss, um dir einen zu blasen, aber nichts weiter tun werde?«

Er lächelte. »Das ist auch kein Problem.« Gut, in der Vergangenheit hatte er es zu einem Problem gemacht, weil er mehr wollte. »Das kannst du jederzeit machen.«

Sie lachte auf. »Ich weiß einfach nicht mehr, was ich fühlen soll.«

Er strich ihr mit einer Hand über den Arm. »Das ist völlig normal.«

Sie schnaubte, und es klang wie eine Mischung aus Abscheu, vermischt mit Schmerz. »Ich bin alles andere als normal.«

Am liebsten hätte er sie in die Arme genommen und ihr versichert, dass ihm *normal* völlig egal war. Ihm war nicht klar, was ihn davon abhielt, außer dass sie ihn noch nie gebeten hatte, sie in den Arm zu nehmen. Er fühlte sich wie ein Arschloch, weil er so sehr auf das gedrängt hatte, was er wollte, während sie so eine harte Zeit durchmachte. Aber sie hatte ihm auch nie einen Hinweis darauf gegeben, was in ihr vorging. »Scheiß auf normal«, sagte er. »Wir haben doch gerade beschlossen, dass wir sehr gut darin sind, nicht normal zu sein.«

»Durch den Sex mit dir geht es mir besser«, gestand sie und starrte erneut vor sich auf den Tisch.

Sie versuchte, sich ihm zu erklären. Das hatte sie noch nie zuvor getan. Sie konnte verführerisch und manipulativ sein, selbst wenn sie unterwürfig war. Aber er musste immer zwischen den Zeilen lesen. Jetzt versuchte sie zum ersten Mal, ihm mitzuteilen, was sie wirklich empfand. Das, was sie taten, hatten sie noch nie *Liebe machen* genannt, aber immerhin gab sie jetzt zu, wie wichtig ihr das war, was er ihr gab.

»Ich fühle mich auch besser durch den Sex«, sagte er, als müsste er sie irgendwie bestätigen. Das war eine der merkwürdigsten Unterhaltungen, die er je geführt hatte. Sie sagten so wenig, und doch hatte alles eine so große Bedeutung. *Das* war Intimität. »Wir werden auch Quickies in der Mittagspause einführen.«

Sie lachte und schniefte. »Das hätte eigentlich mir einfallen müssen.«

»Stimmt. Du kannst mir in meinem Büro einen blasen.« Es gab so viele Möglichkeiten, an die er zuvor noch gar nicht gedacht hatte.

»Man könnte uns dabei erwischen.« Sie grinste und legte ihre Hand auf seine, die noch immer auf ihrem Oberschenkel ruhte.

Er spürte, wie seine Laune wieder besser wurde. »Ich habe ein Schloss an der Tür.«

Sie drückte seine Hand. »Es wäre geiler, wenn die Tür nicht verschlossen ist.«

Geiler. Und riskanter. Ja. Perfekt. Sie gab ihm jetzt so viel mehr als zuvor. Mehr als Sex. Endlich gab es hier etwas, das er tatsächlich für sie tun konnte: Er konnte ihr seine Unterstützung anbieten, seine Stärke, seinen Trost. Und sich von ihr einen blasen lassen.

Bree hatte das Gefühl, einen Kerker zu betreten. Alles war so dunkel. Das Haus ihrer Eltern war Ende der 60er-Jahre gebaut worden. Es hatte eine T-Form, wobei das Wohnzimmer, das Esszimmer und die Küche zur Straße gingen, während die Schlafzimmer nach hinten versetzt lagen. Ihre Mutter hielt das Haus zwar penibel sauber, aber die dunkle Holzverkleidung an den Wänden und der Linoleum-Küchenboden im Ziegelsteinmuster passten nur zu gut zu den bräunlichen Geräten. Bree hasste dieses Haus und alles, woran es sie erinnerte. Wann würde sie es endlich abreißen und ein neues bauen? Wenn es wenigstens modernisiert würde, dann könnte es sie nicht jedes Mal so erdrücken, sobald sie es betrat.

Allein die Erinnerung an Lukes Hand auf ihrem Oberschenkel hielt sie davon ab, laut aufzuschreien. Er hatte nicht schlechter von ihr gedacht und sie nicht für furchtbar oder egoistisch gehalten. Seine Worte hatten ihr das, was sie tun musste, ein kleines bisschen erleichtert.

Sie hatten zu Mittag gegessen, und jetzt machte ihr Vater ein Nickerchen. Vor einer Stunde war die Dame vom Hospiz hier gewesen. Ihrem Vater ging es zu schlecht, als dass er dem Treffen beiwohnen konnte. Sie wollten ihn nicht in ein Hospiz verlegen lassen, hatten aber zugestimmt, sich von den Hospizangestellten helfen zu lassen. Die Frau mittleren Alters hatte Bree und ihrer Mutter Broschüren über die verschiedenen Sterbephasen gegeben und über die Dienste, die sie anboten. Sie hatten sich darauf geeinigt, dass vom nächsten Tag an zweimal täglich ein Pfleger kommen und ihnen bei der Versorgung ihres Vaters helfen würde. Wenn die Zeit gekommen war, würden sie ein Krankenbett bestellen, für das unter dem Fenster im Schlafzimmer ihrer Eltern noch genug Platz war, ebenso wie andere Gegenstände, die sie bei der häuslichen Pflege brauchten. Eine Bettpfanne, Infusionen, einen Katheter, einen Medizinschrank neben dem Bett. Morphium gegen die Schmerzen.

Bree konnte es nicht fassen. Ihr Vater würde wirklich sterben.

Als der Besuch gegangen war, kochte Brees Mutter Tee. Sie saßen am Tisch, und draußen wurde der Himmel immer dunkler. Es begann zu regnen, und die Heizung pumpte stickige, heiße Luft in den kleinen Essbereich.

»Wir können Folgendes tun, Mom: Da mein Arbeitsweg nicht mehr so lang ist, kann ich gegen neun Uhr dreißig zur Arbeit fahren, und wir können Dad füttern und alles erledigen, bevor ich losmuss. Dann mache ich früher wieder Feierabend, sagen wir, gegen halb drei.« Bree würde das am Montag mit Erin besprechen, aber sie wusste, dass Erin und Dominic sie bei allem unterstützen würden. »Während des Tages kannst du ja einen der freiwilligen Helfer bitten, dir unter die Arme zu greifen.« Dann hätte sie beim Füttern Unterstützung oder würde vielleicht sogar mal aus dem Haus kommen. »Zur Not kann ich auch von zu Hause aus arbeiten, wenn es sein muss.«

Ihre Mutter legte die Hände um die Tasse. »Danke! Ohne dich würde ich das nicht durchstehen«, sagte sie mit matter Stimme.

Sie war nicht alt, gerade mal sechsundfünfzig, doch die

letzten Monate hatten sie um Jahre altern lassen. Sie färbte sich nicht mehr die Haare, die jetzt komplett grau waren und keine einzige schwarze Strähne mehr aufwiesen. Brees Mutter war ebenfalls groß, aber nicht ganz so groß wie ihre Tochter. Mit ihrem krummen Rücken und den eingesunkenen Schultern schien sie noch einige Zentimeter geschrumpft zu sein, und das strahlende Blau ihrer Augen war verblasst.

Bree beugte sich vor und legte ihre Hand auf die Hände ihrer Mutter. Als sie sich so am Tisch gegenübersaßen, erinnerte sie sich an den Morgen mit Luke, nur dass er derjenige gewesen war, der sie getröstet hatte, und sie diejenige, die den Trost nötig hatte. »Es tut mir so leid, dass ich nicht eher gekommen bin, Mom.«

»Das verstehe ich doch, Schatz.«

Sie hatten sich nie besonders nahegestanden. Manchmal fragte sich Bree, wie es sein würde, wenn ihr Vater gestorben war. Hatte ihre Beziehung dann endlich die Chance, sich zu verbessern?

»Ich weiß, dass du nicht hier sein willst, Brianna, aber ich bin dir sehr dankbar, dass du das für mich tust.«

Brianna. Ihr ganzer Name. Ja, ihre Mutter war bedrückt. Diese Schuldgefühle. Bree lehnte sich zurück und umklammerte ihre eigene Tasse, damit ihre Mutter nicht sehen konnte, wie sie zitterte. »Es ist nicht so einfach.«

»Du wirst mich doch nachts nicht alleine lassen, oder? Ich möchte nicht allein im Dunkeln sein, falls …« Ihre Mutter biss sich auf die Lippe. »Du weißt schon, falls etwas passiert.«

Ja, Bree wusste, was sie meinte. Ihre Mutter wollte nicht alleine sein, wenn er starb. Einen Augenblick lang war sie stinksauer, dass ihr Vater sich geweigert hatte, sich in ein Hospiz verlegen zu lassen. Das wäre für alle so viel leichter gewesen, auch für ihn und erst recht für ihre Mom, aber er wollte das nicht. Manchmal war er wirklich ein egoistisches Schwein.

»Ich werde dich nachts nicht alleine lassen.« Himmel, und was war, wenn sie Luke brauchte? Wenn sie ihn sehen musste, um nicht durchzudrehen? Kamen die Freiwilligen auch, wenn man seinen Meister aufsuchen musste?

»Ich liebe dich, Bree.«

Sie wollte die Worte aussprechen, aber ihr Hirn konnte sich einfach nicht dazu durchringen, und ihre Lippen formten sie nicht. »Wir stehen das durch, Mom.«

Dann hingen sie ihren Gedanken nach. Das Haus war so ruhig. Normalerweise rief ihr Vater und verlangte dieses oder jenes. Er war immer sehr präsent gewesen. Trotz seiner geringen Größe war er stämmig und kräftig gebaut. Er war fünf Jahre älter als ihre Mutter und hatte als Automechaniker gearbeitet. Noch vor einigen Jahren hatte er eine eigene Werkstatt geleitet, bis die Kunden auf einmal ausblieben. Er schob das auf die neumodische Elektronik in den Autos, aber er war kein Mensch, der sich leicht ändern konnte. Von da an war es bergab gegangen, als er seine Arbeit nicht mehr machen konnte. Der Krebs schien nur ein Nebenprodukt seiner Enttäuschung darüber zu sein, was ihm das Leben noch gelassen hatte. Das einzig Gute war, dass er genug gespart hatte, damit ihre Mutter versorgt war, wenn er nicht mehr unter ihnen weilte.

»Hast du das gehört?«, sagte ihre Mutter, sprang auf, warf dabei ihre Tasse um und eilte aus dem Zimmer. Ein milchiger

Teefleck breitete sich auf der Spitzendecke aus, doch das hatte sie in ihrer Eile nicht einmal bemerkt.

Genau so war Bree aufgewachsen, immer wie ihre Mutter auf dem Sprung, sobald ihr Vater etwas verlangte.

Sie fragte sich, ob ihre Mutter und sie auch noch, lange nachdem das Schwein tot war, weiter so aufspringen würden.

Kapitel 6

Bree legte einige Servietten auf den Fleck, die das Schlimmste aufsaugten, dann folgte sie ihrer Mutter. Sie hatte zwar nichts gehört, aber ihre Mutter war in dieser Hinsicht geübter als sie. Sie ging an ihrem alten Zimmer, dem Bad, das sie früher benutzt hatte, und dem Nähzimmer ihrer Mutter vorbei zum Schlafzimmer ihrer Eltern, das am Ende des Flurs lag.

Hübsche Spitzengardinen hingen vor dem großen Fenster, das zum Garten hinausging. Der grüne Rasen war dank des vielen Regens viel zu lang geworden. Ihr Puppenhaus stand in der Ecke am rückseitigen Zaun, allerdings traf die Bezeichnung »Puppenhaus« nicht ganz zu, da es so groß war, dass sie als Kind aufrecht darin stehen konnte. Ihr Vater hatte es zu ihrem achten Geburtstag für sie gebaut. Es hatte rosafarbene Dachschindeln und sah mit den gelben Fensterrahmen aus wie ein Lebkuchenhaus. Die Wände zierten gelbe und rosafarbene Blumen, deren Farben noch so frisch aussahen, als wären sie erst vor Kurzem gemalt worden. Oder als hätte ihr Vater sie aufgefrischt.

Bree ballte die Hände zu Fäusten und wandte sich ab. Der Himmel war voller Wolken, die Schatten auf den abgenutzten beigefarbenen Teppich des Schlafzimmers warfen. Die abgestandene Luft im Zimmer roch nach schlechtem Atem, Medikamenten und einem Körper, der nicht gründlich gewaschen worden war.

Neben dem Bett stand eine kleine Sauerstoffflasche auf Rädern, die ihr Vater während seines Nickerchens jedoch nicht genutzt hatte. Er benötigte den Sauerstoff auch nicht ständig, sondern nur, wenn er sich sehr anstrengte, wie in diesem Moment, als ihre Mutter versuchte, ihn von der Matratze hochzuziehen, indem sie mit beiden Händen an seinem Arm zerrte.

»Ich muss pinkeln«, sagte er mit der rauen Stimme eines Langzeitrauchers, die kehlig klang, weil er schwer atmete.

»Ich helfe dir, Schatz«, sagte ihre Mutter, aber er schob sie zur Seite und fluchte leise. »Er ist heute nicht wiederzuerkennen.«

Nicht *wiederzuerkennen*? Der Lungenkrebs raubte seinem Gehirn den Sauerstoff, sodass er langsam, aber sicher den Verstand verlor. Als sie sich am letzten Wochenende von ihm verabschiedet hatte, wollte er sogar von ihr wissen, wo sie wohnen würde. Aber so trotzig und gemein war er schon immer gewesen.

Bree ging auf die andere Bettseite, nahm seinen Arm und zog ihn zusammen mit ihrer Mutter auf die Beine.

»Verdammt noch mal, siehst du, womit ich mich hier rumquälen muss?«, knurrte er und stützte sich mit der Hand auf Brees Unterarm ab.

Wohl eher, womit sich ihre *Mutter* rumquälen musste. Der Sauerstoffmangel wirkte sich genauso aus wie eine Alzheimer-Erkrankung und ließ ihn noch gemeiner werden, indem seine ohnehin schon vorhandene Gehässigkeit weiter verstärkt wurde.

»Die Matratze ist viel zu niedrig«, meinte sie zu ihrer Mutter. »Wir müssen die Leute vom Hospiz bitten, uns das Krankenbett zu bringen, damit wir ihn leichter aus dem Bett bekommen.«

»Ich brauche kein scheiß Krankenhausbett.«

Bree ignorierte ihn. »Komm schon, du musst laufen. Wir können dich nicht tragen.« Sie zog sanft an seinem Arm, und auf der anderen Seite wurde er von ihrer Mutter gestützt. So schlurfte er langsam über den Teppich.

Als er auf der Schwelle zum Badezimmer stolperte, hätte Bree ihn beinahe losgelassen.

»Verdammt«, sagte er erneut. »Ich mach mir noch in die Hose, wenn ihr mich nicht da reinbringt.«

»Ts«, erwiderte ihre Mutter. »Das machst du ganz großartig, Schatz. Nur noch ein paar Schritte.«

Schatz. Beim Tonfall ihrer Mutter wurde Bree wütend, da es klang, als würde sie mit einem aufsässigen Kind sprechen und nicht mit einem Mann, der sie schon so oft wie Dreck behandelt hatte.

Das Badezimmer war klein, da sich darin eine riesige Badewanne befand, und Bree musste sich seitlich drehen, um ihren Vater zur Toilette zu befördern, während ihre Mutter draußen wartete.

»Du musst seinen Hosenstall aufmachen, Schatz.«

Warum muss ich das tun?

Bree fragte sich, wie es ihrer Mutter an diesem Morgen oder an jedem Morgen überhaupt gelungen war, ihn anzuziehen. Ihr war gar nicht bewusst gewesen, wie schwach er geworden war.

Noch am letzten Wochenende hatte er aus eigener Kraft laufen können. Doch jetzt war nicht die Zeit für Schuldgefühle, -zuweisungen oder irgendetwas anderes. Er lehnte sich gegen ihren Körper, um nicht umzufallen, und sie öffnete seine Hose, was ihr sehr unangenehm war.

»Du musst ihn rausholen, Vater.«

Er fummelte herum, und da war er. Wie ein Wurm. Sie schluckte die Galle, die auf einmal in ihrer Kehle aufstieg, und schloss die Augen, während er sein Geschäft verrichtete.

»Bree«, kreischte ihre Mutter, »er pinkelt überallhin!«

Er pinkelte auf die Badematte, den Toilettensitz, den Spülkasten und sogar auf die Reihe aus Blumenkacheln, die ihre Mutter über der Toilette aufgehängt hatte. Die Pisse war einfach überall.

»Bree, du musst ihn festhalten.«

Bitte zwing mich nicht dazu, Daddy!

Sie hätte ihre Mutter am liebsten angeschrien. Aber sie nahm seinen geschrumpften Penis in die Hand, drückte ihn nach unten und hielt ihn fest, bis die letzten Tropfen ins Wasser gefallen waren.

Am liebsten hätte sie sich übergeben.

»Hilf mir, ihn wieder anzuziehen, Bree.« Ihre Mutter stand jetzt dicht hinter ihm und griff nach dem Reißverschluss, und Bree hielt die Hose fest, während sie ihn wieder anzog.

»Ich werde hier sauber machen«, meinte ihre Mutter dann.

Auf einmal drehte sich ihr Vater um, als wollte er sich aus eigener Kraft vorwärtsbewegen. Und sein Fuß blieb hängen. Am Badvorleger, dem Schuh ihrer Mutter, wer konnte das hinterher schon sagen? Er fiel, und Bree griff nach ihm und zog, aber er war schwer wie ein Stein. Ihre Mutter schrie und taumelte nach hinten, wobei sie sich das Becken anstieß.

Großer Gott! Bree konnte ihn nicht festhalten, er war einfach zu schwer, und so stürzten sie zusammen auf den Boden, wo seine Knie knackend aufkamen, während Bree gegen den Rand der Badewanne prallte.

»Oh mein Gott, oh mein Gott!«, schrie ihre Mutter immer wieder.

Ihr Vater lag halb auf ihren Beinen, und Bree konnte ihn nicht zur Seite schieben. War er tot? Hatte sie ihn umgebracht und ihm im Fallen das Genick gebrochen? *Gott, oh Gott!* Sie hätte am liebsten einfach nur auf dem Boden gelegen und wäre gestorben, wäre nie wieder aufgestanden, damit endlich alles vorbei war. *Bitte, bitte, Gott, ich kann das nicht.*

Dann hörte sie ihn fluchen. »Ihr dummen Schlampen.«

Und sie hatte nicht vor, sich von ihm schlagen zu lassen.

»Es geht ihm gut, Mom, uns beiden ist nichts passiert. Wir müssen ihn bloß wieder auf die Beine bringen.« Sobald er im Bett lag, würde sie dafür sorgen, dass er nie wieder aufstand.

Sie schob seine Beine herunter und richtete sich auf Händen und Knien auf.

Sie brauchten fünfzehn Minuten, nach denen ihr T-Shirt schweißdurchtränkt war und ihr Vater schwer atmete, aber sie schafften ihn wieder ins Bett.

»Trink einen Schluck Wasser, Schatz.« Ihre Mutter beugte sich über ihn und schob ihm einen Strohhalm zwischen die Lippen. Er saugte daran wie ein kleines Kind. Als er fertig war, befestigte sie die Sauerstoffzufuhr an seiner Nase und stellte die Flasche an. »Ruh dich aus!« Sie tätschelte seinen Arm.

Und was ist mit mir?, hätte Bree ihre Mutter am liebsten angeschrien. *Was ist mit meinen Gefühlen?*

Ihr Herz pochte noch immer von der Anstrengung und dem Schreck, den sie im Badezimmer erlebt hatte, und sie folgte ihrer Mutter, die auf Zehenspitzen aus dem Zimmer schlich.

Sie war so gut zu ihm und so geduldig. Bree wusste nicht, wie sie das schaffte. Manchmal hasste sie ihre Mutter sogar dafür, dass sie immer alles tat, was er wollte. Dass sie sich immer auf seine Seite stellte. Dass sie ständig Ausreden für ihn parat hatte.

Aber sie konnte nicht erwarten, dass sich ihre Mutter jetzt änderte. Das war die Vergangenheit, das alles lag hinter ihnen. Jetzt war sie die Schuldige, die ihre Mutter mit ihm alleine ließ. Ihre Mutter passte sich einfach an, wie sie es immer getan hatte, und Bree war die schlechte Tochter.

»Es tut mir leid«, entschuldigte sich Bree, als sie in der Küche standen. »Mir war nicht bewusst, wie schlimm es geworden ist.« Sie hatte es nicht glauben wollen, als ihre Mutter am Telefon berichtet hatte, wie schnell es mit ihm bergab ging.

Ihre Mutter tätschelte ihren Arm, wie sie es auch bei ihrem Vater getan hatte. »Es ist schon okay, Schatz. Das ist alles so schrecklich schnell gegangen. Du hast Recht, wir brauchen das Krankenhausbett.«

»Und eine Bettpfanne. Selbst zu zweit können wir ihn nicht ins Badezimmer bringen.«

»Was ist mit einer Gehhilfe?«, schlug ihre Mutter vor.

»Ich glaube nicht, dass die auf dem Teppich was bringen würde.« Wenn er stürzte … Bree wollte sich gar nicht ausmalen, was passieren konnte, wenn sie nicht da war und ihrer Mutter helfen konnte. »Es wäre sicherer, wenn er gar nicht mehr aufstehen muss.«

Ihre Mutter drückte ihren Arm und seufzte noch einmal, um sich wieder zu beruhigen. »Ich weiß nicht, was ich getan hätte, wenn du bei seinem Sturz nicht da gewesen wärst.«

»Es tut mir so leid.« Brees Augen brannten, aber sie weinte nicht. »Ich werde das Bad putzen, dann kannst du beim Hospiz anrufen und das Bett bestellen.«

Er schlief bereits, als sie wieder ins Schlafzimmer kam. Sie zog die Vorhänge zu, um das Nachmittagslicht ebenso wie den Anblick des Puppenhauses auszusperren. Dann stand sie einen Augenblick neben dem Bett. Seine Wangen waren eingefallen, und seine Augen sahen in seinem hageren Gesicht wie schwarze Teiche aus. Dank der Sauerstoffflasche schien er nach der Anstrengung im Bad wieder besser atmen zu können. Er war früher so stark, so mächtig gewesen. Wenn er sprach, hatte seine Stimme wie Donner gegrollt. Schlug er mit der Faust auf den Tisch, wackelte das ganze Haus. Was er einem sagte, erledigte man sofort und unverzüglich.

Er war die eingeschrumpfte Version des Mannes, der er früher gewesen war. Sie war sich nicht einmal mehr sicher, ob sie sich noch vor ihm fürchtete.

Sie hatte größere Angst davor, wie sie sich fühlen würde, wenn er starb und sie ihre Mutter mit alldem alleine gelassen hatte. Diese Schuldgefühle hatte sie nur so lange verdrängen können, indem sie sie einfach ignoriert hatte. Wenn er tot war, würde sie sie nie mehr loswerden.

Doch jetzt hatte sie es glasklar vor Augen. Der alte Mann starb. Sie konnte es nicht ignorieren, und sie war kein so schlechter Mensch, dass sie ihre Mutter all das alleine regeln ließ.

Einige Sekunden lang stand sie mit gesenktem Kopf da

und atmete seinen unangenehmen Körpergeruch ein. Dann ging sie ins Bad, um die Sauerei zu beseitigen, die ihr Vater angerichtet hatte.

Es war erst kurz vor zehn, aber sie war erschöpft. Bree lag in ihrem Bett in ihrem alten Zimmer, der Regen klopfte auf das Dach, und sie war leicht angetrunken von dem Wein, den ihre Mutter aufgemacht hatte. Nachdem sie ihren Vater endlich zu Bett gebracht, ihm seinen Schlafanzug angezogen, seine Tabletten verabreicht und all die anderen Dinge erledigt hatten, von denen Bree nicht einmal geahnt hatte, wie schwer sie waren, und ihre Mutter eine alte Tupperschüssel als Bettpfanne umfunktioniert hatte, fühlten sie sich beide ausgelaugt. Er hatte sich bei jedem Unterfangen gewehrt. Als Bree versucht hatte, ihm die Schmerztabletten zu geben, hatte er geschimpft und sie wieder ausgespuckt. Als ihre Mutter versucht hatte, ihm die Hose auszuziehen, hatte er sie als Hure beschimpft. Seine Wortwahl bewirkte, dass sie rot wurde, doch sie hatte einfach weiter alles für ihn getan. Wie immer.

Bree fragte sich, wie ihre Mutter noch neben ihm schlafen konnte und wie sie den Geruch seines verfallenden Körpers und seinen rasselnden Atem ertrug.

Am nächsten Tag würde sich das ändern. Das Krankenhausbett sollte gleich morgens geliefert werden, zusammen mit einer Bettpfanne. Himmel, was für eine Schmach!

Sie wäre am liebsten nach Hause gefahren, um in ihrem eigenen Bett zu schlafen.

Als sie so in der Dunkelheit lag, klingelte auf einmal ihr Handy. Sie griff mit rasendem Puls danach. Ihre Eltern konnten davon nicht wach werden, da sie zwei Zimmer weiter schliefen. Aber wer zum Teufel rief sie um diese Uhrzeit …

Luke. Gott, es war Luke! Er hatte sie noch nie angerufen. Und doch musste er geahnt haben, wie sehr sie ihn brauchte, so sehr, dass sie ihr Herz in ihrer Brust spürte.

»Hallo?« Sie war sich sicher, dass ihre Stimme unsicher klang.

»Bist du alleine?«

»Ja«, murmelte sie.

»Berühr dich für mich und stell dir vor, ich wäre bei dir.«

»Ich kann nicht. Meine Eltern sind in der Nähe.«

»Tu, was ich sage! Sei einfach leise, wenn du kommst.«

»Luke.« Was sollte sie jetzt sagen? *Mein Vater stirbt ein paar Meter weiter, ich kann jetzt keine Spielchen spielen?* Sie wollte nicht mit ihm darüber reden. Als sie ihm an diesem Morgen den Vorschlag gemacht hatte (War es wirklich erst wenige Stunden und nicht doch schon eine Ewigkeit her?), war ihr das ganze Ausmaß nicht bewusst gewesen.

»Tu es! Du brauchst das, Baby« Es kam selten vor, dass er einen Kosenamen benutzte, was vermutlich vor allem daran lag, dass sie es mochte, wenn er sie beschimpfte, aber dieses Mal wurde ihr ganz warm. »Du hast einen schweren Tag hinter dir.« Seine Stimme brachte sie zum Schmelzen.

Es war keine Frage, und sie knurrte verächtlich, was er offensichtlich gehört hatte.

»Ich kann dafür sorgen, dass es dir besser geht«, meinte er leise.

Sie stand kurz davor, in Tränen auszubrechen. Natürlich war es geil, aber in seiner Stimme lag auch eine Freundlichkeit, eine Sorge, die sich nicht verhehlen ließ. Und sie brauchte diesen sanften, weichen, zärtlichen Tonfall so sehr, bei dem sie dahinschmolz.

»Niemand wird es hören«, beruhigte er sie. Allein der Klang seiner Stimme machte sie schon ganz wild.

Sie hatten schon einige Male Telefonsex gehabt, wenn er auf Reisen war. Er schickte ihr eine E-Mail, wenn er in seinem Hotel eintraf, und teilte ihr mit, wann sie ihn anrufen konnte. Normalerweise spätnachts. Mitten in der Nacht gefiel es ihr am besten.

Sie brauchte es jetzt, obwohl ihre Eltern ganz in der Nähe waren und ihr Vater im Sterben lag. Sie brauchte Sex, keine Worte. Sie wollte, dass Luke sie an einen Ort brachte, an dem nichts von alldem geschah. Sie brauchte das, seine Worte, die ihr Erleichterung und eine Denkpause verschafften.

Kapitel 7

Luke hätte sie am liebsten gefragt, wie es ihrem Vater ging, wie sie sich fühlte, wie sie mit alldem klarkam, und sie getröstet. Zwar kannte er keine Einzelheiten, da sie ihm nur verraten hatte, dass ihr Vater im Sterben lag. Das konnte alles bedeuten, vom langsamen degenerativen Dahinvegetieren bis zu etwas, das plötzlich eingetreten war, aber es musste ernst sein, wenn ihre Eltern sie nach Hause holten. Aber Fragen waren das Letzte, was sie jetzt brauchte.

Bree hatte von ihm schon immer eine andere Art des Trostes gebraucht. Durch den Sex fühlte sie sich besser, das hatte sie ihm in ihrer Wohnung selbst gesagt. »Du bist die heißeste Frau, die ich je gekannt habe. Ich steh auf die Art, wie du dich berührst, die Geräusche, die du dabei machst. Tu es jetzt für mich!«

Sie stöhnte leise, und er stellte sich vor, wie sie nackt und mit gespreizten Beinen auf seinem Bett lag, ähnlich wie letzte Nacht. Er hatte das Licht ausgeschaltet, bevor er sie anrief, die Heizung angestellt, um die Kühle der Nacht zu mildern, seine Kleidung auf einen Stuhl geworfen und sich dann mit seinem Bluetooth-Headset aufs Bett geworfen. Mit hinter dem Kopf verschränkten Händen nahm er jeden Seufzer in sich auf, der an sein Ohr drang.

»Sag mir, wie feucht du bist«, wies er sie an. Er wollte von ihr nicht nur Geräusche, sondern auch Worte hören.

»Ich bin unglaublich feucht, Meister.« Sie keuchte.

Meister. Sie brauchte mehr als nur Telefonsex. Sie musste sich böse und ungezogen fühlen. Und das wollte er ihr geben. »Du bist so eine dreckige Schlampe. Wenn ich dir so zuhöre, möchte ich nichts mehr, als mich selbst anzufassen.«

Sie stöhnte laut. Er stellte sich vor, wie sie sich gerade die Finger in die Muschi steckte.

»Du machst mich ganz verrückt mit deiner Verdorbenheit.« Er nahm seinen Schwanz in die Hand, der bereits steif war und pulsierte. »Genau das machst du mit mir. Das ist alles deine Schuld, du schmutzige Nutte.« Während er die Worte aussprach, die sie brauchte, pochte der Schwanz in seiner Hand.

»Oh, Meister, ich würde alles für dich tun.«

Er bezweifelte nicht, dass das in ihrem Zustand durchaus der Wahrheit entsprach. Am Telefon kam sie normalerweise sehr heftig, als würde ihr die Entfernung einen Teil ihrer Hemmungen nehmen. »Sag mir, was du gerade machst! Werde geil. Je geiler, desto besser.« Auf diese Weise konnte er mehr über ihre Fantasien erfahren.

»Ich möchte auf die Knie gehen und einem anderen Mann einen blasen, wenn es das ist, was du willst.« Sie stöhnte. Er wusste, dass sie das wirklich wollte, fast schon als Zeichen ihrer Treue.

»Ich würde dich gern an mich drücken, sodass dein Hintern gegen meinen Schwanz gepresst wird, und deinen Rock hochheben, damit ein anderer Mann deine schöne Muschi sehen kann.«

»Würdest du ihm erlauben, mich zu berühren?« Ihr Atem schien so dicht an seinem Ohr zu sein, dass er schon glaubte, ihre Wärme spüren zu können.

»Ich würde ihm erlauben, sich dicht vor dich zu stellen und dir die Hand zwischen die Beine zu legen.«

»Oh!« Sie stöhnte erneut laut auf. »Ich kann seine Finger an meiner Klit spüren, Meister.«

»Das gefällt dir, was, du dreckige Hure.«

»Ja. Weil du mich festhältst und mir Sicherheit gibst. Ich mag es, dich hinter mir zu spüren, während er mich berührt. Oh mein Gott!« Sie keuchte.

»Ich ziehe deinen Kopf nach hinten und küsse dich, während er dich mit den Fingern fickt. Ich kann spüren, wie die Lust durch deinen Körper tost.« Gott, er war so steif, dass er kaum noch sprechen konnte! Die Fantasie, sie einem anderen zu überlassen, die Macht über ihren Körper zu besitzen, sie als sein Eigentum zu behandeln, machte ihn maßlos an. Aber die Worte waren wichtig, seine einzige Verbindung zu ihr über das Telefon. »Ich möchte, dass er dich leckt, dass er sich vor dich hinkniet und deine hübsche, schmutzige kleine Muschi verwöhnt.«

»Ja, Meister, ich tue alles für dich, Meister.« Ihr leises Stöhnen schien ihn in seinem Innersten zu berühren und Besitz von ihm zu ergreifen.

»Meister, Meister, Meister«, wiederholte sie leise, vergaß dabei jedoch nicht, weiterhin leise zu bleiben.

Dennoch wollte er, dass sie die Kontrolle verlor und schrie, dass sie bereit war, alles für ihren Meister zu tun. »Ich möchte dich ficken, während er dich leckt.« Er verlor sich ebenfalls in dieser Fantasie, stellte sich vor, wie er seine Hose öffnete und sich in sie hineinschob, während ein anderer Mann ihre Klit leckte.

Einen Moment lang gab es nichts als ihr Stöhnen und

Keuchen, ihre leisen Worte, dann hörte er, wie sie der Orgasmus übermannte, und sein Samen ergoss sich auf seinen Bauch.

»Großer Gott«, hörte er sie sagen.

»Oh ja«, stimmte er ihr zu. Dann musste er lachen. »Baby, du versetzt mich immer wieder in Erstaunen.«

Sie sagte nichts, und er hörte an ihrem Atem, wie sie sich langsam wieder beruhigte.

»Geht es dir besser?« Er musste wissen, ob er das Richtige für sie getan hatte.

»Ich bin müde.« Ihre Stimme klang befriedigt und erschöpft.

»Das ist gut.«

»Ich habe zu viel nachgedacht. Jetzt muss ich nicht mehr denken.«

Das war ziemlich genau das, was er sich erhofft hatte, dass seine Worte ihr dabei halfen, den Alltag aus Leben und Tod zu vergessen, damit sie sich ausruhen konnte.

»Schlaf gut, Baby. Wir sprechen uns morgen.« Er wartete einige Sekunden, hörte aber nichts als ihren Atem und glaubte schon, sie wäre bereits eingeschlafen. Als er gerade auflegen wollte, sagte sie doch noch was.

»Luke?«

»Ja, Baby?«

»Danke! Das hat mir geholfen.« Sie seufzte, dann war die Leitung tot.

Er wusch sich und legte sich dann erneut aufs Bett. Sein Körper war jetzt ebenfalls befriedigt, und er fühlte einen Anflug von Macht. Er hatte gespürt, wie es ihr ging, und ihr gegeben, was sie gebraucht hatte. Dabei genoss er es, sie eine

Schlampe zu nennen und sich vorzustellen, wie andere Männer sie berührten. Solange er die Kontrolle hatte, derjenige war, der die Entscheidungen traf und bestimmte, was der andere Mann tun durfte, um ihm auf den Knien liegend alles Weitere zu versagen.

Sein Handy klingelte, und er griff in der Dunkelheit mit pochendem Herzen danach. Sie wollte noch mehr. Das war perfekt. »Ich bin hier«, sagte er leise und wartete auf ihre Stimme.

»Dad?«

Scheiße! Er zog die Bettdecke hoch, als ob Keira ihn sehen könnte, und seine Befriedigung war derart blitzartig verschwunden, als hätte man ihn bei etwas Verbotenem erwischt. Verdammt noch mal, das war ja beinahe lächerlich! Was wäre gewesen, wenn er zur Begrüßung etwas Schweinisches gesagt hätte? *Himmel!* »Was gibt's, Kleine?«

»Ich vermisse Billie. Auch wenn er ein Blödmann ist«, sagte sie leise.

»Süße, du schaffst das schon. Du bist stark.« Und Billie war ein Idiot, wenn er Keira nicht so akzeptieren konnte, wie sie war, nämlich perfekt. Er hatte ihr und Kyla beigebracht, sich von niemandem etwas gefallen zu lassen und für sich einzustehen. Und er war verdammt stolz auf die beiden.

Fünf Minuten lang telefonierte er mit Keira, dann sagte sie ihm Gute Nacht und dass er wunderbar wäre, weil es ihr nach dem Gespräch mit ihm viel besser ging.

Er war ein guter Vater gewesen und hatte sich immer um die Bedürfnisse seiner Töchter gekümmert, aber als Ehemann hatte er nicht so gut abgeschnitten. Schließlich hatte er Beths Wünsche nicht nur ignoriert, sondern nicht einmal genau gewusst, wie diese aussahen. Als er das Telefon auf den Nachttisch legte, ging ihm auf, dass Bree seine zweite Chance war, um alles richtig zu machen. Gut, er genoss die heißen Sachen, die frechen Bestrafungen, nach denen sie sich sehnte, und die schmutzigen Worte, aber nun hatte er auch die Gelegenheit, sich um sie zu kümmern. Und das wollte er auf keinen Fall vermasseln.

»Haben Sie kurz Zeit?«

Erin zuckte zusammen, als Bree auf einmal in der Tür stand. Sie war so leise hereingekommen, dass Erin nicht einmal ihren Schatten gesehen hatte, obwohl ihr Schreibtisch zur Tür ausgerichtet war. Es war unheimlich, dass sich die Frau so leise bewegte. Fast schon wie ein Geist.

Doch sie schüttelte diesen Gedanken ab. »Kommen Sie rein!«

Bree schloss die Tür. Das war ungewöhnlich. Das konnte nur bedeuten, dass sich der Zustand von Brees Vater im Verlauf des Wochenendes noch verschlimmert hatte, vermutete Erin.

»Ich möchte meine Arbeitszeiten gern ändern«, sagte Bree und setzte sich auf den Besucherstuhl.

Mit ihrem langen schwarzen Haar und der makellosen Haut sah sie umwerfend aus. Mit ihrer Größe hätte sie Model werden können. Heute trug sie Jeans, eine weiße Bluse, eine schwarze Weste und eine schwarze Jacke, und diese Kombination sah an ihr überaus raffiniert aus. Bei DKG gab es keinen Dresscode, die Mitarbeiter sollten nur präsentabel aussehen, aber im Allgemeinen trug Bree keine Jeans. Manchmal kleidete sie sich auch heute noch wie die Buchprüferin, als die sie angefangen hatte, bevor sie die fehlende Routine, die beim ständigen Wechsel von einem Auftrag zum nächsten nicht aufkommen konnte, nicht mehr ertragen hatte.

Erin hatte schon immer vermutet, dass hinter Brees Lebenslauf mehr steckte. Sie *brauchte* die Routine. Daher vermutete Erin auch, dass Brees aufgewühlte Emotionen aufgrund der Krankheit ihres Vaters wegen dieser Eigenschaft noch mehr durcheinandergerieten.

»Nehmen Sie sich so viel Zeit, wie Sie brauchen, Bree. Sie können Ihre Arbeitszeit selbst festlegen.«

Bree ließ ein wenig den Kopf sinken, sodass ihr die Haare vor das Gesicht fielen. »Ich habe mir gedacht, ich komme so gegen zehn, erledige alles und versuche, gegen vierzehn Uhr dreißig Feierabend zu machen.« Sie schob sich die Haare hinter das Ohr und sah auf, als müsste sie unbedingt den Blickkontakt herstellen. »Ich kann auch vom Haus meiner Eltern aus arbeiten.«

»Wohnen Sie vorerst bei Ihnen?«

»Ja. Meine Mutter schafft es nicht mehr alleine.« Sie hatte die Finger so ineinander verschränkt, dass sie schon weiß wurden. »Gestern wurde ein Krankenhausbett geliefert. Der Mann war sehr nett, hat es aufgestellt und meinem Vater hineingeholfen. Und es waren auch schon einige Pfleger da …« Sie hielt inne, hatte den Mund noch ein Stück geöffnet, und ihre dunklen Augen sahen aus, als würde sie all die Erniedrigungen vor sich sehen, die ihr Vater durch die Hände von Fremden, und seien sie auch noch so hilfsbereit, erleiden musste.

»Ich kann mir vorstellen, dass das für Sie und Ihre Mutter sehr schwer sein muss. Aber Sie machen das Richtige, Bree, so schwer es auch sein mag.« Erin wusste, dass Bree es noch nicht richtig realisieren konnte. Das konnte niemand. Sie hatte selbst erlebt, wie es war, jemanden zu verlieren, und es gab immer noch Augenblicke, in denen sie etwas entdeckte, das sie an Jay erinnerte, wie seine Lieblingssnacks im Supermarkt, und dann bekam sie auch heute noch weiche Knie. Doch wenn das geschah, zwang sie sich, einfach weiterzugehen und nicht daran zu denken. Irgendwie war es leichter, mit Bree über die Trauer zu reden, und darüber, dass man tun und sagen musste, was das Richtige war.

»Meine Mom ist großartig«, fuhr Bree fort. »Sie ist sehr gelassen. Und mein Dad ist ein ganz besonderer Mann, wissen Sie, und es ist schwer für sie, ihn so sehen zu müssen. Aber er hat die ganzen Jahre über schon dafür gesorgt, dass sie gut versorgt sein wird.«

»Das ist schön. Er ist bestimmt auch sehr stolz auf all das, was Sie erreicht haben.«

Brees Absätze klopften auf den Teppich. »Oh ja! Er war Mechaniker und hatte eine eigene Werkstatt, und er war sehr stolz, als ich meinen Collegeabschluss gemacht habe. Ja, darum ist es mir auch so schwergefallen, zu akzeptieren, dass er bald nicht mehr da sein wird und das alles, weil er ein ganz besonderer Mann ist. Ich weiß einfach nicht, wie meine Mom dann klarkommen wird. Aber ich werde ihr so gut helfen, wie ich nur kann.«

Es lag nicht daran, dass Brees Tonfall irgendwie falsch klang, auch nicht daran, dass sie so schnell sprach oder dass sie mit den Absätzen rhythmisch auf den Teppich klopfte oder dass ihre Fingerknöchel weiß wurden. Es lag vor allem daran, dass Bree sonst nichts erzählte. Sie sagte, was notwendig war. Sie lächelte, wenn es angebracht war. Sie lachte, wenn es von ihr erwartet wurde. Aber sie war nie überschwänglich. Erin konnte sich nicht vorstellen, dass sie je einen Freund gehabt hatte. Sie hatte zumindest nie einen erwähnt. Sie behielt ihr Privatleben für sich, und mehr als eben hatte sie noch nie über ihre Eltern erzählt. Niemals. Es war fast so, als wollte sie die Unentschlossenheit erklären, die sie in den letzten Wochen verspürt hatte, und als würde sie glauben, dass Erin eine schlechte Meinung von ihr hätte.

Aber eigentlich war es doch Erin, die sich dafür entschuldigen musste, dass sie Bree schlecht behandelt hatte. Gegen Ende des letzten Jahres hatte sie gespürt, dass etwas nicht stimmte, aber Bree wollte nicht mit der Sprache rausrücken. Daraufhin hatte Erin die ganze Sache völlig falsch interpretiert und aufgrund des ganzen Patentstreitproblems, mit dem sie sich zu dieser Zeit rumschlugen, Dinge gesagt, die sie gar nicht so meinte. Da erst hatte ihr Bree gestanden, dass ihr Vater todkrank war.

Das war wie ein Schlag vor den Kopf gewesen.

Zu der Zeit hatte ihr Erin nicht genug Mitgefühl entgegenbringen können, aber jetzt wollte sie Bree unterstützen, so gut sie nur konnte. »Sie müssen überhaupt nicht ins Büro kommen. Wir werden schon damit fertig.«

Bree keuchte auf. »Aber der Geschäftsbericht muss erstellt werden, und es gibt jede Menge zu tun. Und dann ist da ja auch noch die Betriebsprüfung.«

»Schicken Sie Marbury einfach die Akten. Er kann sich darum kümmern. Dafür bezahlen wir ihn schließlich.«

Bree sah plötzlich nach links und rechts, als ob sie dort Antworten finden könnte. »Ich werde ihm alles erklären, was er nicht versteht.«

»Und zeigen Sie Rachel, wie man die Belege eingibt und mit den Lieferantenrechnungen abgleicht.« Erin tippte sich mit zwei Fingern an den Kopf. Wie dumm! »Ich weiß nicht, warum mir das nicht schon früher eingefallen ist.«

Bree spannte die Finger an und kaute auf ihrer Unterlippe herum, als ob sie etwas belastete.

»Das ist schon in Ordnung, Bree. Lassen Sie sich von uns helfen.«

Erin zählte die Sekunden, die Bree den Hefter auf ihrem Schreibtisch anstarrte. Zehn. Das war eine ziemlich lange Zeit. »Das weiß ich sehr zu schätzen.« Endlich sah sie Erin an. »Aber ich würde gern jeden Tag für ein paar Stunden herkommen. Bitte!«

Das hätte Erin nicht wundern sollen. Bree brauchte die Arbeit nicht, musste aber mal ein paar Stunden von zu Hause weg. Bei Erin war alles ganz anders gewesen. Sie hatte Jay in einem Sekundenbruchteil verloren. Daher hatte sie keine Ahnung, wie es sich anfühlen musste oder was sie getan hätte, wenn es längere Zeit absehbar gewesen wäre. Und er war ein kleiner Junge gewesen. Brees Vater stand am Ende seines Lebens. Die Emotionen lagen meilenweit auseinander. Sie würde niemals an Jay denken können, ohne den Verlust zu spüren, aber in den letzten Monaten hatte ihr Dominic geholfen, sich auch an die schönen Sachen, die sie mit ihrem Sohn erlebt hatten, zu erinnern. Und das war dringend nötig gewesen.

Das, was Bree durchmachte, war ganz und gar nicht dasselbe. »Kommen Sie her, wann immer Sie möchten«, sagte Erin mit sanfter Stimme. »Und Sie können auch gehen, wie Sie wollen, ohne es groß anzukündigen.«

In Brees Augen schimmerte etwas, nicht gerade Tränen, aber der Anflug von Emotionen. »Ich werde alles erledigen, das verspreche ich.«

»Das weiß ich doch. Sie sind die beste Buchhalterin, die wir je hatten. Ich habe vollstes Vertrauen in Sie.« Erin spürte ein leichtes Ziehen in der Magengrube, als sie an die Zeit dachte, in der das anders gewesen war. Aber damals war es eher um sie selbst und ihre eigenen Gefühle gegangen und weniger um Bree.

»Vielen Dank, Erin!«

Dieses Mal glaubte Erin, das Richtige gesagt zu haben. Bree war sonst immer so schnell dabei, den Fehler bei sich selbst zu suchen. Man musste ihr sagen, dass sie gute Arbeit leistete, doch manchmal vergaß Erin das einfach.

Kapitel 8

Brees Kopf schmerzte, und ihre Schläfen pochten. Es war Montagmorgen, und in der vergangenen Nacht hatten ihre Mutter und sie erneut die Anstrengungen des Tages bei einigen Gläsern Wein vergessen wollen. Sie hätte vor dem Schlafengehen noch mehr Wasser trinken oder eine Kopfschmerztablette nehmen sollen. Stattdessen hatte Luke sie angerufen. Sie hatte einen Orgasmus gehabt. Genau diese Art der Beruhigung und Betäubung hatte sie auch gebraucht. Es wäre nur noch besser gewesen, wenn er am Fuß ihres Bettes gestanden und ihr zugesehen hätte. Sie war dankbar dafür, dass er keine Fragen stellte und dass er ihr auf präzise und wunderbare Weise zu verstehen gab, wie gut und wie großartig sie war.

Aber das war gestern gewesen, und sie musste sich auf das Heute konzentrieren. Sie hatte sich dazu durchgerungen, mit Erin zu reden, und Erin hatte ihre kürzere Arbeitszeit abgesegnet. Es regnete nicht mehr, und die Sonne schien durch das Fenster, das auf den Parkplatz hinausging, und erwärmte ihr Büro. Die Blätter des Philodendrons sahen im Sonnenlicht fast schon schillernd aus. Sie hatte aus dem kleinen Pflänzchen ein gewaltiges Gewächs gemacht, dessen Reben von ihrem Bücherregal herunterhingen. Irgendwie beruhigte es sie immer, die Pflanze zu pflegen, wenn es ihr schlecht ging. Sie konnte kaum glauben, dass sie es geschafft hatte, dieses üppige Grün heranzuzüchten, seitdem sie das Büro übernommen hatte. Das gehörte definitiv zu den Dingen, die sie richtig gemacht hatte.

»Wie geht es deiner Mom?«, fragte Rachel. Sie saßen an Brees Schreibtisch, und Rachel bediente den Computer. Wie Erin angeordnet hatte, brachte Bree Rachel die Buchführung bei, damit diese die Rechnungen und Belege eingeben und vergleichen konnte.

Rachel war die Rezeptionistin von DKG, eine hübsche Blondine, die zehn Zentimeter weniger Körpergröße, dafür zwei Körbchengrößen mehr als Bree aufweisen konnte, geschieden war und zwei Söhne im Teenageralter alleine großzog. Allerdings teilte sie sich mit ihrem Exmann das Sorgerecht. Bedeutete das, dass sie *keine* Single-Mutter war, weil sich die Kinder zweimal in der Woche bei ihrem Vater aufhielten? Bree war sich nicht sicher.

»Meine Mutter ist unerschütterlich«, antwortete Bree.

Was nicht unbedingt hieß, dass es ihr gut ging, aber Rachel fasste es so auf. »Sie ist bestimmt froh, dass du ihr zur Hand gehst.«

Bree senkte den Kopf und ließ die Haare ins Gesicht fallen. Dieselbe Unterhaltung hatte sie bereits mit Erin geführt, und da war sie ungewollt ins Plappern geraten. Was sollte das heißen, dass ihr Vater stolz auf sie wäre? Die Worte waren einfach aus ihrem Mund gekommen. Gut, sie wollte, dass Erin all die anderen Sachen vergaß, die sie zuvor gesagt hatte, dass sie sich nicht um ihren Vater kümmern wollte. Das hatte in ihren eigenen Ohren so schlimm geklungen, als wäre sie eine undankbare Tochter.

Erin hatte sich verständnisvoll gezeigt und vorgeschlagen, dass Rachel sie unterstützen sollte. In dem Moment, in dem

Erin das angeboten hatte, hätte Bree am liebsten laut aufgeschrien: »Nein, nein, diese Routinesachen mache ich selber.« Sie entspannten sie, sie waren einfach, und sie hatte wenigstens das Gefühl, etwas getan zu haben.

Doch sie musste zugeben, dass ihr die Hilfe vorerst ganz gelegen kam. Im System wurden die Lieferscheine, Empfangsbelege, Bareinzahlungen und Rechnungen gespeichert, und Bree konnte Rachels Eingaben von zu Hause aus überprüfen. Rachel war klug, begierig darauf, etwas Neues zu lernen und neue Verantwortung zu übernehmen.

Brees größtes Problem war, dass sie nur ungern andere um etwas bat, weil sie sich dann verpflichtet fühlte, sich zu revanchieren.

Sie musste aufhören, so zu denken. Erin hatte die Entscheidung getroffen, und jetzt mussten sie damit leben, das Problem war nur, dass Rachel immer sichergehen wollte, dass es allen gut ging. Sie redete gern, verbreitete aber keine Gerüchte oder Klatschgeschichten. Wenn man ihr etwas im Vertrauen erzählte, konnte man sich darauf verlassen, dass sie es für sich behielt. Sie hatte schon gewusst, dass Brees Vater krank war, bevor Bree Erin eingeweiht hatte. Das war ihr in einem dieser stressigen Augenblicke passiert, in denen Bree nicht den Mund halten konnte und in denen sie für kurze Zeit die Kontrolle verlor. Rachel war da und hörte sich alles an, und jetzt schien sie davon auszugehen, dass sie mit ihr reden konnte – und dass Bree Lust hätte, sich mit ihr zu unterhalten.

Wäre Bree ein anderer Mensch gewesen, dann hätte sie durchaus einiges zu erzählen gehabt. Sie hatte Erin zwar oberflächlich informiert, aber sie hätte Rachel von dem großen, freundlichen Mann berichten können, der gestern Morgen das Krankenhausbett gebracht hatte, von seinem netten Südstaatenakzent, der wie eine Melodie klang. Wie er das Bett direkt vor dem Fenster aufgestellt hatte, weil er wollte, dass ihr Vater tagsüber die Sonne auf seiner Haut spüren konnte. Wie leicht es ihm gefallen war, ihren Vater zu tragen, und wie widerstandslos ihr Vater sich das hatte gefallen lassen. Bree hatte von der anderen Seite des Schlafzimmers aus zugesehen, damit sie nicht aus dem Fenster schauen musste. Als der Mann fertig war, hatte ihn Bree wie ein schwanzwedelnder Welpe, der um Aufmerksamkeit bettelt, bis zu seinem Wagen begleitet, ihn nicht gehen lassen wollen, weil sie diesen Kontakt brauchte, selbst zu einem Fremden, jemandem, der *geholfen* hatte. Sie hatte beinahe geweint, als er wegfuhr und sie mit ihrer Mutter und ihrem sterbenden Vater alleine ließ.

Doch Bree hatte nicht vor, Rachel all das zu erzählen. Stattdessen meinte sie: »Ja, wenigstens ist meine Mom jetzt nicht mehr alleine.«

»In diesem Moment schon, und jetzt nerve ich dich auch noch mit Fragen, wo du mir doch alles zeigen sollst, damit du schnell wieder nach Hause kannst.«

Bree verspürte leichte Schuldgefühle. »So habe ich das nicht gemeint.« Eigentlich wollte sie sich gar nicht beeilen, denn dann könnte sie die Heimfahrt noch etwas hinauszögern.

Sie stand vom Schreibtisch auf und deutete auf die oberste Schublade des Aktenschranks. »Kaufbelege, Empfangsbescheinigungen und Lieferantenrechnungen kommen hier rein. Du gleichst die Auftragsbestätigung mit dem Empfänger ab und danach mit der Rechnung, sobald du sie erhalten hast. Ich lege auch immer eine Kopie des Schecks in die Lieferantenakte. Dasselbe machst du mit den Außenständen.« Sie tippte die nächste Schublade an. »Kundenbestellungen, abgeglichen mit den Lieferanten und den Rechnungen, dann eine Kopie des auf uns ausgestellten Schecks.« Bei diesen Worten setzte sie sich wieder.

»Das klingt doch ganz einfach.«

»Ist es auch. Das schaffst du schon. Lass uns einfach ein paar Vorgänge im System durchgehen, damit du den Dreh rausbekommst.« Bree hielt Rachel, die bereits vor der Tastatur saß, eine Rechnung unter die Nase. »Öffne das Kreditorenkonto, dann zeige ich dir, wie man die Empfänger findet. Du kannst nach dem Lieferanten oder der Auftragsbestätigung suchen.«

Gemeinsam gingen sie die ersten Rechnungen der Lieferanten und dann die an die Kunden sowie die Kassenquittungen sowohl für die Überweisungen als auch die Schecks durch. Rachel gab alles ein, dann füllte sie den Einzahlungsbeleg für die Schecks aus, die an die Bank gehen mussten. Sie war ohnehin dafür zuständig, alles zur Bank zu bringen.

»Wow«, sagte sie, lehnte sich zurück und grinste. »Ich habe gar nicht so viele Fehler gemacht.«

»Es ist ein Kinderspiel, wenn man sich erst mal an das System gewöhnt hat.« Diese geistlose Arbeit machte Bree gern am Nachmittag, wenn sie ohnehin schon müde wurde. »Es gibt nur Probleme, wenn ein Kunde oder Lieferant die Auftragsbestätigungs- oder Teilenummer nicht angibt, nicht auf dem Scheck vermerkt, welche Rechnungen er damit bezahlt oder Ähnliches.«

»Und du machst all diese Sachen selbst?«

Bree sah sie verwundert an. »Ja.«

»Aber du bist Buchhalterin. Das hier ist doch nur stupides Eingeben.«

»Aber es gehört auch zu meinem Job.« Es war ja nicht so, dass DKG Geld zum Fenster rauswerfen konnte. Selbst Erin erledigte einen Teil der alltäglich anfallenden Arbeiten.

»Aber du hast doch *studiert.*« Rachel konnte es gar nicht fassen und starrte Bree mit großen Augen an. »Du solltest deine Zeit nicht mit diesem Bürokram vergeuden.«

Bei ihr klang es fast so, als ob sich Bree unter Wert verkaufen würde. Oder wollte sie ihr nur Honig ums Maul schmieren?

Auf einmal leuchteten Rachels Augen auf. »Ich wette, Erin hat tonnenweise wichtigere Aufgaben für dich, anstatt Rechnungen einzugeben. Ich mache für sie die ganze Aktenablage und für Yvonne auch.« Yvonne Colbert war ihre Verkaufsleiterin. »Manchmal lässt mich Erin auch die Auftragsbestätigungen eingeben. Ich werde mal mit ihr reden und sie fragen, ob ich nicht regelmäßig auch für dich diese Routinearbeit übernehmen soll.«

Einen Moment lang verspürte Bree Panik, als würde sie dadurch, dass sie ihre einfachsten Aufgaben abgab, weniger wertvoll und weniger gebraucht. Sie konnte beinahe die Stimme ihres Vaters hören: *»Ich habe all mein Geld für eine Collegeausbildung ausgegeben, nur damit du in einem zweitklassigen Laden bei Idioten arbeitest, die nicht mal wissen, wie unbedeutend sie überhaupt sind? Dann kannst du dich gleich von der Hoffnung verabschieden, jemals Hunderttausend zu verdienen.«*

Bree schluckte schwer. Erin und Dominic waren keine Idioten. Sie hatten DKG aus dem Nichts aufgebaut, und ihr Bruttoumsatz betrug mehr als fünf Millionen Dollar. Aber Brees Vater hatte in der Hinsicht Recht, dass sie nie wirklich eine Karriere angestrebt hatte. Sie war keine Führungspersönlichkeit, sondern jemand, der Befehle befolgte.

Auf ihrem Gesicht musste sich etwas abgezeichnet haben, da Rachel sofort aufsprang. »Nur wenn du auch möchtest, dass ich dir helfe, Bree. Ich habe nur daran gedacht, dass du oft sehr lange arbeitest oder sogar am Wochenende herkommst.«

Oder sie arbeitete von zu Hause. Sie hatte ein Festgehalt und bekam keine Überstunden bezahlt. Allerdings bat sie Erin auch nie darum, Überstunden zu machen. Doch angesichts der bevorstehenden Betriebsprüfung wusste sie nicht, wie sie sonst alles schaffen sollte.

»Außerdem«, fuhr Rachel fort, als ob sie ein Verkaufsgespräch führen würde, »kann ich dann ›Buchführung‹ in meinen Lebenslauf schreiben. Du würdest mir sogar einen Gefallen tun.« Rachel war immer so begeisterungsfähig. Wenn sie eine Idee hatte, dann setzte sie sie erbarmungslos um. Bree musste immer erst nachdenken, die Konsequenzen abwägen und sicherstellen, dass sie keinen Fehler machte. Außer wenn es um Sex ging. Aber wenn es um ihre Süchte ging, waren Menschen ja nie besonders vorsichtig.

»Dann wärst du doch überlastet«, stellte Bree fest und verbannte den letzten Gedanken aus ihrem Kopf. Vielleicht war es ja doch keine so schlechte Idee, Rachel den Datenabgleich zu überlassen. Es gab noch so viele andere Dinge, die sie erledigen musste, vor allem jetzt, kurz vor der Betriebsprüfung. Die Steuerbücher waren eine komplizierte Angelegenheit, da sie sich komplett von der normalen Buchführung unterschieden.

»Im Gegenteil, gelegentlich muss ich Erin sogar bitten, mir was zu tun zu geben«, fügte Rachel hinzu. »Außerdem werde ich für Überstunden bezahlt, wenn sie sie genehmigt hat.«

Rachel wollte etwas dazulernen. Was war so falsch daran? Es war ja nicht so, als ob Bree sie ausnutzen würde. Sie machte sich immer so viele Sorgen, dass sie bei anderen, die etwas für sie taten, in der Schuld stehen würde, und hier hatte sie die Möglichkeit, mal etwas für Rachel zu tun.

Was war, wenn Rachel die Sache besser machte, und noch dazu für weniger Geld, und Erin Bree nicht mehr brauchte? Dieser Gedanke traf sie wie ein Schlag. Himmel, sie musste aufhören, ständig solche Sachen zu denken. Sie war nicht völlig nutzlos. Sie besaß einen Wert. *Ich bin gut genug, ich bin gut genug.* Dieses Mantra wiederholte sie innerlich immer wieder, glaubte bis jetzt aber trotzdem nicht daran. Aber Erin würde sie nicht feuern. Bree würde sich auf andere Weise unentbehrlich machen, beispielsweise indem sie sich zusammen mit Marbury um die Betriebsprüfung kümmerte, sodass Erin damit gar nichts zu tun haben musste. Außerdem würde irgendwann alles wieder ganz normal laufen, wenn ihr Vater tot war.

Großer Gott, das war krass! Sie schluckte schwer, und selbst ihre Spucke wollte kaum ihre Kehle hinunter.

»Und, was denkst du, Bree? Ist das eine gute Idee?«, wollte Rachel wissen.

»Ja«, gab sie schließlich zu. »Wir werden gemeinsam mit Erin darüber reden.«

Rachel strahlte. »Danke! Du wirst es nicht bereuen.« Mit

diesen Worten ließ sie die ganze Sache sogar noch so aussehen, als ob ihr Bree tatsächlich einen Gefallen tun würde.

Eine halbe Stunde später starrte Bree das Telefon an, als wäre es eine Schlange, die sprungbereit vor ihr lag. Nicht, dass Schlangen wirklich springen würden, aber in ihren Albträumen taten sie es gelegentlich.

Rachel hatte die Unterlagen mit an ihren Schreibtisch genommen, und wenn sie mit dem Eingeben fertig war, wollte Bree noch mal alles überprüfen. Sie war sich ziemlich sicher, dass es keine Beanstandungen geben würde.

Jetzt musste sie Marbury anrufen. Keine Ausreden mehr. Seine Sekretärin ging ans Telefon und stellte Bree durch. Es war fast schon erbärmlich, wie ihr Herz in ihrer Brust raste. Marbury war *nur* ihr Rechnungsprüfer, mehr nicht. Er konnte ihr nicht wehtun oder schaden.

»Marbury hier.« Seine tiefe Stimme drang so laut aus dem Hörer, dass sie ihn ein Stück vom Ohr weghalten musste.

Sie knirschte mit den Zähnen. »Hi, Mr Marbury, hier ist Bree Mason.«

»Bree«, säuselte er. »Erin sagte, sie hätte meine Liste erhalten. Gibt es jetzt schon Probleme damit?« Er lachte. Es war kein angenehmes Geräusch.

»Nein. Ich wollte Ihnen nur sagen, dass ich die Dateien per E-Mail schicken werde. Darin finden Sie alle Informationen, die Sie benötigen.« Sie hielt den Atem an. Der Vorschlag würde ihm nicht gefallen, davon war sie überzeugt.

»Aber dann müssen wir hier alles ausdrucken, und das bedeutet, dass Clarice einige Überstunden machen muss.« Clarice war seine Sekretärin. Wann immer Bree in Marburys

Büro vorbeigeschaut hatte, um etwas abzugeben, hatte sie nicht besonders beschäftigt gewirkt. »Und Zeit ist Geld«, fügte er hinzu.

»Erin meinte, das sei in Ordnung, weil es uns Zeit sparen würde.« *Uns.* Dem wichtigen Klienten. Marbury tat immer so, als ob *er* der Kunde wäre. Zumindest tat er das, wenn er mit Bree sprach, wohingegen er sich bei Erin anders verhielt.

»Es gibt bestimmt viele Seiten, die uns gar nicht interessieren, Bree. Wir würden so viel Zeit vergeuden«, entgegnete er. »Warum drucken Sie nicht einfach alles aus, was Sie für nötig erachten, und bringen es vorbei? Das wäre für alle Beteiligten doch bestimmt viel einfacher, oder nicht?« Das sagte er in einem Tonfall, als würde er sie für eine Idiotin halten, die an so etwas erinnert werden musste. »Und billiger«, setzte er noch nach.

Sie knirschte mit den Zähnen. Verdammt. Sein Büro lag auf dem Weg zu ihren Eltern. Es war klüger, die entsprechenden Seiten auszudrucken, denn, zweites Verdammt, er hatte Recht und brauchte nicht alle Informationen aus den Akten. Bree hätte Erin das gleich vorschlagen sollen. Aber wieder einmal hatte sie Denton Marbury auf ihre Fehler hingewiesen.

Kapitel 9

Bree verbrachte eine geschlagene halbe Stunde damit, all das auszudrucken, was Marbury brauchen würde. Danach war es Viertel vor zwei, und sie machte Feierabend, da sie ihrer Mutter ohnehin versprochen hatte, spätestens um vierzehn Uhr dreißig loszufahren.

Fünf Minuten später war sie bei Marburys Büro. Es befand sich über einigen kleinen Geschäften, zu denen eine Reinigung, eine Versicherung, ein Friseur und ein chinesisches Restaurant gehörten. Der Geruch von siedendem Öl und Gewürzen begleitete sie die Treppe hinauf. Ihr Magen knurrte, da sie das Mittagessen ausgelassen hatte. Sie erzählte niemandem, dass sie manchmal das Essen vergaß. In einer Welt, in der jeder auf Diät war, erntete man nur seltsame Blicke, wenn man gestand, dass man eine Mahlzeit einfach vergessen hatte. Dann wurden die Leute oft feindselig, als ob man besser wäre als sie, und versuchten einen schlecht zu machen. Aber während einige Menschen mehr aßen, wenn sie gestresst waren, war es bei ihr genau das Gegenteil, und ihr wurde davon schlecht. Aber das hatte sie auch noch niemandem eingestanden.

Im vorderen Büro saß Clarice an einem sehr großen Schreibtisch, mit ihrem Monitor, der Tastatur und dem Telefon in Reichweite. An den Wänden ringsum standen alle möglichen Geräte wie ein Multifunktionsdrucker mit Scanner, Fax und Kopierer, ein Farbdrucker für Präsentationen und natürlich eine Kaffeemaschine und ein großer Kühlschrank. Denton Marbury war ja auch ein großer Mann.

Der Drucker spuckte gerade Dokumente aus, und Clarice telefonierte mit dem Headset auf dem Kopf. Dabei tippte sie auf der Tastatur herum. Sie trug ihr honigblondes Haar in einem hohen Pferdeschwanz, obwohl sie mit ihren fast fünfzig eigentlich zu alt für so eine Frisur war. Sie hatte Bree mal gestanden, dass ein fest gebundener Pferdeschwanz eine bessere Methode war, Falten zu glätten, als jede Schönheitsoperation. Und bei ihr schien es zu funktionieren.

Sie hielt einen Finger hoch, dass sich Bree kurz gedulden sollte, und der Nagel war in einem erstaunlichen Neonorange lackiert, das tatsächlich zu leuchten schien. Marburys Bürotür war geschlossen. Wann immer Bree einen Termin bei ihm hatte, ließ er sie warten, oft nur wenige Minuten, aber immer lange genug, um ihr seine Überlegenheit zu demonstrieren.

Doch da er sie nicht sehen konnte, sah sie ihre Chance auf eine schnelle Flucht. Bree wackelte mit dem Umschlag voller Dokumente in der Luft herum, sagte lautlos zu Clarice: »Ich leg sie hierhin«, und platzierte das Paket auf dem Rand des Schreibtischs.

Beinahe hätte sie es geschafft.

»Bree.« Die ohrenbetäubende Stimme ließ sie erstarren. Selbst wenn Denton Marbury versuchte zu flüstern, war er noch laut. Seine Stimme passte zu seinem Körper. Er war einen Meter neunzig groß und so massig gebaut wie ein ehemaliger Footballspieler, der vor langer Zeit mit dem Training aufgehört hatte. Aufgrund seiner Größe wirkte er nicht fett, und sie war sich nicht einmal sicher, ob er wirklich dick oder ob er einfach nur massig war. Er trug ein hellbraunes Hemd, eine braune Krawatte und braune Schuhe, und diese Farbe schien seinen Bauch zusätzlich zu betonen.

Gut, wenn sie einen Termin hatten, ließ er sie warten. Aber wenn sie versuchte, sich reinzuschleichen, schien er irgendwie zu spüren, dass sie da war.

»Mr Marbury, ich muss gleich wieder los. Erin braucht mich noch.«

»Ich habe gerade mit Erin gesprochen, und sie sagte, Ihr Vater sei krank und Sie würden momentan nur noch halbtags arbeiten.« Er grinste. Mit seinem eckigen Kiefer, den fleischigen Lippen und dem ewigen Dreitagebart sah er ein wenig aus wie Fred Feuerstein. Dann blickte er auf seine Uhr. »Ich hatte es so verstanden, dass Sie auf dem Heimweg wären.« Er hatte keine netten Worte für sie übrig, aber sie hätte ohnehin nicht gewusst, was sie darauf erwidern sollte.

Doch sie hätte ihn definitiv nicht anlügen sollen. Sie hätte gar keine Ausrede vorbringen sollen. Bei ihm hatte sie allerdings immer das Gefühl, ihm etwas schuldig zu sein. »Ich muss noch etwas für Erin erledigen, und dann mache ich mich auf den Heimweg.«

»Was müssen Sie denn für sie erledigen?«

Die meisten Menschen hätten es nie gewagt, eine solche Frage zu stellen. Wenn man eine Ausrede vorbrachte, kam man meist damit durch. Denn wen ging es auch schon etwas an? Ihn auf jeden Fall nicht. Aber Denton Marbury setzte ihr *immer* zu. Er war ein ausgemachtes Arschloch, und wenn sie nicht so ein Feigling gewesen wäre, dann hätte sie ihm das längst gesagt.

»Denton, Rogers muss mit Ihnen reden.«

Marbury sah nicht einmal zu Clarice herüber, als er sie anfuhr. »Sagen Sie ihm, ich rufe zurück.«

Clarice schwieg betreten, dann gluckste sie leise. »Das hat er gehört, und er meint, wenn Sie zu beschäftigt sind, um mit ihm zu reden, dann ist er zu beschäftigt, um Ihnen einen Scheck auszustellen.«

Bree fragte sich, warum ihr nie so etwas Witziges und Brillantes einfiel, das sie ihm an den Kopf werfen konnte, wenn er ihr auf die Nerven ging.

Marbury knurrte. »Gut. Ich bin gleich bei ihm.« Dann wandte er sich wieder an Bree. »Wir müssen einen Termin machen, um die Dokumente durchzugehen.«

Bree wollte erwidern, dass diese eigentlich keine weiteren Erklärungen erforderten, zumindest nicht für jemanden, der sich mit der Buchhaltung auskannte und die Steuern für DKG erledigte, aber bei gewissen Menschen war es besser, Konfrontationen aus dem Weg zu gehen. »In Ordnung«, entgegnete sie. »Ich werde morgen bei der Arbeit mal in meinen Kalender schauen.«

»Vergessen Sie nicht, mich anzurufen«, sagte er. Kein *Gut, rufen Sie mich an, wann es Ihnen passt* oder *Alles klar*. Nein, er musste es so aussehen lassen, als wäre sie ein Volltrottel, der ihn vergessen oder einfach ignorieren würde.

Und wie gern sie ihn ignoriert hätte. »Werde ich nicht.« Himmel, bei all dem Stress war sie sich ziemlich sicher, dass sie das wieder vergessen würde!

Hinter ihm stand Clarice auf und verscheuchte sie mit einer Handbewegung. Bree war sich durchaus bewusst, dass Clarice sie mit dem Telefonanruf gerettet hatte.

Im Gehen kam sie sich vor wie eine eingeschüchterte Maus, die vor der Katze mit den riesigen Krallen davonlief. Ihr war nicht klar, warum sie sich von Denton Marbury derart einschüchtern ließ. Er war nicht einmal besonders klug oder gerissen. Sie hatte ihn schon sehr oft anrufen müssen, weil sie in den Steuerformularen, die sie vor der Abgabe überprüfte, Fehler gefunden hatte. Doch es gelang ihm immer, es so aussehen zu lassen, als wären ihre eigenen Dokumente fehlerhaft. Was sie natürlich nicht waren. Aber sie konnte auf keinen Fall mit Erin darüber sprechen. Sie wollte nicht zwischen den Fronten stehen. Außerdem war es peinlich, Erin zu bitten, ihre Kämpfe auszufechten.

Als Bree in den Wagen stieg, fiel ihr auf, dass ihr Herz noch immer raste. Ihr war beinahe schwindlig, weil sie so schnell atmete. Nach einigen Minuten in Marburys Gesellschaft drehte sich ihr bei dem Gedanken, zu ihren Eltern zurückzukehren, der Magen um.

Bitte zwing mich nicht dazu!

Sie starrte ihr Handy an, das auf dem Beifahrersitz lag. Fast, als wäre sie kein Teil von ihr, griff ihre Hand danach. Sie konnte Luke heute Abend nicht treffen. Sie wollte ihn an keinem der Abende treffen, solange das alles nicht vorbei war. Aber sie brauchte ihn so sehr.

Er ging nach dem ersten Klingeln ran. Als hätte er auf sie gewartet. Als wäre es unwichtig, ob sie ihn bei einem Treffen störte, er jemanden im Büro stehen hatte oder einen anderen Anrufer abwimmeln musste. Sie ging vor. Er war ein viel beschäftigter Geschäftsführer, aber er ging immer sofort ans Telefon.

»Was ist los, Baby?«, erkundigte er sich nach der Begrüßung. Er konnte ihre Stimmung fast immer nach den ersten Worten einschätzen.

»Schlimmer Tag«, flüsterte sie. Schlimmer Tag, schlimmer Monat, schlimmes Leben. »Aber wir können uns heute Abend nicht treffen.«

»Wo bist du jetzt?«

»Auf dem Rückweg zu meinen Eltern.«

»Lass uns einen Kaffee trinken gehen.«

»Es ist mitten am Tag«, protestierte sie. Sie trafen sich sonst nur abends. Als ob sie die Dinge, die sie miteinander taten, erst im Dunkeln machen konnten. Als ob er sie bei Tageslicht nicht sehen durfte.

»Ja, es ist mitten am Tag, und es ist Zeit für eine Kaffeepause. Wo ist das nächste Starbucks?«

»In der Nähe ist ein Peet's.« Das Café befand sich in einem Einkaufszentrum etwa zwei Blocks vom Haus ihrer Eltern.

»Sag mir, wie ich dahin komme.«

»Aber du kannst doch nicht einfach aus dem Büro abhauen.«

»Ich bin der Boss. Ich lasse mir fünfzehn Minuten Zeit, damit du dich beruhigen kannst.«

Er wusste immer, wann sie ihn brauchte. Und er wusste, was er tun und sagen musste. Heute wollte sie einfach nur seine Hand berühren, seine Stimme hören und seine schön geschnittenen Züge bewundern. Danach würde es ihr gleich viel besser gehen. Dann konnte sie nach Hause in dieses Todeshaus fahren. Was für ein schrecklicher Gedanke, aber sie konnte ihn einfach nicht abschütteln.

Bitte, Daddy, zwing mich nicht dazu!

Doch letzten Endes hatte sie noch immer getan, was man von ihr erwartete.

»Du hättest wirklich nicht so weit fahren müssen.« Bree schob sich das Haar hinter das Ohr, während sie auf ihren Kaffee warteten. Luke musste sich zu ihr rüberbeugen, damit sie über das Geplauder der anderen Gäste und die Geräusche der Espresso- und Kaffeemaschinen noch zu hören war.

»Es waren doch nur fünf Minuten.« Er berührte sie am Kinn. »Die bist du mir wert.« Und noch sehr viel mehr.

Ihre Wangen färbten sich rot, aber er war sich nicht sicher, ob ihr seine Worte peinlich waren oder ob sie sich darüber freute. Trotz der Bluse, des Blazers und der Weste sah sie in der Jeans nicht zu geschäftsmäßig aus, und mit ihren hohen Stiefeln war sie sogar ein Stück größer als er. Weil es ihm gefiel, trug sie in seiner Gegenwart meist enge Kleidung, Leggings, kurze Röcke, Oberteile aus Spandex und sexy High Heels. Er mochte es, wie sich ihre Nippel unter dem Stoff abzeichneten, wenn er sie zu sich heranzog.

»Ich kann nicht lange bleiben«, sagte sie.

»Das dachte ich mir.« Sie hatte ihn angerufen, sie brauchte ihn, und er hatte reagiert und ein Meeting abgesagt, um sich mit ihr zu treffen. Tat er alles für sie? Nein, aber eine gewisse Besessenheit konnte er nicht leugnen. Es war ihm egal. Er wollte sie, wollte für sie da sein, und das war alles, was zählte.

»Weißer Schoko-Mokka für Luke«, rief der Barista. Luke holte ihn ab und ging damit zu einem kleinen Tisch in der Ecke.

Der Mokka war für sie. Er trank eine Tasse schwarzen Kaffee.

»Danke«, sagte sie und schaufelte die Schlagsahne mit den beiden Rührstäbchen herunter. Als sie sie im Mund hatte, stöhnte sie vor Wonne.

Luke genoss dieses Geräusch. Solange ihr Vater so krank war, musste er sich wohl oder übel mit den nächtlichen Telefongesprächen begnügen. Aber das war für ihn okay.

»Berühr mich«, raunte sie ihm zu.

Großer Gott! Schon diese beiden Worten kosteten ihn einen Teil seines Verstands. Sein Stuhl stand so dicht neben ihrem, dass sein Knie gegen ihr Bein drückte, aber anstatt die Hand auf ihren Oberschenkel zu legen, verschränkte er seine Finger mit ihren. Sie gaben vermutlich ein seltsames Bild ab: ein Mann von Mitte vierzig, der mit einer zehn Jahre jüngeren Frau Händchen hielt. Mit ihren zarten Gesichtszügen wurde Bree oft sogar für noch jünger gehalten und konnte als dreißig durchgehen.

Sie hatten nie so Händchen gehalten, waren Kaffee trinken gegangen oder hatten sich einfach so getroffen. Bei ihnen ging es bisher immer um Sex, heißen, geilen, großartigen Sex, aber diese Situation war ebenso einzigartig wie schön. »Wir machen alles rückwärts«, stellte er fest.

»Wie meinst du das?«

»Die meisten Leute gehen erst romantisch essen und haben danach Sex.«

Sie trank einen Schluck ihres Mokkas und leckte sich die Sahne von der Lippe. Alles, was sie tat, wirkte irgendwie sinnlich, auch wenn er bezweifelte, dass ihr das bewusst war. »Ich bin nicht gerade eine Romantikerin«, meinte sie.

»Warum nicht?« Sie verdiente Romantik ebenso wie alles andere, wonach sie sich sehnte.

Sie blinzelte, als hätte sie die Frage nicht verstanden, dann sah sie einen langen Moment ins Leere. »Ich glaube nicht an dieses Liebesgesäusel. Das ist nichts Echtes.«

»Ich habe meine Frau geliebt«, erwiderte er, nicht um Bree zu verletzen oder wegzustoßen, sondern um das klarzustellen.

»Du bist geschieden.«

»Ja, das stimmt, aber …«

Sie hielt eine Hand hoch, um ihn am Weitersprechen zu hindern. »Du musst mir nicht alles über deine Scheidung erzählen.«

Wieder eine Vertraulichkeit, die sie abwehrte. Er erzählte es ihr trotzdem. »Meine Frau hat sich von mir scheiden lassen, nicht umgekehrt.«

Sie entzog ihm ihre Hand. »Sehnst du dich noch nach ihr?«

»Nein. Das Kapitel ist abgeschlossen.« Er hielt kurz inne. »Ich sehne mich nach dir.«

Sie lachte, und ihr Gesicht hellte sich auf, doch das hielt nicht lange an. »Du willst mich doch bloß auf den Arm nehmen.«

»Überhaupt nicht. Ich habe beschlossen, dass wir ein paarmal ausgehen werden. Es gibt an der Skyline ein Restaurant, das eine hervorragende Küche haben soll.« Er küsste ihre Finger.

»Es ist mir unangenehm, mir von einem Mann ein so teures Essen bezahlen zu lassen.«

Aber es war ihr nicht unangenehm, seinen Schwanz zu lutschen oder sich von ihm ficken oder spanken zu lassen. »Hältst du das etwa für eine Art Bezahlung für sexuelle Dienste?«

»Nein.«

Er zog fragend eine Augenbraue hoch.

Sie spielte mit dem Rührstäbchen herum.

Offenbar waren ihre Ansichten ein wenig verdreht, und sie wollte es weder schick noch romantisch haben. Aber sie mussten die Grenzen ihrer Beziehung erweitern, nicht nur die ihrer sexuellen Hemmungen. Insbesondere jetzt, wo ihr Vater krank war. Er wollte ihr etwas geben, das sie nicht stresste. »Wir könnten uns auch einen Film ansehen und Popcorn essen.« Wenn sie das in seinem Haus auf der Couch taten, würde es natürlich nicht dabei bleiben. Er sah es eher als eine Art »Zwei Fliegen mit einer Klappe schlagen«, indem er ein wenig Intimität aufbauen und gleichzeitig heißen Sex haben konnte.

Sie biss sich auf die Lippe. Dann schien sie sich etwas zu entspannen. »Warum können wir nicht einfach bei dem bleiben, was wir haben? Warum müssen wir es ändern?« Bei diesen Worten hatte sie in ihren Kaffee gestarrt, aber jetzt sah sie ihn durch ihre dichten dunklen Wimpern an. »Gefällt es dir so nicht mehr?«

Er wollte mit ihr schlafen, aber er wollte auch mehr, er wollte sie mit zum Firmenfest nehmen und eines Tages vielleicht mit ihr zusammenwohnen. »Es wird Zeit, dass wir uns ändern.«

Sie holte noch tiefer Luft als normal, verzog die Lippen und schluckte schwer. »Ich muss gehen«, sagte sie dann.

Er nahm ihre Hand und zwang sie so, noch kurz sitzen zu bleiben. »Was wir tun, ist gut, Bree, aber du brauchst mehr. Und ich habe vor, dir das zu geben.«

»Ich *will* aber nicht mehr.« Sie legte den Kopf auf die Seite und sah ihn an. *Oh, du armer, in die Irre geführter Mann.* »Ich hatte noch nie einen Freund, Luke. Ich weiß nicht, wie das geht. Ich weiß nur, wie man das macht, was wir miteinander tun. Mehr habe ich nicht zu geben. Aber danke für den Kaffee!«

Nur mit diesem Dankeschön wollte er sie nicht gehen lassen. »Es gibt noch andere Vergnügungen, die wir erkunden können. Eine Verabredung. Das ist nicht so schwer.«

Sie gab ihm keine Antwort, sondern beugte sich einfach vor und küsste ihn auf die Wange. »Danke, dass du hergekommen bist, um mich aufzuheitern.« Sie stand auf und hielt ihre Handtasche bereits in der Hand.

Unterschwellig hatte sie ihm damit zu verstehen gegeben, dass ihm das nicht gelungen war. Stattdessen hatte er sie bedrängt. Auch wenn das nötig war, konnte man sein Timing wohl kaum als perfekt bezeichnen, doch da er diesen Weg nun einmal eingeschlagen hatte, wollte er nicht mehr davon abweichen.

Er stand auf, bevor sie sich abwenden konnte, wobei er sie mit seiner Nähe, seiner Männlichkeit und seinem breiten Kreuz einschüchterte. Ihre hohen Absätze waren jetzt ohne Belang, er war der Meister. »Bree«, sagte er, und es war ihm egal, ob es fordernd klang, »sag Ja!«

Er konnte sein verzerrtes Spiegelbild in ihren Augen sehen, als sie ihm endlich antwortete. »Ja.«

»Ja, was?«, murmelte er.

Sie bewegte nur ihre Lippen. »Ja, Meister.« Dann war sie fort.

Ihm war klar, dass sie nicht aus eigenem Willen zugestimmt hatte, sondern weil er es ihr befohlen hatte. Doch

Luke war sich nicht sicher, ob das bei Bree wirklich von Bedeutung war. Sie mochte es, Befehle erteilt zu bekommen.

Er hatte noch keinen Termin für ihre Verabredung festgelegt. Das konnte er später noch machen. Vorerst reichte es aus, dass sie wusste, was ihr bevorstand. Doch es gefiel ihm nicht, dass sie momentan so weit von ihm entfernt war, insbesondere in Anbetracht der Tatsache, dass sie gerade so eine schwere Zeit durchmachte.

Beim Verlassen des Cafés sah er gerade noch, wie sie einige Meter weiter in ihren Wagen einstieg. Sein Lexus stand direkt vor dem Eingang, doch als er auf die Straße fuhr, befanden sich bereits zwei andere Autos zwischen ihnen. Sie fuhr nach links, und er musste nach rechts abbiegen.

Er zögerte keine Sekunde, als er das Lenkrad einschlug und ihr hinterherfuhr.

Sie beschleunigte mehr als er, aber er konnte erkennen, wie sie vor ihm auf die rechte Spur wechselte und erneut abbog. Als er ebenfalls um die Ecke gefahren war, bog sie zwei Blocks entfernt bereits nach links ab.

Nach dem Abbiegen erkannte er, dass er in einer Sackgasse gelandet war. Sie parkte in einer Auffahrt und stieg aus dem Wagen.

Er fuhr nicht weiter die Straße entlang, und sie schien ihn nicht zu bemerken.

Es hatte sechs Monate gedauert, bis er herausgefunden hatte, wo sie wohnte. Auch wenn es ihm lieber gewesen wäre, von ihr zu erfahren, wo ihre Eltern wohnten, wusste er, dass das weitere sechs Monate dauern konnte. Und so lange wollte er nicht warten. Er musste wissen, wohin er fahren musste, wenn sie ihn brauchte.

Kapitel 10

Das Haus ihrer Eltern lag im Schatten und sah grau und farblos aus, dabei war es noch nicht einmal dunkel, sondern erst halb fünf am Mittwochnachmittag.

Schön war jedoch, dass jemand anders ihre Arbeit machte. Sie hatte Luke seit ihrem Treffen im Café am Montag nicht mehr gesehen, aber er hatte seitdem jeden Abend angerufen. Letzte Nacht hatten sie keinen Telefonsex gehabt und sich nur unterhalten. Das war seltsam, aber auch sehr beruhigend. Sie konnte sich nicht mehr genau an ihre Worte erinnern, und sie glaubte, geweint zu haben, aber sie war sich nicht ganz sicher. Manchmal hatte sie das Gefühl, in einer anderen Welt zu leben und von allem abgeschnitten zu sein. Lukes Stimme holte sie jedoch immer wieder zurück.

Er hatte versucht, sie erneut zu einem Kaffeetrinken zu überreden, doch sie hatte abgelehnt. Es war nicht so, dass sie es nicht wollte, aber sie hatte es auf ihrem Weg zur Arbeit und wieder nach Hause ohnehin schon immer sehr eilig. Außerdem machte er sie nervös. Worum würde er noch bitten? Sie war noch immer erstaunt, dass er mit ihr *ausgehen* wollte. Sie hatte seit dem College keine solche Verabredung mehr gehabt, und selbst damals waren sie immer übel verlaufen, und sie hatte sich danach schlecht gefühlt. Daher hatte sie es aufgegeben und nur noch Sex gehabt. Beim Sex hatte sie mehr Kontrolle. Beim Sex war alles rein körperlich. Sie musste ihnen nichts geben. Eine Zeit lang begehrte sie ein Mann, und sie war etwas Besonderes. Das war alles, was sie lange Zeit gewollt und gebraucht hatte. Wenn sie sich bei einem Mann nicht mehr so fühlte, war er ersetzbar.

Dann war da auf einmal Luke gewesen, der ihr mehr anbot, und nach der anfänglich aufwallenden Angst – die meisten Frauen hätten alles dafür gegeben, dass sie ein Mann wie Luke zu einem schicken Essen in einem teuren Restaurant einlud – hatte Bree begonnen, darüber nachzudenken. Wenn man von einem Mann mehr als nur Sex wollte, wurde man verletzlich. Man wurde *abhängig* davon. Trotzdem hatte sie in den letzten beiden Tagen von einer richtigen Verabredung geträumt. Schließlich sehnte sie sich sogar danach.

Nur dass ihr Vater in seinem Krankenhausbett, in dem er seit Sonntag lag, starb.

»Brianna, könntest du ihm das Morphium geben? Von mir will er es nicht nehmen.« Ihre Mutter hielt ihr die Tablette auf der Handfläche hin.

Bree erschauderte, als ob es sich dabei um eine dicke, hässliche Spinne handeln würde. Ihre Mutter übernahm den Großteil der Pflege und lief so oft den Flur entlang, dass der alte Teppich viele neue Löcher bekommen hatte.

Aber es gab einige Dinge, vor denen sich Bree nicht drücken konnte, beispielsweise musste sie ihn füttern oder ihn dazu bringen, diese verdammten Tabletten zu nehmen.

»Ich werde es versuchen, Mom.« Sie wusch sich die Hände, trocknete sie ab, nahm die Tablette und verließ das Zimmer.

Das Bett war hochgekurbelt worden, damit ihr Vater aufrecht sitzen und fernsehen konnte. Sie war sich nicht sicher, ob er die Worte überhaupt noch verstand, aber auf die flackernden Bilder schien er sich konzentrieren zu können.

Sie ging um das Bett herum, sodass sie das Fenster im Rücken hatte, durch das sie das Puppenhaus im schnell verblassenden Tageslicht noch erkennen konnte. Seine Haut war fahl, und die Gelbsucht war ganz ausgebrochen. Seine Venen sahen unter der papierdünnen Haut aus wie ein Netzwerk aus blauen Linien. Sie musste seine Beine zudecken, die nicht dicker als Stöcke waren und deren Anblick sie erschreckte. In den vier Tagen, seitdem er in das Bett verfrachtet worden war, schien er um hundert Jahre gealtert zu sein.

»Hier ist deine Tablette, Vater.« Sie hielt sie ihm zusammen mit der Tasse, in der ein Strohhalm steckte, hin, sagte ihm jedoch nicht, dass es sich dabei um das Morphium handelte, das er gerade erst verweigert hatte.

Er sah sie an, blinzelte langsam, und sie konnte Schorf auf seinen Augenlidern erkennen. Den wollte sie wegwischen, wenn er die Tablette genommen hatte. Die Wirkung der letzten würde bald nachlassen, und dann begann er immer so kläglich zu stöhnen, dass es ihr eiskalt den Rücken herunterlief.

»Du willst mich umbringen«, fuhr er sie an und versuchte sie zu schlagen. Allerdings verfehlte er sie, und seine Hand fiel kraftlos wieder auf das Bett zurück.

»Ich möchte nur nicht, dass du Schmerzen hast. Das wird dir helfen.«

»Du willst mich umbringen, damit du an mein Geld rankannst.«

Sie war geduldig. Zumindest nannte er sie nicht wieder »dumme Schlampe«. Sie hasste das Wort »dumm«. »Ich brauche dein Geld nicht, Vater. Und jetzt nimm deine Tablette.«

»Nutte.«

Er hatte sie schon schlimmer beschimpft. Wenn Luke dieses Wort mit seiner tiefen Stimme aussprach, klang es deutlich besser. Doch sie musste zugeben, dass sie diese Bezeichnung verdiente, zumindest was die letzten Tage betraf. Sie hatte sich geweigert, ihren Vater aufstehen zu lassen. Sie hatte die Krankenpfleger gebeten, die notwendigen Vorkehrungen zu treffen, damit ihr Vater nicht mehr auf die Toilette gehen musste. Er hatte bei dieser Erniedrigung geschrien, aber irgendwann doch damit aufgehört, alles wieder herauszuziehen. Gott sei Dank!

»Daddy, bitte nimm deine Tablette!« Sie hatte ihn seit ihrem achten Lebensjahr nicht mehr »Daddy« genannt. Dieser Name fiel ihr nur in sehr schlimmen Momenten wieder ein. Aber wenn er jetzt funktionierte, dann würde sie ihn auch aussprechen.

Dieses Mal stand sie ihm zu nahe, als er nach ihr schlug, und die Tablette flog durch die Luft. Das Wasser spritzte ihr ins Gesicht und tropfte auf die Bettwäsche.

»Ich will meinen verdammten Whiskey. Wo ist mein Whiskey? Niemand gibt mir meinen Whiskey!«

Sie beugte sich nach unten und fingerte auf dem Teppich herum, konnte die Tablette aber nicht finden. »Ich hole eine neue.«

In der Küche nahm sie eine zweite Tablette aus dem Medizinfläschchen und goss dann etwas Whiskey in ein Schnapsglas.

Ihre Mutter keuchte auf. »Brianna, du kannst doch Morphium und Alkohol nicht mischen. Das könnte ihn umbringen.«

»Mom, er nimmt jetzt seit Monaten Morphium. Ein bisschen Whiskey zum Runterspülen wird bei ihm nichts weiter bewirken, als dass er endlich die Tablette nimmt. Und dann wird er schlafen.«

Sie marschierte wieder ins Schlafzimmer. »Hier ist dein Whiskey. Aber zuerst musst du deine Medizin nehmen.«

Er schluckte die Tablette mit etwas Wasser wie ein Kind, das einen Löffel süßen Hustensaft bekommt. Dann steckte sie den Strohhalm in das Schnapsglas und ließ ihn den Whiskey trinken.

Danach schlief er so schnell ein, dass sie schon glaubte, ihn umgebracht zu haben. Sie griff nach seinem Handgelenk und suchte nach einem Puls, doch sie konnte keinen finden. Oh Gott, wo zum Teufel war er? Heilige Scheiße, ihre Mutter hatte Recht, und sie hatte ihn umgebracht. Sie würden sie ins Gefängnis schicken. Das Blut schoss ihr ins Gesicht, und sie glaubte schon, sie würde vor Panik in Ohnmacht fallen. Auf einmal spürte sie einen kaum merklichen Pulsschlag, der wie immer sehr schwach war.

Sie atmete erleichtert auf. Natürlich hatte sie ihn nicht umgebracht. Aber selbst wenn es so gewesen wäre, was würde es schon ausmachen, wenn er heute starb und nicht morgen oder übermorgen? Sie zog die Vorhänge zu, da es draußen bereits stockdunkel geworden war. Dann ließ sie ihn alleine.

In der Küche schnitt ihre Mutter Kartoffeln in Stücke und legte sie zum Kochen in einen Topf. »Was hältst du von Kartoffelpüree?«, fragte sie und erwähnte weder den Whiskey noch das Morphium.

»Klingt gut.« Bree öffnete den Kühlschrank, holte die Weinflasche hervor und goss ihnen beiden ein Glas ein.

»Prost«, meinte ihre Mutter. Sie stießen an und tranken. Ihre Mom trank lieber süßeren Wein, aber an den letzten Abenden war Bree jedes alkoholische Getränk recht gewesen.

Eine Viertelstunde später saßen sie am Tisch und aßen Brathähnchen, Kartoffelpüree und Brokkoli, während ihr Vater schlief.

»Welchen Film willst du dir ansehen?«, erkundigte sich ihre Mutter.

»Die Schöne und das Biest.«

»Du bist immer noch ein kleines Mädchen.«

»Ja.« Bree hätte lieber *Pitch Black* vorgeschlagen, aber das ganze Blut hätte ihrer Mutter nicht gefallen.

Es klingelte an der Tür, als sie gerade beim Abwasch waren. Bree spülte die Pfannen und Töpfe ab, und ihre Mutter räumte die Spülmaschine ein.

Bree sah auf die Uhr. »Die Pfleger kommen aber früh.« Im Allgemeinen kamen die Hospizangestellten gegen neunzehn Uhr, um ihren Vater zu waschen und bettfertig zu machen. Er lag zwar bereits im Bett, aber einiges musste dennoch getan werden.

»Ich gehe schon.« Ihre Mutter hatte trockene Hände, während Brees im Spülwasser steckten. Sie ging durch das Esszimmer zur Haustür.

Als Bree gerade die letzte Pfanne abgespült hatte, konnte sie die tiefe Stimme eines Mannes hören. Bisher war erst ein männlicher Pfleger hier gewesen, dessen Stimme jedoch deutlich höher war. Das musste ein neuer sein.

»Bree«, rief ihre Mutter.

Sie fragte sich, warum ihre Mutter sie nicht alleine ins

Schlafzimmer führen konnte, trocknete sich aber dennoch die Hände ab und ging in den Flur.

»Hallo, Bree!«

Ihr Herz setzte einen Schlag aus, als Luke sie anlächelte. *Was zum Teufel hast du hier zu suchen?* Es gelang ihr gerade so, diesen Satz nicht auszusprechen, aber sie kam sich vor wie ein Zuschauer bei einem Tennisspiel, als ihr Kopf immer wieder zwischen ihrer Mutter und Luke hin- und herwanderte.

»Dein Freund ist vorbeigekommen, um zu sehen, wie es dir geht.« Die Stimme ihrer Mutter klang sehr viel entzückter, als dieser Satz erkennen ließ.

»Mir geht es gut«, sagte Bree mit fast schon heiserer Stimme, bevor sie sich wieder im Griff hatte. »Danke, dass du vorbeigekommen bist.« Eine Million Fragen schossen ihr durch den Kopf. Woher wusste er, wo ihre Eltern wohnten? Warum war er hier? Was wollte er? Und, oh Gott, würde er ihrer Mutter von ihrer Beziehung erzählen?

»Hätten Sie gern eine Tasse Kaffee?« Ihre Mum war wie immer höflich und kümmerte sich um ihre Gäste. Nicht, dass sie viele hatte. Ihr Vater hatte es nicht gemocht, wenn er ihre Aufmerksamkeit mit jemandem teilen musste.

Bitte, bitte, bitte, lass ihn Nein sagen!

Luke schien ihre stille Bitte nicht zu hören. »Gern, vielen Dank!«

»Bree, warum führst du Mr Raven nicht ins Wohnzimmer, während ich den Kaffee aufsetze?« Offensichtlich hatte er sich bereits vorgestellt.

»Bitte nennen Sie mich doch Luke«, sagte er mit äußerst freundlicher Stimme.

Ihre Mutter strahlte und eilte durch das Esszimmer in die Küche.

»Was hast du hier zu suchen?«, zischte sie ihn an, sobald sie im Wohnzimmer auf der anderen Seite des Eingangs waren und ihre Mutter sie von der Küche aus nicht mehr hören konnte.

»Du wolltest nicht mit mir Kaffee trinken gehen, und gestern Abend hast du am Telefon geweint. Ich habe mir Sorgen gemacht und beschlossen herzukommen.« Er berührte sie nicht, aber sie spürte seinen Körper, als ob er sie anziehen würde.

»Wie hast du mich gefunden?«

»Ich bin dir am Montag gefolgt«, erklärte er ohne eine Spur von Reue in der Stimme.

Sie starrte ihn mit offenem Mund an. »Du bist ein Stalker.« Die Worte waren gemein, und sie klang, als wäre sie verletzt.

»Ich bin dein Meister«, erwiderte er schlicht.

Sie warf einen Blick über die Schulter nach hinten, um sich zu vergewissern, dass ihre Mutter noch nicht mit dem Kaffee zu ihnen kam. »Das Haus meiner Eltern ist für dich tabu.«

Er schwieg so lange, dass sie bis zehn zählen konnte. »Was dich betrifft, ist für mich nichts tabu. Ich kümmere mich um meine Sub. Und ich habe mir Sorgen um dich gemacht.«

Diese Worte sagte er nur, um sie zu kontrollieren. Eigentlich waren sie nicht Meister und Sklavin, das war alles nur ein Spiel. Zuvor hatte es immer funktioniert. Bis zu dem Moment, in dem er einiges verändern wollte. Sie hatte das Gefühl, ihre Haut würde sich anspannen und könnte jeden Augenblick zerreißen. Ihre Ohren schienen auf einmal viel mehr zu hören, und sie lauschte auf jedes Geräusch aus der Küche und fragte sich, wie viel ihre Mutter wohl verstehen konnte.

Dann trug ihre Mutter ein Tablett durch das Esszimmer, und Bree lief los, um ihr zu helfen. Vielleicht lief sie auch vor ihm weg.

»Bitte setzen Sie sich doch, Luke«, sagte ihre Mutter strahlend.

Bree stellte das Tablett auf den Wohnzimmertisch. Das Zimmer wurde so selten benutzt, dass die zwanzig Jahre alte Couch noch makellos weiß war und die Rosen auf den Kissen tiefrot leuchteten. Die Vorhänge blieben selbst tagsüber zugezogen, damit nichts ausbleichen konnte. Ihre Mutter saugte hier einmal die Woche Staub und putzte, ob es nötig war oder nicht. Die Sauberkeit und ständige Dunkelheit wirkten erdrückend.

»Es ist sehr nett von Ihnen, dass Sie mal vorbeischauen, um nach Bree zu sehen.« Ihre Mutter setzte sich neben Luke auf das Sofa, und Bree goss den Kaffee ein.

Sie reichte Luke eine Tasse und setzte sich dann neben ihre Mutter auf das Sofa.

»Das tue ich doch gern, Mrs Mason.«

»Woher kennen Sie meine Tochter?« Das Lächeln auf dem Gesicht ihrer Mutter war zu breit, um echt zu sein. Außerdem warf sie Bree einen enttäuschten Blick zu. »Leider hat sie mir nie von Ihnen erzählt, Luke.«

»Ihre Firma arbeitet für mein Unternehmen«, erklärte er ausweichend und ohne zu präzisieren, wie lange sie sich schon kannten. Oder dass er sie bei Derek in einem Sexklub entdeckt hatte.

»Womit verdienen Sie Ihren Lebensunterhalt, Luke?« Diese Frage war ziemlich direkt.

»Ich bin CEO eines Unternehmens hier im Silicon Valley.«

»CEO?«

»Der Geschäftsführer«, warf Bree ein. Um Himmels willen, ihre Mutter *wusste*, was ein CEO war. Als Nächstes würde sie ihn vermutlich noch nach seinem Jahresgehalt fragen und was sein Anteil wert war.

»Das muss ein wunderbarer und wichtiger Job sein.«

Mann, ihre Mutter legte sich ja richtig ins Zeug. Bree musste tatsächlich grinsen, als sie Luke einen Blick zuwarf. Er hatte sich mit ihrer verkupplungssüchtigen Mutter eingelassen, indem er hierhergekommen war, und sich dieses Schicksal selbst aufgebürdet.

»Er macht mir Spaß. Bree und ich verstehen uns gut. Aber Ihre Tochter ist vorsichtig, und es ist mir noch nicht gelungen, sie auf eine Verabredung festzunageln.«

Beinahe hätte Bree die Augen verdreht. Ja, genau, als ob sie ihm die Adresse ihrer Eltern gegeben und sich bei ihm wegen ihres Vaters ausgeweint hätte, wenn sie noch nichts miteinander hätten. »Ich habe dir doch gesagt, dass es unter diesen Umständen nicht möglich ist, Luke.«

»Sei doch nicht töricht, Schatz«, mischte sich ihre Mutter ein. »Du kannst doch ausgehen. Vermutlich wird dir die Abwechslung sogar sehr guttun.«

Das Jammern und die Angst davor, mit ihrem Vater alleine gelassen zu werden, was Bree erst hierher gelockt hatte, schienen auf einmal vergessen sein. Ihr Vater wurde nicht einmal erwähnt, sie vermieden dieses Thema ganz bewusst. »Das geht doch nicht, Mom, und das weißt du.«

Was war, wenn etwas passierte? Sie wollte wirklich nicht, dass ihre Mutter dann alleine war.

»Ein paar Stunden komme ich schon alleine zurecht. Ich kann auch einen der freiwilligen Helfer bitten, mir Gesellschaft zu leisten.«

Verdammt, sie nahm Bree sämtliche Ausreden, die sie vorbringen wollte.

»Bree hat Recht, Mrs Mason. Ich habe auch nicht gemeint, dass sie jetzt sofort mit mir ausgehen soll, sondern irgendwann in der Zukunft.« Zumindest versuchte Luke, sie zu retten.

Ihre Mutter griff nach Brees Hand und drückte sie. »Nein, bitte. Dieses Wochenende. Ich bestehe darauf. Bree hat mir in letzter Zeit sehr geholfen und sich einen schönen Abend mehr als verdient.«

Sie saß in der Falle, und das fühlte sich komisch an, fast so, als hätte ihre Mutter gesagt: »Hey, es ist schon in Ordnung, wenn ihr beide ausgeht, während dein Vater da hinten im Schlafzimmer stirbt.« Bree musste kurz die Augen schließen und tief durchatmen, um all das zu verdauen.

Dann, als hätte sie noch nicht genug gesagt – oder als hätte sie ein Geräusch vom anderen Ende des Hauses gehört –, sprang ihre Mutter auf. »Ich bin gleich wieder da. Ihr könnt euch ja schon mal überlegen, wo ihr hingehen wollt.«

Als sie alleine waren, sah Luke ihr in die Augen. »Ich bin durchaus bereit, auf das zu warten, was ich haben will.«

Einige Sekunden lang brachte sie keinen Ton heraus. Sie war sich ihrer eigenen Gefühle nicht mehr sicher. Noch nie zuvor hatte sie einen Mann mit nach Hause gebracht. Und ihr Vater hätte die Männer, die sie in den letzten Jahren gekannt hatte, schon auf der Türschwelle umgebracht, wenn sie es gewagt hätte, sie mitzubringen. War Luke denn so anders? Er hatte sie schließlich in einem Sexklub aufgegabelt. Und da hatte er auch nicht nur zugesehen, sondern mitspielen wollen. Sie hatte ihn nie genau danach gefragt, was er in der Nacht getan hatte, bevor sie sich begegnet waren. Eigentlich wollte sie es auch gar nicht wissen.

»Aber du bist anders«, flüsterte sie, ohne nachzudenken. »Ich weiß auch nicht, warum.«

Er blieb reglos auf der Couch sitzen. »Ich bin anders«, murmelte er langsam und fast schon hypnotisch. »Wir sind zusammen anders, anders als alles, was wir in unserem Leben zuvor erlebt haben. Und am Samstag werde ich dafür sorgen, dass du auch daran glaubst.«

Sie sah ihn an. In gewisser Weise war er für sie wie ein Geschenk. Oder ein Wunder. Sie wollte etwas Besonderes sein. Sie brauchte es, dass er sie so behandelte. Und sie fragte sich, ob er das auch konnte, ohne dass sie Sex hatten. Konnte sie es? Denn das Einzige, was sie Männern bieten konnte, war ihr Körper, der Sex. Darüber hinaus wusste sie nicht, was sie sagen oder tun sollte. Aber sie wusste, was sie sich für diesen Abend wünschte.

»Behandle mich wie eine Königin, und ich gehe mit dir.«

»Wird erledigt«, flüsterte er ihr zu.

Kapitel 11

Es war der Freitag nach einer Höllenwoche. Bree ließ ihre Handtasche im Flur fallen. Himmel, sie wollte nur noch nach Hause, ihre Blumen gießen und sich ausruhen, und sei es auch nur für ein paar Stunden. In ihr Zuhause, nicht dieses Haus. Sie war seit sechs Tagen nicht mehr alleine gewesen. Manchmal brauchte sie einfach ein wenig Zeit für sich. Sie gehörte nicht zu den Menschen, die Angst vor der Einsamkeit hatten, im Gegenteil: Sie sehnte sich danach.

Natürlich saß ihre Mutter bei ihrem Vater am Bett. »Hallo, Schatz«, sagte sie freundlich.

Als Bree ihren Vater erblickte, wurde sie blass. Sie hatte das Gefühl, dass das Blut schlagartig aus ihrem Kopf strömte, und ihr wurde schwindlig.

Er war blass und bewegte sich nicht, und er atmete durch den offen stehenden Mund, wenngleich es weniger ein Atmen als ein Gurgeln war. Sein Körper roch faulig, und seine Augen waren zwar halb geöffnet, sahen jedoch ins Leere.

Sie musste sich auf den Rand des Ehebettes setzen, weil ihre Beine nachzugeben drohten. »Was zum Teufel ist passiert?«

»Die Leute vom Hospiz meinen, dass er ins Koma fällt. Es wird jetzt nicht mehr lange dauern.«

»Aber gestern hat er doch noch geredet.« Bree hatte ihn an diesem Morgen nicht mehr gesehen, bevor sie zur Arbeit gefahren war, da ihre Mutter ihn gefüttert und ihm die Tabletten gegeben hatte.

Ihre Mom schüttelte den Kopf. »Das waren nur Worte, Bree. Nur sinnloses Zeug.«

»Das ist nicht möglich.« Okay, er wehrte sich nicht mehr gegen die Tabletten. Er bat nicht mehr um seinen Whiskey. Sie hatte die Tabletten zerstoßen und ihm vermischt mit einem Löffel zerquetschter Banane gegeben. Allerdings hatte er am Vortag das Essen verweigert. Vielleicht war das nicht ganz zutreffend ausgedrückt, denn er hatte eigentlich nur nicht den Mund aufgemacht. Aber er hatte sie angesehen. Er hatte sie gesehen. Oder nicht?

Warum wollte sie es nicht wahrhaben? Es war doch besser so.

»Die Pfleger, die heute Morgen hier waren, sagten, dass es sehr schnell passieren kann«, sagte ihre Mutter mit unbeteiligter Stimme. »Manchmal beschließt ein Mensch einfach, dass es reicht, und gibt auf.«

Ihr Vater hatte *niemals* die Kontrolle abgegeben. Ein Mal war er dazu genötigt gewesen und hatte seine Werkstatt schließen müssen, weil ihn die Bank dazu gezwungen hatte. Über diese Ungerechtigkeit hatte er sich noch Jahre später geärgert.

Aber etwas war geschehen. Dieses Mal hatte etwas in ihm losgelassen.

An diesem Abend rief Bree Luke nicht an. Sie schaltete ihr Handy aus. Er würde nachfragen, aber sie konnte nicht darüber reden. Sie konnte nicht einmal mehr denken.

Um siebzehn Uhr am Samstagnachmittag, an dem sie mit Luke ausgehen sollte, war alles noch viel schlimmer.

»Ich kann nicht gehen.« Bree stand im Türrahmen des Schlafzimmers. Sie hatte sich noch nicht umgezogen, da Luke erst in einer halben Stunde kommen und sie abholen würde. Er hatte vorgeschlagen, dass sie sich schon so früh trafen, um dem freiwilligen Helfer vom Hospiz ein wenig entgegenzukommen, der den Abend mit ihren Eltern verbringen würde.

Ihre Mutter, die neben dem Bett ihres Vaters auf einem Stuhl saß, drehte sich nicht einmal um. »Du kannst jetzt nicht mehr absagen. Das wäre nicht nett.« Sie wischte ihm etwas aus dem Mundwinkel und war dabei so zärtlich wie immer.

Bree hatte es noch nicht geschafft, diese Zärtlichkeit aufzubringen. Sie hielt es im Todesraum nicht einmal länger aus, als es dauerte, ihm eine Tablette zu geben. Die vergangene Woche war die längste ihres Lebens gewesen. An diesem Morgen hatten die Pfleger hässliche rote Stellen auf seinem Rücken entdeckt, wo er sich langsam wund lag. Er schien die Augen nicht mehr zu schließen, sich aber auch auf nichts und niemanden konzentrieren zu können. Seine Haut am Rücken, am Hintern und an den Beinen wurde bläulich schwarz, weil sich das Blut aufgrund des verlangsamten Kreislaufs dort sammelte. Wenn er atmete, hörte man, dass er Schleim in der Kehle hatte. Und eigentlich war das auch alles, was er noch tat: atmen. Er hatte seit zwei Tagen keine feste Nahrung mehr zu sich genommen, und der Unterschied zwischen dem Mann, der noch vor wenigen Tagen nach seinem Whiskey verlangt hatte, und diesem Körper, der reglos im Bett lag, konnte kaum größer sein.

»Es könnte jetzt jeden Moment passieren«, meinte sie zu ihrer Mutter.

»Es wird nicht passieren, solange du weg bist. Dein Vater hat es versprochen.« Diese Unterhaltung musste sich per Telepathie abgespielt haben. Ihre Mutter saß seit Stunden an seinem Bett. Sie berührte ihn nur, um Schleim oder Spucke wegzuwischen, und sie sprach nicht mit ihm. »Du musst gehen. Er ist ein guter Mann«, stellte sie klar, drehte sich aber noch immer nicht zu Bree um. »Er kann sich um dich kümmern.«

»Ich brauche keinen Mann, der sich um mich kümmert.«

»Jede Frau braucht so einen Mann. Du bekommst die Babys, und der Mann geht arbeiten.«

Sie hatte auch nicht vor, Babys zu bekommen, aber es war sinnlos, sich deswegen mit ihrer Mutter zu streiten. An ihr waren die sexuelle Revolution und die Emanzipation spurlos vorbeigegangen. Sie war ein Kind der 50er-Jahre und die unemanzipierteste Frau, die Bree je gekannt hatte.

Gegen diese tief in ihr verwurzelten Einstellungen kam sie nicht an. »Es ist gerade mal die erste Verabredung. Luke könnte feststellen, dass ich die Sache nicht wert bin.«

»Red doch keinen Unsinn! Zieh ein hübsches Kleid an, frisier dich und frisch dein Make-up auf! Du siehst geschminkt immer so hübsch aus.«

Und ohne war sie hässlich? Bree beschloss, das als den üblichen »Du bist so hübsch, wenn …«-Kommentar ihrer Mutter abzutun. »Mom.«

Ihre Mutter wirbelte auf dem Stuhl herum, und ihr Gesicht war auf einmal von Falten überzogen. »Du hast noch nie zuvor einen Mann mit nach Hause gebracht.«

»Ich habe ihn nicht mitgebracht. Er ist einfach aufgetaucht.«

Doch das ließ ihre Mom nicht gelten. »Ich lasse nicht zu, dass du das vermasselst.«

Vermasseln war ein ziemlich hartes Wort. »Mom.«

Ihre Mutter deutete auf die Tür. »Geh! Mach dich fertig!«

Vielleicht hätte sie sich energischer durchsetzen sollen. Aber sie war eine schlechte Tochter, und eigentlich wollte sie auch gar nicht bei ihren Eltern bleiben. Sie wollte ausgehen. Selbst wenn es nur an diesem einen Abend war. Sie wollte bei Luke sein. Auch wenn es ihr nicht gefiel, so wurde er mehr und mehr zu der Rettungsleine, an die sie sich klammerte, wenn sie nur noch hier rauswollte. »Okay, Mom, ich werde gehen.«

Fünfundzwanzig Minuten später stand sie wieder in der Tür, geschminkt und mit gekämmten Haaren. Luke mochte es, wenn sie ihr Haar offen trug und es seidig herunterhing.

Ihre Mutter saß noch immer auf dem Stuhl neben dem Bett. »Du trägst Jeans und High Heels.«

Bree blickte an sich herunter. Eine dunkelblaue Jeans, ein enger schwarzer Blazer mit Glockenärmeln und Silberknöpfen. »Was ist falsch an meiner Kleidung?«

»Deine Absätze sind bestimmt sieben Zentimeter hoch. Damit bist du größer als er.« Ihre Mutter hatte immer flache Schuhe getragen, um ja nicht größer zu sein als Brees Vater. Bree hatte sich öfter gefragt, ob ihr Vater das verlangt hatte oder ob ihre Mutter das freiwillig tat.

»Luke mag es, dass ich so groß bin, und die Höhe der Absätze ist ihm egal.« Er hatte einmal gesagt, dass es ihm gefiel, wenn er einfach ihre Beine spreizen, ihr Höschen herunterziehen und sie an eine Wand gelehnt ficken konnte. Mit den Absätzen hatte sie dafür die perfekte Größe. Aber das würde sie ihrer Mutter natürlich nicht sagen. Sie vermutete, dass ihre Mom sie noch für eine Jungfrau hielt, weil sie nie mit einem Mann ausging.

»Jeans sind nicht schick«, erwiderte ihre Mutter missbilligend.

»Luke hat gesagt, dass ich mich nicht formell kleiden muss.«

»Jeans sind informell, hohe Absätze sind schick. Das passt nicht zusammen. Ich begreife es einfach nicht.« Ihre Mutter verdrehte die Augen, was in ihrem faltigen Gesicht sehr mädchenhaft wirkte. »Ihr jungen Leute von heute«, knurrte sie, »immer müsst ihr so zwanglos herumlaufen.«

»Er ist nicht jung, Mom. Er ist fünfundvierzig und hat zwei Töchter, die beide studieren.«

»Ist er verwitwet?«

»Er ist geschieden.«

»Wie oft?«

»Nur einmal.« Sie hätte zu gern behauptet, dass er zwei- oder dreimal verheiratet gewesen wäre, nur um zu sehen, wie ihre Mutter eine schlechtere Meinung von ihm bekam.

»Steht er seinen Töchtern sehr nahe?«

»Das weiß ich nicht.« *Wir sprechen nicht über so was, wenn er mich fesselt, spankt oder fickt.* Okay, sie wusste, dass sie sich nahestanden, aber wie würde sich ihre Mutter fühlen, wenn sie *das* zugab?

»Wenn er zwei Töchter hat, hätte er bestimmt gern noch einen Sohn.«

»Woher soll ich das wissen, Mom.« Mit Bree würde er bestimmt keine Söhne bekommen, so viel stand fest.

Es klingelte an der Tür. Ihre Rettung nahte. »Du musst

nicht aufstehen«, sagte Bree und lief auf Zehenspitzen durch den Flur, um ihre Schuhe nicht zu ruinieren.

Vor der Tür stand Luke, mit Regentropfen im Haar, und er sah in seiner schwarzen Jeans und dem blaugrünen Hemd einfach umwerfend aus. Sie hätte ihn am liebsten wie bei einer richtigen Verabredung geküsst.

Er begrüßte sie nicht, sondern sah ihr nur auf die Brust. »Was trägst du unter der Jacke?«

»Einen schwarzen BH.« Und keine Bluse.

Er warf über ihre Schulter einen Blick in den Flur, durch den man zu den Schlafzimmern gelangte. Als er niemanden sehen konnte, steckte er die Finger in die Lücke zwischen zwei Knöpfen und streichelte ihre Brust. »Schön.«

Als Kompliment machte das nicht viel her, aber da Bree in der Regel ohnehin nur selten Komplimente bekam, bewirkte dieses zusammen mit dem Feuer in seinen braunen Augen, dass ihre Haut zu brennen begann.

»Verabschiede dich von deiner Mutter, bevor wir gehen.«

Sie war froh, dass er sich nicht danach erkundigte, wie es ihrem Vater ging. Schließlich wollte sie ihn nicht anlügen und behaupten, dass es ihm gut ginge, sie wollte ihm aber auch nicht anvertrauen, dass er an diesem Wochenende sterben konnte. Vielleicht war es besser, einfach so zu tun, als wäre nichts davon überhaupt real.

Nachdem sie einen Schritt in den Flur gemacht hatte, rief sie: »Ich gehe dann jetzt, Mom. Du hast ja meine Handynummer.« Sie klopfte auf ihre Handtasche, als ob ihre Mutter sie beobachten würde, in der sich neben ihrem Handy zur Sicherheit auch Kondome befanden, dann drängte sie Luke fast schon aus der Tür. Das Licht der Straßenlampen spiegelte sich in den Regentropfen auf dem Autodach. »Bringst du mich an einen besonderen Ort, um mich zu ficken, Meister?«

Luke lachte. Sein Lachen klang tief und bewirkte seltsame Dinge in ihrer Magengrube. Ihr wurde ganz warm, und sie wurde feucht, wenn er ihr Befehle erteilte oder sie beleidigte, aber sein Lachen hatte eine völlig andere Wirkung. Dabei wurde ihr immer ganz warm ums Herz.

»Kein Ficken und kein Blasen. Das ist kein Sex-Date.«

»Wir haben noch nie *keinen* Sex gehabt.« Das setzte ihr zu. Ohne Sex wusste sie nicht, wie sie sich verhalten sollte. »Willst du mich nicht mehr?« In dem Moment, in dem sie die Worte ausgesprochen hatte, hätte sie sie am liebsten wieder zurückgenommen.

Er legte einen Finger unter ihr Kinn. »Ich würde dich liebend gern die ganze Nacht ficken, aber als dein Meister weigere ich mich, dir ständig das zu geben, was du willst. Wir wollen doch nicht, dass dir diese Macht noch zu Kopf steigt.« Dann nahm er ihre Hand und ging mit ihr durch den Nieselregen zu seinem Lexus. »Sei eine gute Sklavin, steig in den Wagen und halt den Mund, bis wir an unserem Ziel angekommen sind. Keine Fragen. Dein Meister möchte dich überraschen.«

Sie spürte, wie die Aufregung in ihr aufwallte, wobei sich die sexuelle, die körperliche und die emotionale vereinten.

* * *

»Du gehst mit mir bowlen?« Bree sah ihn zweifelnd an. Das war so typisch Frau, ungläubig, amüsiert und erschreckt zugleich.

Luke grinste nur. Sie saßen im Wagen vor dem Bowlingcenter, dessen rot, grün und blau flackernde Lampen durch die nasse Windschutzscheibe zu erkennen waren. Es regnete jetzt stärker. »Ich habe seit einer Ewigkeit nicht mehr gebowlt, darum habe ich mich dafür entschieden.«

Er hatte auf das schicke Essen verzichtet, weil es etwas so Gewöhnliches war und sie behauptet hatte, keine Romantikerin zu sein. Erst wollte er mit ihr zu einer Sportveranstaltung gehen, aber die Baseballsaison war längst vorbei, die Footballer standen in den Play-offs und ein Hockeyspiel war einfach zu laut. Wegen der Kälte und des Regens kam auch keine Bootsfahrt infrage, auch wenn er sich vorgestellt hatte, wie er sie an die Reling drückte, vornüberbeugte und in sie eindrang. Im Kino konnten sie sich nicht unterhalten. Wenn er eine DVD auslieh, hätte er sie doch nur gefickt, weil er die Finger nicht von ihr lassen konnte. Der Zweck dieses Abends war, zu beweisen, dass es mehr als nur Sex zwischen ihnen gab. Da blieb nur noch das Bowlen übrig.

Außerdem hatte er sie erschrecken wollen.

»Aber ich trage hochhackige Schuhe.« Sie deutete auf ihre Pumps, und ihre Stimme wurde schriller.

Sie *war* erschrocken, dieses Ziel hatte er erreicht. »Du kannst dir Bowlingschuhe ausleihen.«

Einen Augenblick lang kam nichts mehr von ihr, dann: »Ich kann nicht bowlen.«

»Ich werde es dir beibringen.«

Der Regen, der auf das Wagendach prasselte, war für lange Zeit das Einzige, was zu hören war. »Was ist, wenn ich nicht gut darin bin?«, wollte sie dann wissen.

»Dann werde ich gewinnen.«

Er glaubte, die Antwort würde sie zufriedenstellen, aber dem war nicht so. »Als ich sechzehn war, hat mein Vater mal versucht, mir beizubringen, wie man ein Auto mit Schaltknüppel fährt.« Sie starrte durch das Fenster auf das blinkende Neonschild, griff nach dem Türgriff und strich mit den Fingern darüber.

Erfreut nahm er zur Kenntnis, dass sie wieder etwas von sich preisgegeben hatte. »Das ist gut«, erwiderte er, als sie nicht weitersprach.

»War es nicht.« Ihre Hand umklammerte den Türgriff, öffnete und schloss die Tür, dann ballte sie die Faust, während sie weiterhin geradeaus starrte. »Ich fahre einen Wagen mit Automatik. Ich werde immer so einen fahren.«

»Nicht jeder kommt mit einer Gangschaltung klar.« Aber er spürte, wie sich seine Nackenhaare aufstellten. Irgendetwas stimmte mit der Geschichte nicht, da steckte noch mehr dahinter. Er wartete, aber sie schien nichts hinzufügen zu wollen. »Bowling macht Spaß, ob man nun gut darin ist oder nicht. Ich habe mit meinen Töchtern gebowlt, und sie waren grottenschlecht. Ich liebe sie trotzdem.«

Sie drehte sich um, und der Schatten der Lichtspiegelung fiel auf ihr Gesicht. »Du warst mit deinen Töchtern bowlen?«

»Ja.« Es war lange her, aber er erinnerte sich gerne daran.

»Und jetzt willst du mit mir bowlen gehen?«

»Genau.«

Sie lächelte nicht und blieb reglos sitzen. Das Neonlicht fiel auf ihre Wangen und verblasste wieder. »Okay.«

Er hatte keine Ahnung, ob das jetzt gut oder schlecht war, aber er stieg aus, spannte den Regenschirm auf und ging um den Wagen herum zur Beifahrertür. Als sie das Gebäude betreten hatten, glitzerten einige Regentropfen auf ihrem Blazer. Er besorgte ihnen Schuhe und ließ sich eine Bahn zuweisen. Erstaunlicherweise war es relativ voll, einige Bowlingteams in Trikots, mehrere Gruppen aus Jugendlichen sowie diverse Familien bowlten bereits. Das Geräusch der Kugeln auf den Bahnen, die umkippenden Kegel, das Gelächter, all die Lichter und Klänge der Spielautomaten an den Wänden, vermischt mit dem Geruch nach Steinofenpizza schien ihn in der Zeit zurückzuversetzen, und ihn überkam die wohlige Erinnerung an den Abend, den er mit seinen Töchtern hier verbracht hatte. Beth war nie mitgekommen.

Auf einmal wurde ihm klar, warum er sich wirklich für diesen Ort entschieden hatte. Irgendwie musste er geahnt haben, dass sie noch nie hier gewesen war. Die Fragen, ob er wütend werden würde, wenn sie schlecht spielte, oder die kurze Geschichte über die Gangschaltung waren dafür gar nicht nötig gewesen. Er wusste einfach, dass sie so etwas wie diesen Ausflug noch nie erlebt hatte.

Außerdem konnte er sie berühren, wenn er ihr das Bowlen beibrachte. Das war Teil des Spiels, insbesondere wenn ein Mann mit einer schönen Frau hier war.

Kapitel 12

»Ich hab alle erwischt!« Bree sprang in der Bahnmitte auf und ab. Es sah fast so aus, als hätte sie die Kugel ein Stück mitgerissen. Sie hatte einige Anläufe gebraucht und erst die eine und dann die andere Seite der Kegel umgeworfen, aber schließlich hatte sie es geschafft.

Die Jugendlichen auf der Nachbarbahn, zwei Jungen und zwei Mädchen, die sechzehn oder siebzehn Jahre alt sein mochten und vermutlich zwei Pärchen waren, jubelten ihr zu. Sie tanzte von der Bahn herunter, schlang die Arme um Luke und küsste ihn auf die Wange. Er lachte. Himmel, wie gut er roch! Nach Seife, nicht nach Aftershave. Sauber. Und vielleicht hatte der Regen sein Übriges dazu beigetragen.

Er grinste sie an. »Und du hast gesagt, Bowlen wäre langweilig.«

»Das ist es auch, wenn ich mal wieder eine Pumpe werfe.«

»Ich bin dran.« Während sie die Arme noch um ihn geschlungen hatte, wirbelte er herum und setzte sie bei den Stühlen wieder ab. »Jetzt muss der Profi ran.«

Sie streckte ihm die Zunge raus. Zuerst hatte sie ihm zuliebe nur so getan, als ob sie Spaß hätte, weil sie das gut konnte. Doch irgendwann hatte sie sich tatsächlich zu amüsieren begonnen. Sie hatte wirklich Spaß. War nicht befangen. Er wurde nie wütend, wenn sie einen Wurf vermasselte.

Er stellte sich einfach hinter sie, drückte seinen Körper gegen sie und zeigte ihr, wie man es richtig machte. Wer hätte gedacht, dass es so heiß sein könnte, Bowlen zu lernen?

Luke hob seine Kugel auf, zielte, wackelte verführerisch mit dem Hintern, ging dann zur Bahn und schleuderte die Kugel. Und traf. War das ein Strike? Sie konnte sich nicht mehr erinnern, und es war ihr auch egal. Er hatte alle erwischt. Sie begriff nicht genau, wie die elektronische Anzeigetafel funktionierte, aber er lag offensichtlich in Führung.

»Du hast geschummelt«, rief sie, weil ihr danach war. »Und ich will eine Pizza.« Der Geruch war himmlisch, fast so gut wie Lukes.

Er lächelte, kam zu ihr und beugte sich nah an sie heran. »Du redest mit deinem Meister, zeig also etwas mehr Respekt«, murmelte er, dann legte er ihr eine Hand in den Nacken und küsste sie.

Es war so gut. Sie fühlte sich völlig normal. Wie jemand ganz Besonderes. Sie hatte ihm gesagt, er müsse sie wie eine Königin behandeln, und das hatte er auf sehr merkwürdige Weise auch getan. »Spendier mir eine Pizza, dann erweis ich dir Respekt.«

»Wag es ja nicht zu mogeln, während ich weg bin«, sagte er, »oder ich muss dich bestrafen.« Bei diesen Worten zog er seine Brieftasche hervor und ging auf den Pizzastand zu.

»Du bist hier der Schummler«, rief sie ihm nach, und bei dem Gedanken an die Bestrafung, die er sich ausdenken würde, lief ihr ein freudiger Schauer den Rücken herunter. Dann hockte sie sich hin, um eine Kugel in die Hand zu nehmen. Er hatte ihr gezeigt, wie man sich bewegen und hinstellen musste. Meist warf sie daneben, aber manchmal traf sie doch tatsächlich die Kegel. Ihm schien beides recht zu sein. Vielleicht hätte er sich geärgert, wenn sie in einem Team oder gegen ein anderes Paar gespielt hätten, weil sie verlieren würden, aber da sie alleine waren, beschwerte er sich nicht.

Bree hatte sich nicht mehr so gut amüsiert seit … Tja, eigentlich hatte sie sich noch nie so gut amüsiert. Sie ließ sich nie gehen, benahm sich niemals idiotisch und sprang auf und ab. Sie hatte nie einfach nur Spaß. Außerdem hasste sie es, dumm zu wirken. Wenn jemand von der Arbeit sie jetzt beobachten würde, müsste er sich vermutlich die Augen reiben und sich fragen, ob das wirklich sie war.

Sie stellte sich auf und hielt die Kugel so fest, wie Luke es ihr gezeigt hatte. Okay, okay, bereit, sie ließ los.

Es war ihr egal, was andere von ihr dachten. An diesem Abend war das unwichtig. Weil Luke ihr etwas ganz Besonderes geschenkt hatte. Das war anders als Sex. Sex war ein Labyrinth, in dem man verhandeln musste, um das zu bekommen, was man haben wollte. Gelegentlich nahm man den falschen Weg und wurde verarscht. Dann wieder war der Preis in der Mitte nicht das, was man wollte oder brauchte. Zusammen mit Luke machte das Bowlen Spaß, weil er nichts erwartete. Er kritisierte sie nicht, sondern lachte. Sie musste nicht dafür sorgen, dass es ihm gut ging. Das schien er auch ohne sie zu schaffen.

Die Kugel rollte über die Bahn und fiel wieder einmal in die Rinne. Sie stampfte mit dem Fuß auf. Beim Werfen hatte sie zu viel nachgedacht.

Auf der Nachbarbahn ging die Kugel des Mädchens ebenfalls daneben, und die beiden Kugeln rollten nebeneinander die Bahn entlang. Die kleine Blondine zuckte mit den Achseln, lachte ihren Freunden zu, sah dann Bree an und meinte: »Wir haben es wohl beide nicht so drauf.«

»Da haben sich zwei Loser gefunden«, riefen die beiden Jungen, hielten die Daumen und Zeigefinger gegen ihre Stirn und präsentierten ihnen so zwei große *Ls*.

Das Mädchen kicherte und lief zurück, um ihren Freund anzustupsen.

Bree hatte sich als Mädchen nie so gefühlt und nie über sich selbst lachen können.

Luke legte ihr den Arm um die Taille und zog sie fest gegen sich, woraufhin sie aufstöhnte.

»Du hast mich überrascht«, beschwerte sie sich. Aber ihr gefiel der Abend. Sie tat gerne so, als wäre sie ganz normal.

Normal war sie nie gewesen, daher war es schön, einmal zu spüren, wie es sein könnte.

»Die Pizza ist in einer Viertelstunde fertig. Möchtest du hier oder da hinten essen?«

»Verlieren wir unsere Bahn, wenn wir hinten essen?«

»Vermutlich.«

»Dann essen wir hier.« Sie wollte keinen Augenblick verpassen. Es war bereits sieben, die Uhr tickte, und schon bald würde sie sich wieder in Cinderellas hässliche Stiefschwester verwandeln. Okay, im Märchen lief das anders, aber sie wollte damit auch nur zum Ausdruck bringen, dass alles Gute irgendwann mal zu Ende war. Und jetzt wollte sie das hier. Und Luke. Keinen Sex, nur das, sein Lachen, seine Küsse, seine Berührungen.

»Wer gewinnt?«, erkundigte sie sich und hüpfte auf den Zehenspitzen herum. Bree war noch nie in ihrem Leben herumgehüpft. Doch an diesem Abend konnte sie einfach nicht damit aufhören.

Luke sah sie amüsiert an.

Sie spielten weiter, und er baute seinen Vorsprung aus, aber das war ihr egal. Als die Pizza kam, aß sie so viel davon, bis sie glaubte, platzen zu müssen, aber sie schmeckte so lecker. Sie leckte sich die Soße von den Fingern.

»Du bist ja ganz verschmiert«, tadelte Luke sie und küsste die Soße weg. Dabei stockte ihr der Atem.

Als sie das nächste Mal auf die Uhr sah, war es acht. Sie wollte nicht, dass der Abend jemals zu Ende ging. Sie wollte in sich aufsaugen, wie es sich anfühlte, Spaß zu haben, damit sie sich später daran erinnern konnte. Es war zu früh, um nach Hause zu fahren.

Dann war es halb neun. Tick, tick, tick. Der Freiwillige vom Hospiz würde nicht den ganzen Abend bleiben.

Luke drückte ihr Kinn nach oben. »Wir können den Heimweg ein wenig ausdehnen.«

»Das müssen wir nicht«, entgegnete sie, als sie die Bowlingschuhe abgaben und sie wieder in ihre High Heels schlüpfte.

Draußen regnete es noch immer. Sie rannten unter seinem Regenschirm zum Wagen, wobei Luke nasser wurde als sie. Im Auto stellten sie die Sitzheizung an und ließen das Wasser auf der Windschutzscheibe von den Scheibenwischern wegwischen.

»Ich habe meine Meinung geändert«, erklärte sie dann. »Lass uns den Heimweg ausdehnen.«

* * *

Auch er wollte nur zu gern einen Umweg machen.

So hatte Luke sie noch nie erlebt. Er hätte sich nicht einmal träumen lassen, dass dies möglich war. Im Bowlingcenter war sie zu einer anderen Frau geworden, zu einer kindlichen, glücklichen. Und als glückliche Frau hatte er sie zuvor noch nie gesehen.

Doch diese Frau verschwand schnell wieder. Er war davon überzeugt, dass sie an die baldige Rückkehr in das Haus ihres Vaters dachte. Auf einem leeren Parkplatz hielt er an, stellte einen Jazzsender im Radio ein und sie setzten sich beide auf den Rücksitz, um dabei zuzusehen, wie der Regen über die Windschutzscheibe strömte. Die leise Musik erfüllte den Wagen und bildete eine Symphonie mit dem Plätschern des Regens auf dem Wagendach.

Er wollte sie. Auch wenn er eine Verabredung ohne Sex geplant hatte, um ihr Muster zu verändern. Doch er wollte mit der Frau schlafen, die er im Bowlingcenter kennengelernt hatte.

»Küss mich!« Das klang wie ein Befehl, aber wenn sie in sein Herz sehen könnte, dann würde sie wissen, dass er eigentlich darum bat.

Sie drehte sich auf dem Sitz neben ihm um und beugte sich vor, um ihre Lippen auf die Stelle zu drücken, an der sich sein Schwanz unter dem Jeansstoff abzeichnete.

Er zog sie hoch. »Nicht da.« Dann legte er ihr die Hand in den Nacken, drückte sie an sich und wartete, wobei er kaum noch Luft bekam. Aus dieser Nähe konnte er ihr pochendes Herz hören.

Sie hatten alle Arten geiler Perversionen miteinander durchexerziert, sich aber nur selten geküsst. Manchmal hätte er eine Menge für einen Kuss gegeben. So wie jetzt. Ihre Lippen waren voll und rot, ohne dass sie dafür Lippenstift auftragen musste. Sie hatte sich nach dem Pizzaessen nicht neu geschminkt.

»Wie Teenager auf dem Rücksitz des Chevys deines Vaters knutschen«, murmelte sie.

Sie hatte seine Gedanken gelesen. Sie waren im Einklang. »Genau. Das perfekte Ende eines Bowlingabends.«

Ihr leises Lachen ging ihm unter die Haut. »Okay«, erwiderte sie. »Aber zu mehr wird es nicht kommen.«

Erneut staunte er. Sie war an diesem Abend so anders, eine Frau ohne Schatten. »Wir werden sehen, wie weit ich dich bringen kann, nachdem du mich geküsst hast.«

»Oh, bist du so gut, dass ich meine Meinung ändern werde?«, spottete sie.

»Ich kann super küssen.«

Sie drehte den Spieß um. »Beweise es!«

Er begann langsam, fuhr mit der Zunge ihre Lippe entlang, teilte sie vorsichtig und drang dann tiefer vor. Sie roch nach Babypuder und Regen. Die Musik waberte um ihn herum und schien ihn ebenso zu verführen wie ihr Kuss. Ihr herabfallendes Haar liebkoste seine Hand, als er sie an sich drückte, und fühlte sich unglaublich seidig an.

Er wusste, was er jetzt wollte, was er brauchte. Also ließ er seine Hand zwischen ihre Beine gleiten und streichelte über die Naht ihrer Jeans. Sie war an der Stelle ganz warm.

Bree zog seine Hand weg. »Nein, nein, nein, du böser Junge«, flüsterte sie.

»Aber ich will es.« Er versuchte es noch einmal, aber sie presste die Beine zusammen. Als letzten Ausweg wickelte er ihr Haar um seine Hand und zog ihren Kopf nach hinten. »Lass mich rein!«

Ihre Augen schimmerten dunkel. »Heute nicht.«

Er wollte, dass sie sich nach seiner Berührung verzehrte, dass sie den Orgasmus brauchte, den er ihr geben konnte, ebenso wie die Lust. »Muss ich dich erst dazu zwingen?«

Sie schürzte die Lippen. Er merkte, dass sie »Meister« sagen wollte, und obwohl er ihre Spielchen mochte, wollte er an diesem Abend nicht ihr Meister sein.

Stattdessen küsste er sie, nahm sie mit seiner Zunge und drückte ihren Kopf nach hinten, bis sie stöhnte. Die Nippel ihrer kleinen Brüste waren unter ihrer Jacke spürbar hart geworden. Er rieb sich an ihr, während er sie noch inniger küsste. Sie schmeckte nach Gewürzen und Lachen, was er bisher an ihr noch nie erlebt hatte. Sie schlang ihre Arme um seinen Hals und gab sich ganz diesem Kuss hin, legte den Kopf schräg und fuhr mit den Fingern durch sein Haar, um ihn dann festzuhalten. Es war, als würde sie seinen Mund erkunden, ihn schmecken, lecken, um dann an seinen Lippen zu knabbern und ihre Zunge tief in ihn hineinzustoßen. So hatte sie ihn noch nie zuvor geküsst. Es machte ihn ganz wild, und trotzdem wallte eine unglaubliche Zärtlichkeit in ihm auf. Die Süße und Reinheit dieses Kusses, der nichts weiter war, und die dennoch zweifellos vorhandene sinnliche Eroberung brachten ihn ganz durcheinander. Er küsste sie, bis er keine Luft mehr bekam, bis sein Herz raste, es in seinen Ohren dröhnte und ihr Stöhnen klang, als würde es aus seinem eigenen Mund kommen.

Dann entzog er sich ihr und berührte ihre vom Küssen angeschwollenen Lippen mit den Fingern. »Wer hat dir beigebracht, so zu küssen?«, murmelte er.

»Du.«

Er glaubte ihr.

»Es wird Zeit«, sagte sie dann und beugte sich vor, um ihn zärtlich in den Hals zu beißen.

Er wollte sie nicht verlassen, da ihm klar war, dass die Frau aus dem Bowlingcenter und sogar die Frau, zu der sie auf dem Rücksitz seines Wagens geworden war, verschwinden würde. Vielleicht fand er sie nie mehr wieder. Doch es war bereits Viertel vor zehn, und sie musste um zehn zu Hause sein.

»Das machen wir bald mal wieder«, beschloss er und ließ sie wieder auf den Vordersitz krabbeln.

»Ausgehen?«, fragte sie.

Das Lachen, der Spaß, der Kuss, all das musste er noch einmal haben. »Ja, genau.«

»Einige Dinge kann man nur einmal haben. Wenn man versucht, die Perfektion zu wiederholen, geht nur alles schief«, erkannte sie.

Er hatte schon immer gewusst, dass sie Beziehungen in einem sehr schlechten Licht sah und durch ihre Vergangenheit belastet war, aber sie irrte sich in Bezug auf ihn und auf sie beide. Und er würde es ihr beweisen. »Wir werden noch öfter ausgehen, Bree. Sehr viel öfter.«

»Ja, Meister«, antwortete sie leise, bevor er das vorausahnen und sie unterbrechen konnte. Er wollte nicht, dass es zu einem Befehl oder einer Forderung wurde.

Aber mit diesen Worten waren die Nacht und die Frau, zu der sie geworden war, auf einmal völlig verschwunden.

Kapitel 13

Sie war noch nie so geküsst worden, ein Kuss einfach nur um des Küssens willen. Das Verschmelzen der Münder, die Berührung der Lippen und sein Geschmack, all das faszinierte sie. Luke hatte ihr schon immer mehr gegeben, als sie jemals gehabt hatte. Er hatte ihr eine grundsolide, ehrliche Verabredung geboten. Ein normales Date und Spaß auf eine Weise, wie sie sie nie gekannt hatte. Und diesen perfekten Kuss.

Sie stand auf der Veranda und sah zu, wie er wegfuhr. Der Abend war vorüber. Das Auto des Hospizfreiwilligen stand nicht mehr vor der Tür. Sie war fünfzehn Minuten zu spät nach Hause gekommen. Die Lichter an der Vorderseite des Hauses waren ausgeschaltet, was bedeutete, dass ihre Mutter entweder vor dem Fernseher saß oder im Schlafzimmer am Totenbett ihres Vaters. Vielleicht war sie auch schon schlafen gegangen.

Bree schloss die Eingangstür auf und betrat das Haus, um dann leise die Tür zu schließen und den Riegel vorzuschieben. Sie sperrte Luke aus und sich mit ihren Eltern, ihrer Vergangenheit und ihren Ängsten ein.

Einen Augenblick lang stand sie im Flur und genoss die Erinnerungen an den Abend. Er war so perfekt gewesen und so unerwartet. Er hatte sich nicht durchgesetzt, als sie sich nicht von ihm hatte anfassen lassen. Es gab nichts, weswegen sie sich hinterher schuldig fühlen musste. Sie war ein braves

Mädchen gewesen. Und dann hatte er ihre Seele mit einem Kuss zum Schmelzen gebracht.

Niemand hatte sie je einfach nur geküsst. Die Männer, mit denen sie zusammen gewesen war, nutzten Küsse als Bestrafung oder als Belohnung, wie ein Tätscheln des Kopfes. Niemand hatte sie geküsst, nur um *sie* zu küssen. Als ob ihr Geschmack etwas Besonderes wäre. Ihr war bis zu dem Moment, in dem Luke sie geküsst hatte, gar nicht bewusst gewesen, wie sehr sie sich danach gesehnt hatte. Genauso wenig hätte sie im Traum daran gedacht, dass ihre beste Verabredung mal in einem Bowlingcenter stattfinden würde.

Beinahe hätte sie laut aufgelacht. Ihre Mutter würde ausflippen, wenn sie hörte, dass sie Pizza in einem Bowlingcenter einem Fünf-Gänge-Menü in einem eleganten Restaurant vorgezogen hatte.

Bree stand im leeren Flur und lauschte dem Regen, der auf das Dach prasselte und die Regenrinnen hinablief. Mit Ausnahme dieser Geräusche war es totenstill im Haus. Was für ein passender Begriff! Ihr Vater lag ja auch gerade im Sterben, und sie hatte das Gefühl, dass die Lebensgeister ihrer Mutter mit ihm starben.

Vielleicht bedeutete es aber auch nur, dass ihre Mutter bald frei wäre.

Leise ging sie durch den Flur in Richtung der Schlafzimmer. Alle Zimmer lagen im Dunkeln, und sie verspürte den Drang, einfach in ihr Zimmer zu gehen und die Tür zu schließen.

Stattdessen durchquerte sie den Flur und stand schließlich vor der Schlafzimmertür ihrer Eltern, die sie auf schauerliche Weise anzustarren schien. Sie zwang sich, den Fuß über die

Schwelle zu setzen. Das Krankenbett ihres Vaters zeichnete sich vor dem verregneten Himmel ab. Und vor dieser Silhouette stand ihre Mutter. Hinter ihr leuchtete eine kleine Lampe auf einem der Nachttische und erhellte das Gesicht ihres Vaters.

Bree hätte schwören können, dass sie Stimmen hörte, als wäre ihr Vater aus dem Halbkoma erwacht, in dem er die letzten sechsunddreißig Stunden gelegen hatte.

Aber nein, als sie näher kam, wobei ihre Füße auf dem Teppich keinerlei Geräusch machten, konnte sie nur die Stimme ihrer Mutter hören, die leise Worte murmelte, kaum hörbar, aber dennoch da.

Bree versuchte, sie zu verstehen. Ihr war, als würden sie den Sinn des Lebens und des Todes enthalten.

Bis sie sie schließlich trotz des prasselnden Regens verstehen konnte. »Stirb, du Arschloch, stirb endlich!«

Noch nie im Leben hatte sie dieses Wort aus dem Mund ihrer Mutter gehört.

Einen Augenblick lang hörte sie nichts als das Tosen in ihren Ohren, als stünde sie unter einem großen Wasserfall, und sie brachte keinen Ton heraus. Dann stand sie auf einmal neben ihrer Mutter, und der ausgemergelte, schlaffe Körper ihres Vaters lag vor ihnen. Er bewegte sich nicht, nur seine Augen zuckten unter den halb geöffneten Lidern hin und her.

War es das, was ihre Mutter in den letzten Tagen getan hatte: an seinem Bett zu sitzen und ihn anzuflehen zu sterben?

»Wenn du das so siehst, warum hast du ihn dann nie verlassen?«

Ihre Mutter zuckte nicht zusammen und drehte sich auch nicht um. »Weil ich Angst hatte«, antwortete sie.

»Ich auch, Mom«, flüsterte Bree nach einer Weile, in der nichts außer dem Plätschern des Regens und dem abgehackten Atmen ihres Vaters zu hören war.

Dann sprach ihre Mutter erneut. »Ich habe immer geglaubt, dass das, was da draußen ist, viel schlimmer ist, daher bin ich bei ihm geblieben.«

»Es ist nicht schlimmer«, erwiderte Bree so leise, dass sie schon glaubte, ihre Mutter könne es gar nicht hören.

Aber sie hatte es verstanden. »Ich habe mein Bestes gegeben, Brianna.

Bree wollte ihr sagen, dass sie sie verstand. Aber sie tat es nicht. Vermutlich würde sie es nie tun. Sie standen neben seinem Bett, neben dem Mann, der so lange das Wichtigste in ihrem Leben gewesen war, dass sie beide nicht wussten, wie es ohne ihn weitergehen sollte. Er war alles, was sie je gekannt hatten. Wie sollte man die Freiheit erkennen, wenn man nicht wusste, wie sie aussah?

Schließlich nahm Bree die Hand ihrer Mutter und hielt sie fest. »Wir werden ihm gemeinsam beim Sterben zusehen.«

Ihre Mutter drückte ihre Hand. Mit ineinander verschlungenen Fingern warteten sie.

* * *

Um acht Uhr am Sonntagmorgen warteten sie noch immer. Bree wäre am liebsten nach draußen in den Schein der aufgehenden Sonne gerannt und hätte sich in das lodernde Licht gestürzt, das alles andere verblassen ließ. Aber es gab kein

Entrinnen. Sie hatte die Hand ihrer Mutter ergriffen und gesagt, dass sie es gemeinsam durchstehen würden, und jetzt konnte sie sie nicht mehr loslassen.

Als sie irgendwann nicht mehr stehen konnte, schlief sie komplett angezogen auf dem Bett ihrer Mutter unter einer Decke ein. Ihre Mom lag neben ihr auf der Seite ihres Vaters und berührte Bree noch immer in der Dunkelheit dieser scheinbar endlosen Nacht.

Als sie erwachte, ging sie ins Bad um sich den Geschmack einer langen Nacht aus dem Mund zu spülen, kehrte danach aber ins Schlafzimmer ihrer Eltern zurück, ohne sich umzuziehen oder zu duschen.

Das Klingeln der Türglocke übertönte das Gurgeln ihres Vaters. Er klang, als ob er ersticken würde.

Bitte zwing mich nicht dazu! Niemand hörte ihr zu.

»Geh zur Tür, Brianna«, sagte ihre Mutter, die wieder auf dem Stuhl neben seinem Bett saß.

Nach all den Dingen, die ihre Mutter in der Nacht zuvor gesagt hatte, glaubte Bree fast schon, dass sie einfach nur sicherstellen wollte, dass er wirklich tot war, wenn es endlich geschah.

Die beiden Pfleger, denen sie noch nicht begegnet war, ein Mann und eine Frau, folgten ihr ins Schlafzimmer. Obwohl die Sonne nach all dem Regen endlich aufgegangen war, hatte sie das Gefühl, eine Gruft zu betreten, in der ihre Mutter und sie ihren Vater gefangen hielten, an eine Wand gekettet und mit nichts als einer Strohmatte auf dem Boden.

»Das sind Meredith und Geoffrey, Mom.« Sie hatten ihr ihre Karte gegeben, als sie sie hereingelassen hatte.

»Wie geht es Ihrem Dad heute?«, erkundigte sich Geoffrey,

als er an ihrer Mutter vorbeiging und ihr tröstend die Hand auf den Rücken legte. Ihre Mutter trug noch immer dasselbe Hauskleid wie am Vortag.

Sie hatte sich sehr verändert. Noch vor wenigen Wochen hätte sie sich nicht einmal vor einem Lieferanten im Hauskleid gezeigt.

Ihre Mom murmelte als Antwort etwas, das Bree nicht verstand, und Geoffrey lächelte. Er war ein großer Mann mit heller Haut und einem Kahlkopf und nicht dick, aber muskulös. Auch wenn alle Pfleger gut ausgebildet waren und wussten, wie man Patienten mit möglichst geringem Kraftaufwand von einer Seite auf die andere drehte, um das Laken zu wechseln, sie zu waschen, ihnen einen neuen Schlafanzug anzuziehen und Ähnliches, schien die Prozedur bei dem großen Mann noch problemloser vonstattenzugehen. Meredith war eine schmale Blondine mit lockigem Haar, das sie zu einem Dutt gebunden trug. Ihre Arbeit war mit Geoffrey als Partner deutlich leichter.

Geoffrey beugte sich über das Kopfende des Bettes und korrigierte die Position der Sauerstoffschläuche in den Nasenlöchern ihres Vaters, dann strich er ihm zärtlich über die Wangen. Meredith ging auf die andere Seite der Matratze neben das Fenster. Hinter ihr schien die Sonne auf das Dach des Puppenhauses, auf dem die noch nicht getrockneten Regentropfen glänzten. Das kleine Haus sah mit seinen fröhlichen Farben und den Blumen so hübsch aus, so einladend und verlockend.

Bree legte die Arme um sich und sah Geoffrey an.

Während er das Gesicht ihres Vaters streichelte, ließ Meredith die Hand am dürren Arm ihres Dads entlangstreifen. Sie berührten ihn an verschiedenen Stellen, um ihn zu beruhigen und gleichzeitig seinen Zustand zu überprüfen. Bree fragte sich, ob sie ebenso zärtlich und vorsichtig vorgehen würden, wenn sie ihn gekannt hätten, bevor er ins Koma gefallen war. Er zuckte nicht, regte sich nicht, zeigte keine Reaktion, nicht einmal ein Flackern seiner Augenlider, die noch immer halb geöffnet waren.

»Ladys«, meinte Geoffrey mit einer für einen so großen Mann erstaunlich sanften Stimme. »Sie können die dunklen Flecken auf seinen Beinen sehen. Außerdem wird er immer blasser. Das bedeutet, dass sein Kreislauf langsam aufgibt.«

Ihre Mutter gab einen leisen Ton von sich. Vielleicht sagte sie auch gar nichts, sondern gab Geoffrey nur zu verstehen, dass sie ihn gehört hatte.

»Wenn wir ihn bewegen«, fuhr er fort, »dann besteht das Risiko, dass wir ihn verlieren. Es wird jetzt nicht mehr lange dauern, und wir könnten es beschleunigen, wenn wir ihn umdrehen, um ihn zu waschen. Was sagen Sie dazu?«

Lasst ihn sterben. So schnell wie möglich.

Da ihre Mutter ihr den Rücken zuwandte, konnte Bree ihren Gesichtsausdruck nicht erkennen. Aber sie sagte nichts und berührte ihn auch nicht. In der andauernden Stille holte Meredith einige verschweißte Einmalwaschlappen aus der Tasche und riss ein Paket auf. Sie wischte ihm damit sanft über die Stirn, die Wangen und die aufgesprungenen Lippen.

»Was sollen wir tun? Meredith und ich werden ihn vorsichtig waschen, um ihn vorzubereiten, wenn Sie das unter vier Augen besprechen möchten.«

Brees Stimme versagte, sodass sie weder antworten noch sich an ihre Mutter wenden konnte. Ihr Herz schlug im Stakkato, und sie hörte wieder die Worte, die ihre Mutter letzte Nacht gesagt hatte.

Stirb, du Arschloch, stirb endlich!

Sie wollte es, Gott, wie sie es wollte! Es sollte einfach vorbei sein, er sollte endlich sterben.

»Drehen Sie ihn um«, sagte ihre Mutter, und ihre Stimme durchbrach die beruhigende Atmosphäre, die Geoffrey zusammen mit Meredith aufgebaut hatte.

Brachten sie ihn damit nicht um? War das nicht Mord? Oder war das mehr Mitleid, als er verdient hatte?

Geoffrey schloss die Augen und neigte kaum merklich den Kopf, dann lächelte er. Für ihn war es ein Akt der Gnade. Er tat so etwas vermutlich ständig, und er musste wissen, wenn das Ende nahe war, so nahe, dass eine einfache Bewegung die Seele freilassen konnte.

Einen Augenblick lang wünschte sich Bree, zu so einer mitfühlenden, zarten Emotion fähig zu sein.

»Kommen Sie näher«, flüsterte Geoffrey, als sie an Ort und Stelle stehen blieb. »Sie sollten es sehen. Meiner Ansicht nach hilft es dabei, seine Lieben für immer in seinem Herzen zu behalten.«

Nein, sie wollte es nicht sehen, sie wollte sich nicht daran erinnern. Ihr Vater war seit Jahren nicht mehr in ihrem Herzen gewesen. Er hatte sich ständig in ihrem Kopf rumgetrieben und ihr gesagt, was sie zu tun hatte, wie sie es tun sollte und wie erbärmlich all ihre Versuche, ihr Leben anzugehen, waren. Aber die hypnotischen Untertöne in Geoffreys tiefer und doch so zärtlicher Stimme bewirkten, dass sie einen Schritt nach vorn machte.

Bitte zwing mich nicht dazu, Daddy!

Geoffreys Stimme lockte sie näher.

Näher und immer näher, bis sie die dunklen Flecken auf den Unterseiten der Arme und Schultern sehen konnte, wo sich das Blut gestaut hatte.

Wie konnte ein Mann so schnell sterben? Noch vor vier Tagen hatte sie ihm Whiskey und Morphium gegeben, damit er endlich Ruhe gab. Jetzt war er still, selbst seine Augäpfel zuckten nicht mehr. Die untere Hälfte seiner Iris, das Einzige, was sie neben dem Weiß noch sehen konnte, wurde milchig. Wie bei den Leichen, die man im Fernsehen sah.

Ihre Mutter stand neben ihr und drückte sich an sie. *Fass mich nicht an!* Bree hätte am liebsten laut geschrien und wäre weggerannt.

Wenn er fort war, wem konnte sie dann die Schuld dafür geben, dass sie so war, wie sie war?

»Meredith.« Das war alles, was Geoffrey sagte, als er die Schultern ihres Vaters vorsichtig massierte, dann seinen Hals und seine dicken, geschwollenen Finger.

Meredith zog das Laken beiseite. Die Beine ihres Vaters sahen aus wie Stöcke, die unten aus seinem Schlafanzug herausragten. Er lag mit dem Rücken auf einem Handtuch, das sie quer über die Matratze gelegt hatten. Meredith ergriff eine Ecke des Handtuchs, zog es hoch und drehte seinen Körper langsam um.

»Beobachten Sie zusammen mit mir sein Gesicht, Bree.« Geoffreys Worte waren fast nur noch eine Stimme in ihrem Kopf, als ob er ein Magier wäre, und sie gehorchte.

Der Mund ihres Vaters stand auf groteske Weise offen, und sein Kopf schien sich wie von selbst zu bewegen, als wäre er nicht mehr mit dem Körper verbunden, als er nach hinten rollte. Wenn ihre Mutter ihre verschwitzte Hand nicht festgehalten hätte, dann hätte Bree ihn vielleicht sogar berührt. In die wachsartige Haut gepikt, ihn angeschrien.

Dann legte ihm Geoffrey eine Hand in den Nacken und hielt seinen Kopf hoch, dessen Schädelknochen nur noch von papierdünner Haut bedeckt wurden.

Ein Geräusch wie ein Atemzug ertönte, ohne das Gurgeln, das zuletzt jede Bewegung seiner Brust begleitet hatte. Dann ein leiser Lufthauch wie das Flattern eines Schmetterlings direkt neben ihrer Wange.

»Jetzt ist er fort«, flüsterte Geoffrey.

Ihr Herz zog sich zusammen. Ein schimmernder Atemzug drang über die Lippen ihres Vaters und erhob sich sanft und leicht in die Luft, um zur Decke aufzusteigen. Er war nie ein sanfter, leichter Mann gewesen. Niemals zärtlich. Und doch war seine Essenz, falls es das war, was sie da sahen, all das.

»Ich sehe ihn«, raunte ihre Mutter erstaunt. Sie sahen zusammen zur Decke hinauf, als ob … als ob sie wirklich mit ansahen, wie die Seele ihres Vaters zum Himmel, ins Jenseits oder wohin auch immer aufstieg.

Später würde er dann nach unten in die Hölle fallen, wohin er gehörte.

Kapitel 14

Geoffrey und Meredith hatten die Lebenszeichen ihres Vaters oder vielmehr deren Ausbleiben – festgestellt und den Todeszeitpunkt aufgeschrieben. Dann hatten sie ihn gewaschen und vorbereitet, als sollte er ein Sakrament erhalten. Als sie fertig waren, zog ihm Geoffrey die Decke über die Brust und steckte sie fest, als wäre er ein Vater, der seinen Sohn ins Bett brachte. Er hatte das Gesicht ihres Vaters nicht zugedeckt, sondern ihn so liegen lassen, dass es aussah, als würde er schlafen.

Bree hatte das ganze Ritual beobachtet, als ob es seinen Tod irgendwie bestätigen würde.

Nachdem sie die beiden Pfleger zur Tür gebracht hatte, stand Bree im Türrahmen des Schlafzimmers ihrer Eltern, das jetzt nicht mehr ihren Eltern, sondern nur noch ihrer Mom gehörte, und betrachtete den toten Mann im Krankenhausbett, als hätte sie Angst, dass er gleich wieder aufstehen würde. Konnte der alte Scheißkerl wirklich tot sein? Sie hörte die Stimme ihrer Mutter, die mit dem Beerdigungsinstitut telefonierte, das ihn abholen sollte, als wäre er ein Paket, das weggeschickt werden musste.

Er war fort. Es war seltsam. Bree wusste nicht, was sie jetzt tun sollte.

Sie konnte nicht näher herangehen und ihn ansehen. Sie konnte nur in der Tür stehen bleiben und zuschauen, wie das Sonnenlicht auf das Bett fiel, in dem die Leiche lag.

»Ich koche uns einen Kaffee, Bree«, rief ihre Mutter, als ob da kein toter Mann in ihrem Schlafzimmer liegen würde.

Bree konnte ihre Arme, ihre Beine, ihre Lippen nicht mehr spüren. Er war fort, er war *wirklich* fort. Sie wollte sich frei fühlen, aber sie fühlte sich nur … taub. Nicht real.

»Bree?«

Die Stimme ihrer Mutter, die auf einmal ganz nahe war, erschreckte sie. Brees Herz raste.

»Kaffee?«, fragte ihre Mutter erneut.

»Ja, gern. Danke!«

Musste man Kaffee trinken, nachdem der eigene Vater gestorben war? Vielleicht musste man auch weinen. Kaffee schien so … normal zu sein.

Sie musste eine Weile dagestanden und seinen reglosen Körper angestarrt haben, denn irgendwann hörte sie den pfeifenden Wasserkessel. Ihre Mom kochte Instantkaffee. Bree riss sich los und ging rückwärts in Richtung Küche, als hätte sie Angst, dass er ihr folgen könnte.

»Möchtest du einen Schokokeks zum Kaffee?« Ihre Mutter streckte ihr die Keksdose in Bärenform entgegen, die ihr Bree letztes Jahr zu Weihnachten geschenkt hatte. Sie liebte Keksdosen in lustigen Formen. Brees Vater hatte jedoch immer nur erlaubt, eine einzige aufzustellen, weil die Küche seiner Meinung nach unordentlich aussah, wenn sie alle hinstellte. Außerdem hatte er die Nase gerümpft, dass ihre Sammlung im Schrank so viel Platz einnahm.

Anstatt sich einen Keks zu nehmen, überlegte Bree, welche Dosenform sie ihrer Mutter zum Geburtstag schenken sollte.

War es *das*, was Menschen nach einem Todesfall taten? So

tun, als wäre nichts geschehen, das nächste Geburtstagsgeschenk planen? Was *tat* man denn wirklich? Lag man einander weinend in den Armen? Schwelgte man in wunderschönen Erinnerungen? Machte man Frühstück? Trank man Kaffee, aß einen Toast und tat so, als gäbe es diese wunderschönen Erinnerungen?

»Ich hätte lieber einen Toast mit Marmelade«, sagte Bree.

Ihre Mutter schlug sich vor die Stirn. »Ich Dummerchen, natürlich. Wir haben ja noch nicht mal gefrühstückt. Ich mache Toast.«

»Kann ich auch einen Saft haben?«

»Natürlich, Schätzchen.«

Bree goss ihnen beiden ein Glas Saft ein, während ihre Mutter zwei Brotscheiben in den Toaster steckte.

»Sie haben gesagt, dass es ein paar Stunden dauern kann«, meinte ihre Mutter dann.

Bree erstarrte. Mehrere Stunden mit seiner Leiche im Haus? Das war seltsam. Es war gruselig. Sie konnte es nicht ertragen.

»Ich habe mich gefragt, ob du wohl einige Dinge erledigen könntest«, fügte ihre Mutter fast schon beiläufig hinzu. »Wir haben fast keine Milch mehr. Und keine Haferflocken. Ich schreibe dir einen Einkaufszettel.«

Brees Stimme schien aus weiter Ferne zu kommen und nicht aus ihrem eigenen Körper. »Kein Problem. Ich gehe heute Nachmittag einkaufen.«

»Oh nein, du kannst auch gleich gehen, wenn wir gefrühstückt haben.« Ihre Mutter lächelte sie äußerst merkwürdig an und holte die Marmelade aus dem Kühlschrank.

Bree starrte sie an. Hatte sie jetzt weniger Falten um die

Augen, als hätte man ihr auf einmal eine schwere Bürde genommen? Waren ihre Schultern nicht mehr so eingesunken?

»Soll ich nicht wenigstens bleiben, bis …«

Sie wusste nicht, wie sie es aussprechen sollte. *Bis sie die Leiche fortgeschafft haben?* Oder besser: *Bis das Arschloch aus dem Haus ist?* Sie wusste nicht, wie sie es sagen sollte. Sie wusste nur, dass es ihr falsch vorkam, ihre Mutter jetzt alleine zu lassen. Schließlich hatte sie nicht alleine sein wollen, wenn er starb, wie konnte sie es dann mit der Leiche im Haus aushalten?

»Geh du nur! Ich komme schon klar.«

Es war falsch. Es war schlecht. Es war einfach nur seltsam. Aber nachdem sie den Toast gegessen und den Saft und den Kaffee ausgetrunken hatten, ließ Bree ihre Mutter mit ihrem toten Ehemann alleine.

Sie konnte nicht mehr klar denken. In ihrer Handtasche steckte tatsächlich eine Einkaufsliste. Ihre Mutter hatte es zwar nicht in Worte gefasst, aber Bree wusste, dass sie erst wiederkommen sollte, wenn das Haus leer war.

Ihre Hände lagen zitternd auf dem Lenkrad, und sie stellte die Heizung auf die höchste Stufe. Nach den vielen Regentagen blendete sie die Sonne auf dem Asphalt. Sie konnte nicht zum Supermarkt fahren. Sie konnte nicht an einem Sonntagmorgen, wenn all die Mütter, die Kinder und die Familien dort waren, einkaufen gehen. Früher wären sie alle in der Kirche gewesen, aber heutzutage waren die Geschäfte immer voll, egal, welcher Wochentag gerade war. Sie konnte nicht Brokkoli, Bananen, Äpfel und Haferflocken kaufen, wenn all die Leute um sie herum so taten, als wäre dies ein stinknormaler Tag.

Bitte zwing mich nicht dazu!

Komisch, sie hatte geglaubt, dass die Mädchenstimme in ihrem Kopf verschwinden würde, sobald er tot war. Auf einmal durchlief sie ein Schaudern, sie hatte unter der Jacke Gänsehaut auf den Armen und befürchtete, ihre Stimme nie wiederzufinden. Nie, nie, nie. Panik stieg in ihr auf und schnürte ihr die Kehle zu. Versehentlich fuhr sie über eine gelbe Ampel, die schon rot war, als sie auf die Kreuzung fuhr, und ein wütender Autofahrer hupte.

Lass mich gehen, lass mich hier raus!

Wenn sie nicht zum Supermarkt fuhr, gab es nur einen anderen Ort, zu dem sie gehen konnte. Ein einziger Ort, zu dem sie fahren musste. Eine Person, die sie unbedingt sehen musste.

Luke ging die Vorstandssitzung noch einmal durch, konnte sich aber nicht konzentrieren. Nicht nach dem vergangenen Abend mit Bree. Er wollte Perfektion, und genau das hatte er bekommen. Auch wenn er sich einzureden versuchte, dass der Teil von ihr, den sie ihm bisher gezeigt hatte, ausreichte, wusste er doch, dass es nie genug sein würde. Nach der letzten Nacht gierte er nach mehr, nach ihrem strahlenden Lächeln, der multiplen Persönlichkeit, die unter der Fassade lauerte. Sie stellte eine seltsame Mischung dar, war unterwürfig, aber dennoch fordernd, bereit, alles zu tun, was er von ihr verlangte, während sie dennoch die Kontrolle behielt.

Er hatte sie am vergangenen Abend und an diesem Morgen auf dem Handy angerufen, doch sie hatte es ausgestellt.

Seit Donnerstag ging sie nicht mehr ans Telefon, wenn er

anrief. Trotzdem hatte sie die Verabredung nicht abgesagt. Er fragte sich, wie es ihrem Vater ging und ihrer Mutter. Ob es für sie wirklich in Ordnung gewesen war, dass Bree ausgegangen war. Was geschah gerade in diesem Haus? Er musste es wissen, er musste sicherstellen, dass er für Bree da war, wenn sie ihn brauchte.

Als er gerade zum Telefon greifen wollte, klingelte es an der Tür. Vermutlich war es Redfield von nebenan, der sich die Heckenschere oder den Laubbläser oder ein anderes der zahlreichen Gartenwerkzeuge ausborgen wollte, die Redfield sich nie kaufte, weil Luke sie ja alle besaß. Nach der Scheidung hatte Luke das Haus und fast alles darin behalten, da Beth lieber in eine kleine Wohnung ziehen wollte, die weniger Arbeit machte. Allerdings besuchte er sie von Zeit zu Zeit, wenn es etwas zu reparieren gab, einen tropfenden Wasserhahn oder ein verstopftes Rohr. Er besaß all das erforderliche Werkzeug, das sich Redfield natürlich auch ständig borgte.

Er sprach, bevor er die Tür ganz geöffnet hatte. »Was willst du dir jetzt wieder ausleihen, Redfield?«

Doch vor ihm stand Bree. Die Ringe unter ihren Augen waren dunkler als sonst und betonten ihre blasse Haut. Sie trug noch dieselbe Kleidung wie vergangene Nacht, und der Blazer sah zerknittert aus.

»Was ist denn los, Bree?« Er zog sie ins Haus. Sie war noch nie bei ihm aufgetaucht, ohne vorher anzurufen. »Geht es deinem Vater gut?« Was für eine idiotische Frage, der Mann lag im Sterben.

»Alles ist bestens«, erwiderte sie, ohne ihm in die Augen zu sehen. Stattdessen starrte sie auf die Fußbodenkacheln im Flur.

Er drückte ihr Kinn nach oben, weil er sie zwingen wollte, ihn anzusehen, doch sie schlug die Lider nieder und sperrte ihn aus. »Das ist doch nicht wahr. Irgendwas stimmt nicht. Sag es mir«, beharrte er.

In seinem Kopf ging alles drunter und drüber. Er war hilflos. Sie war hier, und trotzdem hatte er keine Ahnung, was er für sie tun konnte.

»Ich bin ein sehr böses Mädchen gewesen, Meister.«

Scheiß auf die verdammten Spiele. »Erzähl mir verdammt noch mal, was passiert ist, Bree. Ich kann nichts für dich tun, wenn du mir nichts sagst.«

»Nachdem wir uns gestern Abend getrennt haben, bin ich in einen Sexklub gegangen und habe mich von zwei Männern nehmen lassen.«

Ihre Worte trafen ihn so hart, dass er einen Schritt nach hinten machte.

Sie blickte weiterhin reuevoll zu Boden. »Ich muss bestraft werden, Meister. Bitte bestraf mich!«

Was zum Teufel? Das konnte nicht sein. Nicht nach dem perfekten Abend, den sie miteinander verbracht hatten. »Verdammt sollst du sein«, flüsterte er, und die Worte brannten in seiner schmerzenden Kehle.

»Ich weiß, dass du sehr enttäuscht von mir bist, Meister.« Sie ging auf den kalten, harten Fliesen auf die Knie, legte die Hände hinter den Kopf und sah zu ihm auf, ohne ihm aber wirklich in die Augen zu sehen. »Wie immer deine Bestrafung aussehen mag, ich habe sie verdient, Meister.«

»Hast du sie gefickt?« Himmel, allein die Frage brannte ein Loch in seine Brust! Wie hatte sie das nur tun können?

»Wäre das das Schlimmste, was ich hätte tun können,

Meister?«, erwiderte sie mit so sanfter Stimme, dass er sich zusammenreißen musste.

Das Schlimmste? Dass sie ein anderer Mann berührte, machte ihn schon verrückt. Aber das Schlimmste? »Bist du gekommen?«

Sie hob den Kopf, und für einen Sekundenbruchteil sahen sie sich in die Augen. Dann blickte sie wieder unterwürfig zu Boden. »Ja, Meister. Wieder und wieder.«

Großer Gott, sie wollte ihn in den Wahnsinn treiben! Er knirschte mit den Zähnen.

»Sie haben mich auf den Boden gedrückt und mich dazu gezwungen. Ich konnte mich nicht wehren, Meister. Ich weiß, wie wütend und enttäuscht du jetzt sein musst. Deshalb muss ich bestraft werden.«

Sie zwang ihn dazu und machte ihn verrückt. »Geh ins Wohnzimmer!« Himmel, sie riss seine Brust in Stücke, aber er wollte dennoch nicht, dass sie sich auf dem harten Boden blaue Knie holte. Sie kam taumelnd auf die Beine und rannte fast schon ins Wohnzimmer, das direkt neben dem Eingang lag. Sie stolperte die beiden Stufen zum Teppichboden hinunter.

»Auf die Knie! Sieh mich nicht an! Wende das Gesicht ab!«

Fast schon begierig tat sie, was er verlangte, und ging vor dem alten Kaffeetisch auf die Knie, als ob es sich dabei um einen Altar handelte.

Zu begierig. Trotz des Zorns begann er es zu begreifen. Langsam konnte er wieder denken. Ihr Blazer war total zerknittert und ihr Haar zerzaust. Sie sah aus, als ob sie in ihrer Kleidung geschlafen hätte.

Etwas war geschehen. Das hatte er in ihren wilden Augen genau erkennen können, als sie ihn kurz angesehen hatte.

Der bevorstehende Tod ihres Vaters schien sie an ihre Grenzen zu bringen. Vielleicht hatte sie in diesem Haus etwas erlebt – einen Anfall, das Aushusten von Blut –, was ihr den Rest gegeben und bewirkt hatte, dass sie in ihr altes Leben, bevor Luke sie gefunden hatte, zurückgefallen war.

Oder das Geschehene hatte sie *hierher* geführt, wo sie ihm eine Geschichte auftischte, die ihn in den Wahnsinn treiben und so zwingen sollte, sie zu bestrafen.

Er starrte ihren Rücken an und erkannte, dass sie völlig verspannt war. Ja, sie würde ihn anlügen und anstacheln, um zu bekommen, was sie brauchte. Sie würde gründlich darüber nachdenken, was ihn wütend machen konnte. Wenn ihre Not groß genug war, wäre sie sogar in der Lage, seine Gefühle gegen ihn einzusetzen. Falls etwas ganz und gar aus den Fugen geraten war. Luke schloss die Augen und verdrängte seinen Ärger. Sie würde sich nicht mit dem zufriedengeben, was sie seiner Meinung nach brauchte. Also würde er ihr geben, was sie wollte, keine Zärtlichkeit, keinen Trost, nur die Unterwerfung. Das konnte er ihr nicht verwehren.

»Beweg dich nicht, und dreh dich nicht um!«, befahl er.

Er hatte Spielzeug im Schlafzimmer, Vibratoren, Plugs, Schals, Handschellen, Seile, Augenbinden. Aber sie brauchte etwas Elementareres.

Er fand das perfekte Werkzeug in einer Küchenschublade. Damit ging er zurück ins Wohnzimmer und stellte sich hinter sie. »Leg die Handgelenke übereinander! Ich werde dich mit einem Verlängerungskabel fesseln.«

Sie stieß die Luft aus und schien vor Aufregung zu erschauern, als sie die Hände hinter dem Rücken kreuzte und ihm hinhielt. Er hockte sich hinter sie, wickelte das schlichte braune Kabel um ihre Hände und band sie fest zusammen, dann verknotete er es.

Danach ging er um den Kaffeetisch herum und stellte sich vor das Sofa, um sie mit vor der Brust verschränkten Armen zu mustern. »Sieh mich nicht an, du betrügerische Schlampe!«, fauchte er. »Sieh zu Boden!«

»Ja, Meister.« Die Worte kamen fast schon atemlos aus ihrem Mund, und sie senkte schnell den Blick, der vorher auf seinen Schritt, seinen steifen Schwanz und das, was sie am meisten brauchte, sein Verlangen nach ihr, gerichtet war.

»Du darfst mich erst ansehen, wenn ich es dir erlaube. Du wirst für die schlimmste Beleidigung, die du mir antun konntest, bestraft.«

»Es tut mir so leid, Meister.«

Eine Träne rann ihr die Wange herunter und tropfte dann von ihrem Kinn auf den Blazer.

»Versuch nicht, mich mit Tränen zu erweichen«, sagte er, auch wenn er sie am liebsten in den Arm genommen hätte. »Es wird nicht funktionieren.« Er strich sich nachdenklich übers Kinn. Sie sah ihn nicht direkt an, schien seine Erregung aber spüren zu können. »Wie lasse ich dich am besten dafür bezahlen, Schlampe?«, überlegte er laut.

Ihre Lippen teilten sich.

»Wag es nicht, einen Ton zu sagen!«, fuhr er sie an. »Keine Vorschläge.«

Sie schloss den Mund.

Er hatte den überwältigenden Drang, sich an ihren Lippen vorbeizuzwängen, sich tief in ihren Mund hineinzustoßen und sie so zu ficken. Er wollte ihre Wärme und ihre Feuchtigkeit. Er wollte ihr das geben, was sie stets am meisten zu begehren schien: seinen Orgasmus. Doch diesmal, jetzt in diesem Augenblick musste es etwas Intensiveres sein.

»Bevor ich beschließe, wie deine Bestrafung aussehen wird, musst du ein vollständiges Geständnis ablegen. Ich möchte genau erfahren, was du getan hast, von dem Moment an, in dem wir uns gestern Abend getrennt haben. Und sag die Wahrheit, nichts als die Wahrheit! Ich werde es merken, wenn du lügst.«

Er würde sie dazu zwingen, es auszusprechen. Er hoffte, dass es ihm irgendwie gelingen würde, herauszufinden, was sie hierher geführt hatte. Was sie dazu gebracht hatte, ihn anzulügen.

Kapitel 15

Er stand mit verschränkten Armen vor ihr, ihr mächtiger Richter. Bree gestattete sich, ihn durch die Wimpern kurz zu mustern. Sein blau-weiß gestreiftes Rugbyhemd spannte über seinen Muskeln, und seine Jeans beulte sich über seinem steifen Penis deutlich aus.

Das war alles, was sie brauchte, um zu wissen, dass er erregt war. Er wollte sie. Was sie ihm auch für Lügen aufgetischt hatte, er wollte sie trotzdem. Danach verzehrte sie sich, nach seinem Verlangen nach ihr, seiner Lust. Alles andere war ohne Bedeutung.

Was hätte sie nach dem Moment, in dem er sie am vergangenen Abend vor der Haustür abgesetzt hatte, denn tun sollen? »Du wolltest nicht, dass ich dir einen blase. Ich brauchte Erleichterung.« Er sollte ruhig wissen, dass es auch seine Schuld war. *Du hast mir nicht den leeren Kopf verschafft, den ich brauchte, Meister, daher musste ich dich bestrafen.*

»Ich konnte nicht ins Haus gehen«, fuhr sie fort. Das stimmte, aber sie war dennoch hineingegangen. Wäre es anders gewesen, wenn sie den Geschmack von Lukes Sperma noch im Mund gehabt hätte und die Angst mit der Erinnerung an sein Verlangen hätte ausblenden können? Nein, natürlich nicht.

Ihre Mutter hätte dennoch dieselben Dinge gesagt, ihr Vater wäre trotzdem morgens gestorben. Aber sie hätte sich möglicherweise anders gefühlt, es vielleicht sogar gelassen hinnehmen können.

»Red weiter«, forderte er sie auf.

Sie bemerkte, dass sie sich an ihrem Schmerz geweidet hatte und in ihrem Verlangen schwelgte, ihrer Wut, ihrem Wunsch, ihm die Schuld zu geben, weil er sie nicht gerettet hatte.

»Ich bin in meinen Wagen gestiegen und in der Stadt zu dem Laden gefahren, in dem du mich gefunden hast.« Es fühlte sich so gut an, ihn zu bestrafen, indem sie ihn an diese Nacht erinnerte.

»Was hast du gemacht, als du da angekommen bist?«, erkundigte er sich mit ruhiger Stimme, aber sie konnte spüren, dass es in ihm loderte.

»Ich bin in den Sklavenraum gegangen.«

»Du Schlampe«, beschimpfte er sie brüsk.

Nicht wie sonst »süße Schlampe« oder »schmutzige Schlampe«, einfach nur »Schlampe«. Seine Wut erregte sie. Er war immer viel zu zärtlich zu ihr, selbst wenn er sie bestrafte. Als sie bei ihm geklingelt hatte, war ihr noch nicht klar gewesen, was sie von ihm wollte. Nur ihn, seine Berührung, seinen Atem auf ihrer Haut, seinen Schwanz, sein Sperma. Wie ein Betäubungsmittel. Sie hatte nicht vorgehabt, ihn anzulügen, sich eine Geschichte auszudenken, die ihn in Rage versetzte. All das prasselte nur auf ihn ein, weil sie nicht seine Zärtlichkeit wollte, sondern etwas ganz anderes.

Sie zog den Kopf ein und sah auf den Boden. Und spielte mit seinen Gefühlen. »Da waren zwei Meister. Sie haben mir die Kleidung vom Leib gerissen und mich an die Wand gefesselt. Dann haben sie mich überall berührt und befingert. Ich konnte nichts vor ihnen verbergen.«

Sie beobachtete seine Beine, während er den Kaffeetisch umrundete, und spürte den Luftzug, als er sich neben sie hockte. Er packte ihr Haar mit der Hand und zog ihren Kopf so heftig nach hinten, dass ihre Kopfhaut schmerzte.

»Hattest du einen Orgasmus?«, fauchte er mit harter, unnachgiebiger Stimme. Aus dieser Entfernung sah sie sein Gesicht nur noch verschwommen und spürte seinen Atem süß und rau an der Wange. Sein Gesicht wurde vor Zorn ganz rot.

Sie bekam kaum noch Luft. Ihr Blut brodelte vor Aufregung und Lust. »Sie haben ihre Finger in mich hineingesteckt«, flüsterte sie. »Sie haben mit meiner Klit gespielt. Und ich bin gekommen. Sie haben mich geleckt und an mir gesaugt, und ich bin gekommen. Sie haben sich abwechselnd mit mir vergnügt und mich zum Schreien gebracht.«

»Scheiße!« Er knurrte wie eine wilde Bestie.

Ihre Kopfhaut begann zu brennen, weil er ihr Haar noch immer umklammerte, und der Schmerz war wunderbar. »Als ich geglaubt habe, ich könnte es nicht mehr länger ertragen, haben sie mich losgebunden und mich abwechselnd gefickt.«

»Hure«, flüsterte er mit zusammengebissenen Zähnen.

Perfekt. Das Wort. Er hatte sie noch nicht so beschimpft, wie sie es brauchte, noch nicht die wirklich schlimmen Namen benutzt, als ob er sie ihr vorenthalten wollte, aber jetzt berührte sie das Wort wie ein Kosename. Sie gab ihm noch mehr. »Sie haben mich in jedes Loch gefickt. Wieder und wieder. Ich konnte nicht aufhören, für sie zu kommen, und ich wusste nicht einmal mehr, wer es gerade war, der mich zum Orgasmus brachte. Einer von ihnen hat mich geleckt, während mich der andere gefickt hat.« Mehr und mehr fesselte sie ihre eigene Lüge. »Sie haben mich abwechselnd genommen, mich benutzt, sich in mich hineingestoßen, bis mir der Mund so wehtat, dass ich nicht einmal mehr schreien konnte, wenn ich kam.«

Er packte ihr Kinn und drückte seinen Mund brutal auf ihren, wobei sie nicht wusste, ob er es tat, um sie zum Schweigen zu bringen oder weil er nicht mehr anders konnte. Seine Wildheit ging auf sie über und erfüllte sie, aber sie wollte mehr. Mit gefesselten Händen konnte sie ihn nicht wegdrücken, sondern sich nur an seinem Geschmack und dem Zusammenstoß ihrer Lippen erfreuen. Bis er sich zurückzog.

»Hat es dir gefallen?« Er erlaubte ihr jetzt, ihn anzusehen, indem er sie entsprechend festhielt. Er hielt sein Gesicht direkt über ihres, und sein Atem strich über ihre Wangen, während seine Faust noch immer ihr Haar packte, was jedoch nicht so schmerzhaft war, wie sie es gern gehabt hätte, und sich sein Schwanz gegen sie drückte.

Was wollte er von ihr? Was brauchte sie von ihm, und wie konnte sie ihn dazu bringen, es ihr zu geben?

»Es war großartig«, flüsterte sie und beobachtete, wie seine bernsteinfarbenen Augen dunkler wurden, bis sie an feuchte Erde erinnerten. »Ich habe sie angefleht, mich weiter zu nehmen und alles aus mir rauszuholen.«

»Miststück!« Seine Augen schienen zu lodern.

»Und ich habe alles ertragen. Ich habe es geliebt. Ich habe nach mehr verlangt. Ich habe sie gebeten, mir wehzutun, mich zu benutzen. Und ich habe geschrien, weil es so gut war. Sie waren jung und hart, und sie haben stundenlang durchgehalten, mich gequält, bis ich geweint habe, weil es so gut und so geil war. Ich wollte es wieder und immer wieder.«

Auf einmal zog er sie vom Tisch weg und hockte sich vor sie. Sie war feucht und schon kurz vor dem Orgasmus, allein durch ihre Lügen und seine heiße Berührung. Er riss ihren Blazer auf.

»Haben sie das mit dir gemacht?« Er kniff ihr fest in den Nippel.

Sie zuckte zusammen, stöhnte, und der Schmerz und die Brutalität in seinem Gesicht erregten sie noch mehr. »Nein. Ich wollte es, aber sie haben es nicht getan.«

Er beugte sich vor, nahm ihren Nippel in den Mund und biss sie so fest, wie sie es mochte, fester, als er es normalerweise tat. Ja, ja, ja.

Er streckte sich und riss an den Knöpfen seiner Jeans herum, bis sein wunderschöner Penis herauskam. Er war steif, die Haut spannte sich, die Vene pulsierte, und die Eichel war violett. »Haben sie dir ihren Schwanz in den Hals gesteckt?«

Sie kniete unterwürfig vor ihm, hatte die Hände hinter dem Rücken gefesselt und den Kopf geneigt, um ihn besser in Augenschein nehmen zu können. Sein Schwanz schien sie zu rufen. Sie brauchte ihn. Aber er musste ihn ihr aufzwingen. »Nein. Sie haben mich nur genommen und zum Höhepunkt gebracht.«

»Mach den Mund auf«, verlangte er.

Das tat sie. Er schob sich ganz in sie hinein, zwang sie, an der kompletten Länge zu saugen, und bewegte sich hart und schnell. Es war so gut, dass sie beinahe geweint hätte.

Als ob er ihr Flehen vernommen hätte, zwang er sie, ihn

bis zur Kehle in sich aufzunehmen, presste sich in sie hinein und fickte ihren Mund. Er beschimpfte sie mit all den dreckigen Schimpfnamen, die sie brauchte, den Worten, nach denen sie sich sehnte: Hure, Schlampe, Schwanzlutscherin, Nutte.

Sie waren nicht zärtlich, und er verharmloste sie auch nicht mit sinnlosen Adjektiven. Von seiner tiefen Stimme ausgesprochen, machte sie das ganz verrückt. Die Worte bewirkten, dass sie ihren Körper zu verlassen schien, bis sie über ihnen beiden schwebte und mit ansah, wie dieser wunderbare, perfekte Mann das dreckige böse Mädchen nahm, das sie war.

Sie kam, ohne dass er ihre Jeans auch nur berührt hatte.

Bree saugte fest an ihm, nahm ihn tief in ihrem Mund auf und zwang ihn beinahe zu einem Orgasmus. Ein anderer Mann hätte es vielleicht zugelassen, aber er war keiner dieser jungen, harten Schwänze, die sie angeblich im Sklavenraum genommen hatten. Er riss sich zusammen, sogar als sie erschauderte und er spürte, wie sie kam.

Sie hatte die Kontrolle verloren. Der Höhepunkt war nicht gespielt. Indem er seinen Zorn zugelassen und seiner Wut über ihre Lüge, ihre Geschichte, ihre Fantasie, ihren Verrat freien Lauf gelassen hatte, hatte er ihr die Erlösung gewährt, ohne ihre Muschi auch nur zu streicheln.

Und jetzt wollte er seinen Orgasmus. Aber nicht auf diese Weise. Er wollte in ihr kommen. Also zog er seinen Penis aus ihrem warmen Mund und knöpfte seine Hose zu. Sie starrte ihn mit glasigen Augen an.

Er war bei den Beschimpfungen richtig wild geworden, hatte ihr gegeben, was sie wollte, und es ebenso wie sie genossen. »Komm mit, du verdammte Schlampe!« Er riss sie auf die Beine, achtete darauf, dass sie nicht fiel, dann beugte er sich vor und warf sie sich wie ein Feuerwehrmann über die Schulter, während ihre Arme weiterhin mit dem Verlängerungskabel gefesselt waren. »Deine Bestrafung für das, was du getan hast, hat gerade erst begonnen.«

Sie brauchte Macht und Dominanz, und ihm war ebenfalls danach.

»Bitte, Meister, tu mir nicht weh«, flehte sie, als ihr Körper gegen seinen Rücken prallte.

Er würde ihr nie mehr wehtun, als sie ertragen konnte. Aber er würde ihr mehr geben als jemals zuvor. Auf dem Schlafzimmerteppich stehend, ließ er sie zu Boden gleiten, um sie dann mit dem Gesicht nach unten aufs Bett zu legen. Er beugte sich über sie und knurrte ihr ins Ohr: »Wag es nicht, dich umzudrehen! Sieh mich nicht an! Lieg einfach still da und ertrag, was du verdient hast, du schwanzlutschende Hure!« Er zog ihren Kopf an den Haaren nach hinten, bis sie wimmerte. »Hast du verstanden?«

»Ja, Meister.« In ihrer Stimme hörte er Schmerz, Angst und Erregung.

Das gefiel ihm, und die Lust bewirkte, dass er grober wurde. Er griff mit der Hand unter ihren Körper, öffnete den Reißverschluss ihrer Jeans und zog ihr dann alles aus, Schuhe, Jeans und Slip, um es beiseitezuwerfen.

»Ertrag deine Bestrafung, Schlampe!« Er schlug ihr härter auf den Hintern, als er es in der Woche zuvor in ihrer Wohnung getan hatte, härter als jemals zuvor. Sie stöhnte, schrie auf, und ihre Feuchtigkeit benetzte seine Hand, als er über ihre entblößte Muschi strich.

»Du Miststück genießt das viel zu sehr. Du willst, dass ich dich zum Orgasmus bringe. Wenn du behauptest, dass du es hasst, dann lügst du.«

»Nein, Meister. Ich bin böse. Du weißt, dass ich böse bin, und das ist meine schreckliche Bestrafung.«

»Verlogene Fotze«, sagte er mit tiefer, zorniger Stimme, während er ihre Muschi streichelte und weiter in die Wärme vordrang, auf der Suche nach ihrer Klit. Der Knubbel war fest, angespannt und drückte sich gegen seine Finger. Er rieb darüber, und sie stöhnte.

»Lügnerin.« Er schlug ihr erneut auf den Hintern. Sie wand sich.

»Ich werde dich jetzt ficken. Und du wirst so liegen bleiben. Ich werde dich nicht berühren und dich nur festhalten, um mich in dein dreckiges Loch zu stoßen. Und wag es ja nicht zu kommen!«

»Nein, Meister.«

Er zog die Nachttischschublade auf, in der er die Kondome aufbewahrte. Als er ihr einen Blick zuwarf, hatte sie ihr Gesicht wie befohlen abgewandt. »Ich werde sogar meine Hose anlassen, Schlampe. Ich ficke dich so, als ob du nicht mehr als einen Quickie wert wärst.«

»Ja, Meister.« Sie hatte das Gesicht noch immer abgewandt und wand sich auf dem Bett, vielleicht rieb sie sich, oder sie konnte vor Aufregung nicht mehr stillliegen.

»Hure«, schob er extra für sie hinterher.

Sie stöhnte.

Die Worte waren Teil ihres Rituals. Vielleicht befreiten sie sie, erlaubten ihr, das zu akzeptieren, wofür sie sich hielt, das anzunehmen, was sie verdiente, und ihre Lust zu genießen.

Als er schließlich wieder hinter ihr stand und sich das Kondom über den schmerzenden Penis gezogen hatte, streichelte er ihren Hintern und testete mit den Fingern, ob ihre Muschi bereit für ihn war, erst mit einem, dann mit zweien. Sie nahm ihn voller Verlangen auf. »Wie sehr du dich danach verzehrst, du dreckige Nutte.«

Sie bäumte sich bei seiner Berührung auf und nahm seine Finger noch weiter in sich auf. »Meister. Oh Gott, Meister!«

Ohne weitere Umschweife stieß er sich in sie hinein und glitt so weit in sie, wie es nur ging. Er genoss die Wärme ihrer Muschi.

Sie ballte die Fäuste ihrer noch auf dem Rücken gefesselten Hände.

Er spürte, wie er in ihr versank, die Wärme und den Geruch ihrer Erregung. Zu gern hätte er sich einfach gehen lassen und sie genommen, aber er blieb so weit bei Verstand, dass er ihr geben konnte, was sie brauchte. »Keuchende Nutte. Du bist ja rollig. Du würdest jeden Mann nehmen, der bereit ist, dich zu ficken.«

Sie keuchte und drückte das Gesicht auf die Tagesdecke, als ob sie sich ersticken wollte.

Doch er stieß weiter in sie hinein, so tief er konnte, und zog sich wieder zurück. Sie war eng, so süß, so warm. Er beugte sich vor, sodass er ihren Rücken berührte, und schob seine Hand zwischen ihren Körpern hindurch, um seine Finger auf ihre Klit zu legen und seinen eigenen Saft auf ihr zu verstreichen. Sie stöhnte, ihre Klit pochte unter seiner Berührung, dann wurde sie lauter, schrie und zuckte wie wild unter ihm. Er kam dem Höhepunkt auch näher und immer näher, bis er nichts mehr spürte als ihre perfekte Muschi, die sich um ihn herum zusammenzog, und nichts hörte außer ihrem gestammelten »Meister, Meister«, das gelegentlich von Schimpfnamen, die er ausstieß, unterbrochen wurde. Dann verlor er sich in ihr und verschoss seine heiße Essenz tief in ihr Innerstes.

Kapitel 16

Sie konnte sich nicht mehr genau an alles erinnern. Sie wusste nur noch, dass sie einen orgasmischen Gipfel erreicht hatte, dass sie jetzt in seiner beruhigenden Umarmung lag, und in dem kurzen Moment, bevor sie richtig wach wurde, hatte sie keine Angst mehr und war kein böses Mädchen. Sie existierte einfach, und das war gut so. Sie hatte keine Vergangenheit, es gab kein Heute, keine letzte Nacht, kein Morgen. Es gab nur das Jetzt.

Langsam merkte sie, dass ihre Handgelenke aufgeschürft waren, dass ihre Muskeln schmerzten, dass ihre Kehle vom vielen Schreien und Stöhnen ganz rau war und dass ihre Muschi sich wund anfühlte, weil er sie so hart genommen hatte. Er war nicht zärtlich gewesen. Als sie gekommen war, hatte er ihren Orgasmus aus ihr herausgezwungen.

Es fühlte sich gut an, dazu gedrängt zu werden, ihr Höhepunkt war daher nicht von Schuldgefühlen begleitet.

Seine Haut kratzte an ihrer Stirn, seine Brusthaare drückten sich weich gegen ihre Brüste. Er roch nach sauberem Männerschweiß.

Dann roch sie sich selbst. Sie musste dringend duschen. Nach dem, was er mit ihr gemacht hatte, nach ihrer Strafe und nach einer Dusche würde sie sich eine Zeit lang sauber fühlen.

Als sie sich bewegte, schlief Luke weiter.

Sie krabbelte aus dem Bett, und er regte sich ein wenig auf der Tagesdecke, wachte aber nicht auf. Er atmete tief und gleichmäßig. In der großen, gefliesten Dusche stellte sie das Wasser so heiß, dass sie sich beinahe verbrühte, als sie sich in den Strahl begab. Sie stand dort, solange sie es ertragen konnte, aber sie war schwach und musste das Wasser etwas kälter stellen, damit es nicht zu sehr brannte.

Erschrocken zuckte sie zusammen, als sie auf einmal seinen Körper neben sich spürte, der sich hart und kalt an ihre brennende Haut drückte. Sie hatte die Tür gar nicht gehört. Er seifte sie zwischen den Beinen und unter den Achseln ein und griff dann nach dem Shampoo. Seine Berührung war so sanft und zärtlich, dass sie beinahe geweint hätte.

Als sie fertig waren, zog er seinen Bademantel über und wickelte sie dann in ein riesiges Badehandtuch und trug sie auf die Sonnenterrasse hinter dem Haus, die man von draußen nicht einsehen konnte, wo er sich mit ihr im Arm auf einem Liegestuhl niederließ.

Ihr Kopf ruhte an seiner Brust, und sie war kurz davor, wieder einzuschlafen. Bis seine Stimme an ihr Ohr drang.

»Erzähl es mir jetzt! Ich befehle es dir«, fügte er hinzu, als er befürchtete, sie würde weiterhin schweigen, wenn er nicht ausdrücklich von ihr verlangte, ihn einzuweihen.

Sie wusste, was er wollte. »Er ist tot«, murmelte sie und fühlte sich fast so, als wäre sie in Trance. »Ich war dabei, als er gestorben ist. Sie sagten, er sei weggeschwebt, und ich bilde mir ein, es gesehen zu haben, bin mir aber nicht sicher.«

Er schwieg lange Zeit, und ihr Kopf bewegte sich mit jedem seiner Atemzüge auf und ab. »Wann?«, fragte er, ohne sie zu trösten.

Das hätte sie auch gar nicht gewollt. »Heute Morgen.«

»Warum bist du nicht bei deiner Mutter geblieben?«

»Sie hat mich gebeten zu gehen. Sie braucht mich nicht mehr. Es war ihr egal. Also bin ich gegangen.«

Luke hörte den Schmerz hinter ihren Worten und spürte, wie er in ihrem Körper vibrierte. Sie weinte nicht. Sie war über das Weinen hinaus. Alles, was er tun konnte, war, ihren Schmerz in sich aufzunehmen und ihn für sie zu absorbieren, wie das Porträt von Dorian Gray das Böse aufgenommen hatte.

Er verzichtete darauf, ihr sein Beileid auszusprechen, und er fragte auch nicht, wieso sie harten Sex anstelle von Trost gebraucht hatte. Er fragte nicht einmal danach, wieso sie ihm die Lügengeschichte mit den beiden Doms im Klub erzählt hatte, anstatt mit ihm über ihren Vater zu sprechen. Seiner Vermutung nach hatte sie gewusst, dass er sie härter ficken würde, wenn sie ihn so anlog, und dass er ihr das, was sie wollte, nie gegeben hätte, wenn sie ihm zuerst von ihrem Vater berichtet hätte. Sie kannte ihn so gut und wusste, dass ihn die Geschichte, wie sie bei den beiden Doms einen Höhepunkt nach dem anderen hatte, in den Wahnsinn treiben würde. Er konnte es ihr nicht einmal verdenken. Es sprach für sie, wie gut sie ihn manipulieren konnte. Entweder spielte er mit oder er stieg aus. Aber er hatte es akzeptiert. Er wollte sie auf jede Weise, wie er sie haben konnte. Jetzt gab er ihr seinen Schoß, auf den sie sich kuscheln konnte, legte die Arme um sie und ließ sie reden, wenn sie das wollte.

Doch seine sanfte Befragung war noch nicht zu Ende. »Braucht ihr bei der Beerdigung Hilfe?«

»Darum haben sich meine Eltern schon zusammen gekümmert«, murmelte sie leise, als ob sie unter Hypnose stünde. »Früher. Als die Ärzte sagten, er soll über ein Hospiz nachdenken, haben sie alles geregelt.«

Als sie dem Patienten mitgeteilt hatten, dass für ihn keine Hoffnung mehr bestand. »Dann ist also alles geplant. Das ist gut.« Zumindest hatten sie eine Sorge weniger, fand er.

»Meine Mom lässt ihn einäschern. Keine Urne.« Sie seufzte und fügte dann leise hinzu: »Nur Staub und Asche.«

Da sie diese Worte ohne besondere Betonung aussprach, wusste er nicht, was sie darüber dachte. In ihm tat sich ein Loch auf. War das nicht das, was ihnen allen bevorstand, Staub und Asche? Da war es umso wichtiger, sich jetzt alles zu nehmen, was man bekommen konnte.

»Hat er ein Testament gemacht?«

»Alles ist fein säuberlich aufgeschrieben und ordentlich geregelt«, flüsterte sie.

Offensichtlich unterdrückte sie ihre Trauer und ihren Schmerz. Zuerst hatte sie es mit dem Sex getan, jetzt setzte sie diesen fast schon kindlichen Tonfall dazu ein.

»Wenn du irgendetwas brauchst …«

»Tue ich nicht«, schnitt sie ihm das Wort ab. »Mir geht es gut. Jetzt geht es uns allen gut. Alles ist in Ordnung.« Ihre Worte schienen in der Luft zu schweben, bis sie die Luft ausstieß. Sie legte den Kopf in den Nacken und sah ihn an. Ihre Augen waren klar und wirkten allwissend. Sie wusste, dass er die Lügen gehört hatte, dass er nichts deswegen sagen konnte, dass er es so akzeptieren musste, dass das eine Sache war, bei der er nichts ausrichten konnte.

»Freut mich, dass alles in Ordnung ist.« Er wusste, dass dem nicht so war. Er konnte den Verlust nachempfinden,

den der Tod mit sich brachte, das absolute und totale Ende von allem. Man hatte keine Chance mehr, Fehler zu korrigieren oder ein letztes Mal »Ich liebe dich« zu sagen. Stattdessen litt er, weil es ihm nicht möglich war, ihren Schmerz zu lindern. Ihm blieb nichts weiter übrig, als hier zu sitzen und sie in den Arm zu nehmen. Und ihr zuzuhören, falls sie etwas sagen wollte.

»Vielleicht kann ich endlich normal werden«, flüsterte sie, »jetzt, wo er weg ist.«

Er streichelte ihre Wange. Auch wenn es stimmte, wollten die Menschen im Allgemeinen nicht hören, dass die Zeit alle Wunden heilte. Stattdessen sagte er: »Vergiss nicht, dass wir ›normal‹ nicht brauchen können.«

Sie biss sich auf die Unterlippe, erwiderte dann aber nur: »Stimmt.«

In der darauffolgenden Stille küsste er sie auf die Schläfe.

»Es wird Zeit zu gehen«, meinte sie nach einigen Minuten.

Es gab noch eine Sache, die er brauchte, bevor er sie gehen lassen konnte. Er legte ihr die Hand auf die Wange und zwang sie, ihm in die Augen zu sehen. »Was wir da getan haben, war verdammt heiß. Sag mir, dass es dir gefallen hat.«

Er bat sie nicht darum, ihn zu loben. Er wollte einfach nur wissen, ob er sie richtig eingeschätzt hatte, dass sie es hart und wütend gewollt hatte und er durch ihre Geschichte über den Sklavenraum dazu angestachelt werden sollte. Wenn er genau wusste, wie er ihre Stimmung erkennen konnte, wäre er in der Lage, ihr dieses Erlebnis jedes Mal zu bieten.

Ihre Augen waren von einem trüben Blau und sahen aus wie ein wolkenverhangener Himmel. »Du hast es geschafft, dass ich nicht mehr denken musste«, antwortete sie, und zumindest das war nicht gelogen.

»Ist es das, was du von mir willst?« War ihm das genug, ihr die überwältigendsten Höhepunkte zu verschaffen, damit sie aufhören konnte zu denken?

»Ja«, erwiderte sie.

Er spürte, dass es ihr ernst war. Ja, vorerst reichte ihm das aus, in diesem Moment. Das, was er *noch* von ihr wollte, konnte später kommen, wenn sie den Verlust verarbeitet hatte, ihre Trauer, und ihr Leben und das ihrer Mutter wieder weiterging.

Sie kletterte von seinem Schoß, stand auf und wickelte sich das Handtuch eng um den Körper. »Das ist mehr, als mir jeder andere je gegeben hat. Es ist mehr, als ich je genommen habe.«

Diese Information war ihm sehr wichtig, und er genoss es, dass sie ihm freiwillig gegeben worden war.

»Ich muss jetzt gehen«, wiederholte sie. Sie musste zu ihrer Mutter zurück.

»Kommst du klar?«

»Ja.«

Er hatte nichts anderes von ihr erwartet. Nachdem er ebenfalls aufgestanden war, legte er ihr eine Hand an den Hals und strich ihr mit dem Daumen über die glatte Haut. »Ich bin hier. Du kannst jederzeit anrufen.«

»Das weiß ich.«

Das war eine Konstante, dass sie ihn immer wieder anrufen würde. Sie brauchte ihn.

Erst als er am Fenster stand und zusah, wie ihr Wagen um die Ecke bog, hörte er im Kopf noch einmal ihre Worte.

»Vielleicht kann ich endlich normal werden, jetzt, wo er weg ist.« Nicht »Kann ich wieder normal werden« oder sogar »Wird alles wieder normal«. Sie hatte nicht gesagt, dass es mal eine Zeit gegeben hatte, in der sie sich normal vorgekommen war.

Darüber wollte er nicht nachdenken. Er hatte die Schatten über ihrer Vergangenheit natürlich immer gespürt. Er hatte gespürt, dass sie einige üble Beziehungen hinter sich hatte, nicht nur mit Derek, sondern auch schon früher. Schlimme Beziehungen hatten sie geprägt. Aber ging das alles noch tiefer? Ihr Drang nach Bestrafung, dass sie sie *verdiente*, dass sie beschimpft werden wollte. Dann war da diese Anekdote über ihre Fahrstunde. Und zu guter Letzt ihre Reaktion auf den Tod ihres Vaters, dass sie hierhergekommen war, um sich bestrafen zu lassen, dass sie das *gebraucht* hatte. Das war schon extrem, es war definitiv nicht normal. *Sie* war nicht normal.

Großer Gott, nein! Diese Ahnung konnte nicht stimmen. Nein, er musste sich irren. Ihr Vater konnte ihr doch nichts angetan haben. Luke konnte sich nicht vorstellen, dass ein Vater mit seinem Kind etwas Schlimmes machen konnte.

Und doch taten Väter so etwas ständig.

Es war schon früher Nachmittag, als sich Bree auf den Heimweg machte, nachdem sie Milch, Brot und all die anderen Dinge auf dem Einkaufszettel ihrer Mutter besorgt hatte.

Vor lauter Schuldgefühlen war ihr ganz flau im Magen. Sie hatte ihre Mutter zu lange alleine gelassen. Aber sie hätte es in diesem Haus keine Sekunde länger ausgehalten, ohne Luke zu sehen.

Eine seltsame Wärme hatte sich in ihr ausgebreitet, als er sie im Arm gehalten hatte. Sie war ein wenig durchgedreht und hatte ihm die widerlichste Geschichte aufgetischt, die ihr eingefallen war, und ihn förmlich angefleht, sie zu missbrauchen. Er hatte ihr alles gegeben, doch in den Minuten danach war es ihr vorgekommen, als hätte sie ein anderer Mann berührt und beruhigt. In vielerlei Hinsicht war er so normal und ausgeglichen. Selbst der Sex war nicht übermäßig pervers. Er bezeichnete ihn zwar als nicht normal, aber ein Single-Mann, der hin und wieder in einen Sexklub ging oder ein wenig mit Bondage herumexperimentierte, fiel nicht wirklich aus der Norm. Sie war hingegen deutlich weiter am Rand des Spektrums angesiedelt. Aber das war ihm egal. Er gab ihr, was sie brauchte.

Als sie in der Auffahrt ihrer Eltern hielt, umklammerte Bree das Lenkrad. Auf der einen Seite gab es Lukes Haus, und auf der anderen stand dieser Ort mit seinen dunklen Mauern und finsteren Zimmern. Sie stieg aus dem Wagen und merkte, dass die wunderbare Zufriedenheit, die Luke ihr in jenen Momenten im Bett, in der Dusche und in seinen Armen geschenkt hatte, verschwunden war. Sie empfand nichts als Müdigkeit.

Jetzt musste sie noch so lange durchhalten, bis die Asche ihres Vaters verstreut war. Dann konnte sie nach Hause gehen. Konnte sie das wirklich? Auf einmal befürchtete sie, dass ihre Mutter sie mehrere Wochen oder Monate lang brauchen würde. Ihre Mom hatte keine Freunde, sie war ganz alleine. Brees Vater hatte ihr nie gestattet, sich mit anderen Menschen anzufreunden. Er hatte behauptet, es nicht zu mögen, alleine zu sein, wenn sie ausging, aber es war nur eine weitere Art gewesen, sie zu kontrollieren und von ihm abhängig zu machen.

Sie öffnete die Tür und rief: »Mom.« Ihre Stimme schien in der Stille widerzuhallen.

Sie betete, dass ihr Vater fort war. Nicht nur sein Geist, sondern auch sein Körper.

»Ich bin hier hinten, Bree.« Die Stimme ihrer Mutter, die seltsam fröhlich klang, kam aus dem Flur.

Sie folgte dem Geräusch. Ihre Mutter hatte das Krankenhausbett im Schlafzimmer ans Fenster geschoben, sodass sie mehr Platz hatte. Zum Glück war es leer. Bree merkte erst, dass sie die Luft angehalten hatte, als sie sie erleichtert herausließ. Dann sah sie das Puppenhaus durch das Fenster, das süß und harmlos in der Nachmittagssonne stand, und ging so weit zur Seite, bis es außer Sicht war.

Ihre Mom saß auf einem Hocker vor der Kommode und stopfte T-Shirts, Unterwäsche und Socken in einen großen schwarzen Müllsack.

»Was machst du da, Mom?«

»Ich will die Sachen gleich zum Roten Kreuz bringen.«

»Die nehmen keine Unterwäsche.«

Ihre Mom verzog den Mund und starrte den Müllsack kurz an. Dann lächelte sie auf einmal. »Du hast Recht. Holst du mir für die anderen Sachen bitte eine Mülltüte aus der Küche?«

Ihr Vater war noch nicht einmal eingeäschert worden. Bree war sich nicht einmal sicher, ob sein Körper überhaupt schon komplett kalt und steif war.

Stirb, du Arschloch, stirb endlich!

Ihre Mutter hatte gewartet.

Auf einmal sah ihre Mom nachdenklich aus. »Wie entsorgt man eigentlich Medikamente? Gehören die nicht in den Sondermüll?«

»Das kann gut sein. Ich werde mich mal im Internet schlaumachen.«

»Ach, das können uns bestimmt auch die Leute vom Hospiz sagen, ich habe schon angerufen, damit sie das Bett abholen.«

»Du musst das nicht alles sofort machen, Mom.« Das war ja richtig erschreckend.

»Was soll ich denn sonst tun? Hier rumsitzen und Trübsal blasen?« Ihre Mutter wedelte mit der Hand. »Und jetzt hol den Müllbeutel, damit wir das ganze Zeug loswerden!«

Oh ja, das war wirklich erschreckend!

Kapitel 17

Zwei Stunden lang sortierten Bree und ihre Mutter die Sachen ihres Vaters danach, was noch brauchbar war und was weggeworfen werden konnte. Alle Arbeitsklamotten ihres Vaters und die Sachen, die er bei der Gartenarbeit getragen hatte, wanderten in den Müll. Einige seiner Hemden waren fadenscheinig, und sie erinnerte sich daran, dass er sie jahrelang getragen hatte.

Es war verrückt. Bree hielt ein Hemd hoch, von dem sie hätte schwören können, dass er es schon zu ihrer Collegezeit angehabt hatte. »Das hätte schon vor zehn Jahren in den Müll gekonnt.«

»Du kennst deinen Vater.« Ihre Mom lächelte, und das Lächeln war auf seltsame Weise sentimental, als ob sie jetzt, da er tot war, so tun konnte, als gäbe es etwas, was sie vermisste.

In der Kommode lag ein Stapel neuer Hemden, an denen noch die Preisschilder hingen. »Er wollte sie erst anziehen, wenn die anderen weggeworfen werden«, erklärte ihre Mutter.

Bree räumte die nächste Schublade aus, und auf einmal blieb ihr Herz einfach stehen. Dieses Hemd hatte sie schon sehr lange Zeit nicht mehr gesehen. Es war sehr viel älter als die anderen, stammte aus der Zeit, als sie in der Mittelschule, vielleicht sogar noch in der Grundschule war. Später hatte er

Khakihemden getragen, weil er sie im Dutzend billiger bekam, aber das hier war ein blaues Leinenhemd, auf dem sein Name über der Brusttasche eingestickt war, und es roch sogar noch leicht nach ihm, seinem typischen Geruch aus Motoröl vermischt mit billigem Aftershave. Sie wagte es nicht, die Augen zu schließen. Wenn sie es tat, würde sie ihn darin vor sich sehen. Wie er sich über sie beugte. Und sie würde ihn riechen.

Sie stopfte das Hemd in den Müllsack.

»Bree, da ist doch nichts dran.«

Es war sogar sehr viel *dran*, aber davon schien ihre Mutter nichts zu ahnen. »Es ist voller Schmiere. Das will doch niemand mehr haben.«

»Ein Arbeiter kann das noch brauchen.«

Sie sah ihre Mutter an, und ihre Gesichtszüge wurden hart. »Das werfen wir weg, Mom.« Sie stand auf, ging durch den Flur und die Hintertür neben der Garage zu den Mülltonnen. Sie warf die Mülltüte in eine Tonne und knallte den Deckel zu. Wenn ihre Mutter im Müll nach dem Hemd suchen wollte, dann sollte sie das ruhig tun.

Als sie wieder im Schlafzimmer war, bekam sie Angst vor weiteren Erinnerungen und brachte es nicht über sich, noch eine Schublade auszuräumen. »Ich übernehme das Bad.«

Bree warf seine Zahnbürste, seinen Rasierapparat, das verdammte Aftershave und sein Deo weg. Die übrig gebliebenen Medikamente steckte sie in eine Tüte, in die sie auch die hineinwarf, die noch auf dem Nachttisch standen. Dann googelte sie kurz und stellte fest, dass sie die Arzneimittel in jeder Apotheke abgeben konnte. Das würde sie gleich am nächsten Tag machen.

Ihre Mom stand jetzt vor dem Schrank, in dem ihr Vater seine bessere Kleidung, die Polohemden und guten Schuhe aufbewahrte. Jede Tüte, die ihre Mutter füllte, wurde von Bree in die Garage getragen und in den Kofferraum des Wagens ihrer Eltern geworfen. Als der voll war, kamen die Tüten in ihren Wagen. Am nächsten Tag würden sie sie zum Roten Kreuz bringen.

Mit jeder neuen Tüte schienen sie schneller zu werden, sich mehr anzustrengen und weniger zu reden. Hin und wieder fragte Bree ihre Mutter, ob sie ein Kleidungsstück behalten wollte. Derweil grübelte sie darüber nach, was ein Psychiater wohl zu ihrer Manie gesagt hätte.

Als sie mit dem Schlafzimmer fertig waren, gingen sie in die Stube und entsorgten seine Lesebrille, die Sport- und Mechanikermagazine und die Detektivromane.

»Ich werde jemanden kommen lassen, der diesen Sessel abholt.« Den Sessel ihres Vaters. »Er ist widerlich und schmutzig.« Ihre Mutter rümpfte die Nase, als sie die Jahre alten Flecken von Senf, Whiskey und all den anderen Dingen, mit denen er gekleckert hatte, betrachtete. Sie holte eine geblümte Tischdecke aus dem Schrank im Flur und warf sie darüber, um sie dann so festzustecken, dass es nicht mehr wie *sein* Sessel aussah. »Zumindest muss ich ihn jetzt nicht mehr sehen.«

»Lass uns in der Küche weitermachen«, schlug ihre Mutter mit leuchtenden Augen vor. Sie ging voran. »Ich hasse Whiskey«, stellte sie klar und goss den Inhalt der Flasche in den Ausguss. Der Southern Comfort und der Tequila folgten, beim Bourbon und beim Rum winkte sie jedoch ab. »Die kann ich noch zum Kochen verwenden.« Sie schlug vor, einen Rumkuchen zu backen.

Sie warfen auch seine gezuckerten Frühstücksflocken weg. Ihre Mom mochte Haferflocken mit Rosinen und schlichte Cornflakes. »Blauschimmelkäsedressing habe ich schon immer gehasst.« Fast schon fröhlich warf sie es in den Mülleimer. »Und auch alles mit Curry.« Sie verzog das Gesicht. In den letzten vierzig Jahren hatte sie jeden Donnerstag Curryrind mit Äpfeln und Rosinen gekocht, und doch wanderte das Currypulver jetzt in den Abfall.

Es war, als würden sie jeden Hinweis auf ihn im ganzen Haus beseitigen.

»Das Bett«, fiel ihrer Mutter ein. Also gingen sie zurück ins Schlafzimmer und zogen das Bett ab. Sein Pyjama lag noch immer unter seinem Kissen. Sie wuschen nichts, sondern warfen einfach alles in den Müll, als ob der Stoff seinen Geruch angenommen hätte und ihre Mutter es nicht mehr ertragen könnte, ihn auf dem Bett zu haben. Sie hatte nicht einmal vorgeschlagen, die Bettwäsche zum Roten Kreuz zu bringen.

»Das riecht nach Tod«, flüsterte sie.

Als die Mülltonnen voll waren und sich die Tüten im Kofferraum und auf den Beifahrersitzen der beiden Wagen stapelten, war von Brees Vater nichts mehr übrig als die Sauerstoffflasche und das Krankenhausbett, in dem er gestorben war. Sobald das Hospiz auch diese Dinge abholte, wären alle Erinnerungen an ihn verschwunden.

»Nach der ganzen Arbeit haben wir uns eine Tasse Kaffee verdient«, meinte ihre Mutter, als ob sie den Frühjahrsputz bewältigt und nicht etwa jeden Hinweis auf die Existenz ihres toten Ehemannes beseitigt hätten.

Wenig später saßen sie in der Küche mit einer heißen Tasse

Kaffee vor sich, als ihre Mutter auf einmal strahlte. »Lass uns heute Abend Tacos essen.«

Brees Vater hatte mexikanisches Essen nie gemocht. Er bevorzugte normale amerikanische Gerichte mit Fleisch, Kartoffeln und Gemüse und sonst nichts.

»Dann werde ich mal ein paar Tacos kaufen gehen«, schlug Bree vor. »Und Sourcream und Salsasoße«, sagte ihre Mom. »Und auch eine dieser Taco-Würzmischungen.«

Er war tot, er war nicht mehr da. Auf einmal taten sie Dinge, die er nie erlaubt hätte, wie abends mexikanisch zu essen. Dann stand ihre Mutter wieder auf, als hätte sie Hummeln im Hintern und könne nicht stillsitzen. Sie holte die Trittleiter aus der Abstellkammer.

»Was hast du vor?«, wollte Bree wissen, als ihre Mutter den Stuhl vor die Küchenschränke stellte.

»Ich will meine Keksdosen.« Die Dosen, die sie nicht alle gleichzeitig auf die Arbeitsplatte hatte stellen dürfen, weil ihr Vater dagegen war.

Als sie die Schränke geleert hatten, stand auf der Arbeitsplatte ein wildes Sammelsurium aus Keksdosen. Dosen in Gestalt von Cinderella und Popeye waren zwischen dem Toaster und der Kaffeemaschine gelandet, ein Schneemann bewachte die Mehl- und die Zuckerdose. Ein dicker Koch mit schwarzem Schnurrbart, eine Entenmutter, ein roter Feuerhydrant und ein Lebkuchenhaus hatten daneben ihren Platz gefunden. Und Dumbo, der Elefant. Den hatte ihr Vater ganz besonders gehasst und ihn als dämliche Konstruktion bezeichnet, weil die Krümel immer in Dumbos Beine fielen. Das stimmte natürlich, aber Dumbo war in leuchtenden Farben angemalt und hatte wunderschöne Augen.

Zusammen starrten sie die bunte Mischung an. »Du könntest das Mehl und den Zucker in Keksdosen füllen, um mehr Platz zu haben«, schlug Bree vor.

»Ich werde es mir überlegen.« Auf dem Gesicht ihrer Mutter zeichnete sich ein leichtes Grinsen ab, als würde sie bereits überlegen, wie viele weitere Dosen sie jetzt, da ihr Mann tot war, kaufen konnte.

Später am Abend, als sie in der Stube vor dem Fernseher saßen und Tacos mit Sourcream und Salsasoße aßen, war auch das Krankenhausbett abgeholt worden. Für Bree war es, als hätte es sich in Luft aufgelöst. Sie war zum zweiten Mal an diesem Tag zum Einkaufen gefahren, und bei ihrer Rückkehr war es verschwunden.

Doch die Essenz ihres Vaters schien auch am Sonntagabend noch da zu sein. Sein Aftershave war im Bad zu riechen, obwohl sie die Flasche weggeworfen hatte, seinem Sessel entströmte trotz des Überwurfs sein Körpergeruch, und sein geisterhafter Schatten schien immer auf dem Fernsehbildschirm aufzutauchen, aber wieder zu verschwinden, wenn sie genauer hinsah. Sie bildete sich sogar ein, das leise Echo seiner fordernden Stimme zu hören, als eine Show zu Ende war und der Bildschirm vor der Werbung kurz schwarz wurde.

Anders als ihre Mutter war sie nicht frei von ihm.

Und sie fragte sich, ob sie es jemals sein würde.

»Wie geht es dir, Baby?«

»Gut.« Durch das Telefon klang Brees Stimme weit entfernt und tonlos.

Vielleicht lag es auch an der Dunkelheit. Es war nach zehn Uhr am Sonntagabend, und er fühlte sich einsam. Der Morgen schien eine Ewigkeit her zu sein. Luke fragte sich, was in den Stunden geschehen war, seitdem sie ihn verlassen hatte. »Haben deine Mom und du schon ein Datum für den Gottesdienst festgelegt?«

»Ich habe dir doch erzählt, dass er eingeäschert wird. Also wird es auch keinen Gottesdienst geben.«

»Ihr könnt doch trotzdem einen Gedenkgottesdienst abhalten lassen.«

»Es würde sowieso niemand kommen.«

Das waren harte Worte, doch er hatte mit dieser Reaktion gerechnet, wenn seine Vermutung vom Morgen korrekt war. »Das wäre auch eher für dich und deine Mom.« So etwas hielt man für die Lebenden und nicht für die Toten ab. Möglicherweise konnte Bree die Sache dadurch leichter verarbeiten.

»Meine Mom hat auch niemanden.«

Jeder hatte irgendjemanden. Oder nicht? Aber er hatte das Gefühl, dass sich Bree noch mehr von ihm distanzieren würde, wenn er das Thema weiterverfolgte. Er war ihrer Mutter nur einmal begegnet und kannte sie nicht. Er wusste nicht, wie sie sich jetzt fühlte. Wenn Bree in jüngeren Jahren etwas zugestoßen war, wusste ihre Mutter davon? Wer konnte das schon sagen!

»Wie geht es deiner Mom?«, erkundigte er sich.

»Es geht ihr gut.« Dann lachte sie auf einmal auf, was fast schon hart klang, bevor sie sich wieder im Griff hatte. »Wir haben heute all seine Sachen rausgeschmissen.«

»Heute?« Seine Leiche war noch nicht mal eingeäschert worden. Es sollte keinen Gottesdienst geben, und jetzt warfen sie an seinem Todestag seine Sachen weg. Bizarr. Aber es konnte gut sein, dass es sie innerlich befreit hatte, das zusammen zu tun. Wer hatte schon das Recht zu beurteilen, was richtig und was falsch war?

»Das war wichtig für sie.« Mehr sagte Bree nicht dazu.

»Was ist mit dir?«

Es dauerte lange, bis sie antwortete. Er zählte die langen Sekunden mit jedem Herzschlag.

»Ich möchte nach Hause«, flüsterte sie. »Glaubst du an Geister?«

»Nein.« Er glaubte an Dinge, die er berühren, sehen und fühlen konnte.

»Ich habe Angst, das Licht auszuschalten.«

»Er ist nicht da, Bree«, murmelte er beruhigend.

»Es gibt einen Ort, an dem er sein könnte.«

»Wo denn?«

Erneut schwieg sie lange Zeit. »Einfach irgendwo.«

Bei diesen Worten wurde ihm das Herz schwer. Großer Gott! Er hatte richtig vermutet. Trotzdem betete er, dass sein Verdacht in die falsche Richtung ging, auch wenn er so eine Antwort auf viele Fragen bekam, die er über sie hatte. »Dann geh nicht dorthin.« Er wartete.

»Du hast Recht«, meinte sie schließlich. »Ich muss da nicht mehr hingehen.«

»Nein, das musst du nicht. Ich werde morgen nach der Arbeit vorbeikommen und nach dir sehen.«

Er rechnete bereits mit ihrem Widerspruch, aber sie sagte nur: »Okay.«

Als sie aufgelegt hatte, wusste er noch immer nicht, wie er sie erreichen konnte, zumindest nicht auf emotionaler Ebene. Mit Ausnahme der wenigen Einblicke in ihren Kopf beruhte ihre Beziehung allein auf Sex. Und so langsam fragte er sich, ob das für sich nicht die schlimmste Art einer Beziehung sei.

Am Montagmorgen tippte Bree in ihrem Büro auf der Tastatur herum. Rachel stand mit einer Kaffeetasse in der Hand vor der Kaffeemaschine, und neben ihr goss Yvonne gerade etwas Milch in ihre eigene Tasse.

»Sie sieht krank aus«, flüsterte Yvonne etwas zu laut. Yvonne flüsterte immer zu laut, aber Bree sah nicht auf.

»Sie ist einfach nur blass.« Rachel war nicht ganz ihrer Meinung. »Sie sieht aus, als ob sie nicht geschlafen hätte, aber nicht, als ob sie krank wäre.«

Bree war um elf Uhr aufgetaucht, eine Stunde später als üblich, zumindest als es in letzter Zeit üblich war. Sie hatte nur gesagt, dass sie auf dem Weg zur Arbeit noch etwas zu erledigen hatte.

»Sie benimmt sich auch irgendwie merkwürdig«, fuhr Yvonne fort.

»Inwiefern?«

»Sie ist zu ruhig.«

»Yvonne«, sagte Rachel verärgert, »sie ist *immer* ruhig.«

»Aber jetzt ist sie auf *merkwürdige* Weise ruhig.«

»Ihr Vater liegt im Sterben. Da verhält sich wohl jeder ein wenig merkwürdig.«

»Hat sie gesagt, wie es ihm geht?«

»Nein.« Bree hatte überhaupt nicht viel gesagt, sondern nur kurz erklärt, warum sie eine Stunde zu spät gekommen war. Allerdings war »Ich hatte noch was zu erledigen« auch nicht gerade eine schlüssige Begründung.

»Die meisten Menschen würden doch mit einem über die ganze Sache sprechen. Ich finde, Erin sollte sie fragen, ob alles in Ordnung ist.«

Es passte gar nicht zu Yvonne, dass sie sie nicht selbst fragen wollte. Sie war eine große Frau von über einem Meter achtzig, und man konnte sie nicht gerade als dünn bezeichnen. Ihre karamellfarbene Haut war faltenfrei, obwohl sie bereits jenseits der fünfzig war – wie alt genau, wusste Rachel nicht, nur dass sie im kommenden Juli Großmutter wurde. Eigentlich interessierte sich Yvonne nicht für Klatsch, sie sah jeden im Büro vielmehr als engen Freund an. Aber heute schien sie aus irgendeinem Grund nicht zu wissen, wie sie auf Bree zugehen sollte.

»Ich werde mit ihr reden«, meinte Rachel schließlich.

»Gut, und vergiss nicht, mir hinterher alles zu erzählen.«

Vor Weihnachten hatte sich Yvonne sehr aufgeregt, weil ihr Rachel nicht sofort alles brühwarm erzählt hatte. Schließlich war Rachel erst seit einigen Monaten bei DKG, während Yvonne schon seit einer Ewigkeit hier arbeitete. Doch in den letzten Monaten hatte Yvonne die Eifersucht überwunden. Vielleicht lag es am Enkelkind. Sie hatte jetzt ganz andere Sorgen.

Bree blickte auf, als Rachel in der Tür stand. Sie blinzelte und schien einen Augenblick zu brauchen, um sich auf das Hier und Jetzt zu konzentrieren.

»Ich habe die Rechnungen und alles fertig, was du mir am Freitag gegeben hast«, berichtete Rachel.

»Schön. Danke! Ich habe gerade alles überprüft. Das hast du gut gemacht.« Brees Stimme klang völlig neutral.

Rachel ging einige Schritte in ihr Büro. »Danke! Ich kann

noch mehr übernehmen, wenn du willst.« Dann beschloss sie, dass dieser Small Talk völliger Blödsinn war und dass sie auch einfach mit der Sprache rausrücken konnte. »Wie war dein Wochenende bei deinen Eltern? Ist alles okay? Geht es *dir* gut?«

Bree war so blass, dass es schwer zu sagen war, ob ihr Gesicht noch mehr an Farbe verlor. Vielleicht lag es an ihren blutleeren Lippen und daran, dass sie keinen Lippenstift trug. Sie schien einige Zeit zu brauchen, bis sie wusste, was sie darauf antworten sollte. »Mir geht es gut. Das Wochenende war …« – Sie hielt einen langen, nachdenklichen Augenblick inne – »… schwierig.«

»Das tut mir leid«, entgegnete Rachel. »Ich kann mir vorstellen, wie schwer das sein muss.« Nein, eigentlich konnte sie es nicht. Ihre Eltern waren noch am Leben. Sie hatte noch nie jemand Nahestehenden verloren. Und ganz bestimmt hatte sie noch niemanden sterben sehen. Aber wenn sie nur daran *dachte*, dass sie jemanden verlieren könnte, wurde ihr schon ganz schwummerig. So war es ihr auch ergangen, als Erin ihren Sohn verloren hatte: Sie hatte es sich nur vorstellen müssen, und schon war es ihr hundeelend gegangen.

»Danke«, erwiderte Bree, deren Finger bereits über der Tastatur schwebten, als ob sie es kaum erwarten könnte, dass Rachel wieder verschwand.

»Wenn du reden willst, dann können wir zusammen Mittag essen gehen.«

»Danke für das Angebot«, antwortete Bree langsam, als ob sie ihre Worte sorgfältig wählen müsste, »aber ich muss noch so viel erledigen, weil ich heute so spät hergekommen bin.«

»Ja, klar, sicher.« Rachel war nicht verletzt. Sie hatte ein deutlich dickeres Fell als Yvonne. Sie wünschte sich nur, dass sie etwas für Bree, ihre Freundin, tun konnte, aber sie ließ sie einfach nicht an sich heran. Rachel hatte noch nie jemanden kennengelernt, der so verschlossen war.

Fast schon als Zugeständnis an sie schob Bree auf einmal einige Rechnungen über den Schreibtisch. »Die waren heute in der Post. Du kannst sie gern eingeben.«

»Gern.« Zumindest konnte ihr Rachel auf diese Weise helfen.

Yvonne stürmte zu ihr, sobald sie von Brees Tür aus nicht mehr zu sehen war. »Was hat sie gesagt?«

»Sie hat gesagt, dass es ihr gut geht.«

»Das ist eine Lüge. Das sehe ich doch. Wir müssen etwas unternehmen.«

»Wir können sie nicht zwingen, mit uns zu reden, Yvonne. Wir haben es ihr angeboten, jetzt müssen wir warten.« Das war in etwa so, als würde man einer Wildkatze Futter hinstellen. Wenn das Schälchen auf dem Boden stand, ging man einige Schritte zurück und ließ das Tier zu sich kommen, wenn es bereit war. Falls es je dazu bereit war. Seltsamerweise schätzte sie Bree so ein, dass sie nie bereit sein würde.

Kapitel 18

Bree wusste nicht, warum sie gelogen hatte. Gut, sie hatte eigentlich nicht gelogen. Im Grunde genommen war ja alles in Ordnung. Ihre Mom kümmerte sich zu Hause um den Totenschein und die Übergabe der Asche. Dabei ging sie so pragmatisch vor, als ginge es gar nicht darum, seinen Körper zu verbrennen. Den Körper eines Mannes. Von ihm waren nur noch Erinnerungen geblieben. Bree wünschte, sie könnte diese zusammen mit seiner Leiche verbrennen.

Auf dem Weg zur Arbeit hatte sie die Medikamente in einer Apotheke abgegeben und dann die ganzen Tüten aus ihrem Wagen beim Roten Kreuz abgeliefert. Am Nachmittag wollte ihre Mom die Sachen aus ihrem eigenen Wagen ebenfalls wegbringen. Dann wären sie wirklich fertig.

Bree spürte überhaupt nichts. Sie war nur etwas erstaunt, dass es so einfach war, all seinen Besitz wegzugeben. Und sie fühlte sich schuldig, weil sie glaubte, irgendetwas fühlen zu *müssen*, was sie jedoch nicht tat. Ihre Mutter schien diese Schuldgefühle nicht zu haben.

Während sie lange Sekunden auf den Computermonitor starrte, nachdem Rachel gegangen war, und ihre Finger über der Tastatur schwebten, wurde ihr auf einmal klar, warum sie nicht gesagt hatte, dass ihr Vater tot war. Weil sie nicht nach Hause gehen wollte. Ihre Mutter jagte ihr eine Heidenangst ein. Es war Montag, der Tag, nachdem er gestorben war, und ihr Verhalten war nicht normal, und dennoch merkte Bree, wie sie ganz darin aufging. Es war, als würden sie überlegen, was sie noch rauswerfen konnten, das mit *ihm* zu tun hatte.

Das Puppenhaus. Sie hätte es am liebsten in Stücke gerissen. Aber sie wollte nicht einmal in seine Nähe gehen. Noch nicht. Vielleicht niemals. Konnte sie einen Molotowcocktail hineinwerfen? Vielleicht würde es sich auch einfach auflösen, wenn sie es lange genug draußen dem rauen Wetter überließ. Auf jeden Fall wollte sie nicht nach Hause, zumindest nicht in das Haus ihrer Mutter.

Aber wenn sie erfuhren, dass ihr Vater tot war, dann würden Erin und Dominic sie wieder dorthin schicken. Als sie im vergangenen Jahr Jay verloren hatten, waren beide zwei Wochen lang nicht zur Arbeit gekommen. Und als sie es schließlich taten, hatten sie verweinte Augen. Sie waren bis heute verändert, auch wenn sie nicht mehr wie am Anfang jede Sekunde trauerten. Manchmal wirkten sie sogar wieder fröhlich, besonders seit Jahresbeginn. Doch die Trauerfalten rings um Erins Mund würden nie wieder verschwinden, und Bree hatte den Blick in ihren Augen gesehen, wenn sie Jays Foto auf ihrem Schreibtisch ansah, voller Liebe, aber auch einer Trauer, die nie aufhören würde.

Bree fühlte sich ganz und gar nicht so. Deshalb würden sie sie bestimmt für herzlos halten. Oder für verkorkst. Was wäre, wenn sie ihnen erzählte, dass ihre Mom seine Sachen bereits weggeworfen hatte? Großer Gott, darüber mochte sie nicht einmal nachdenken!

Wenn sie irgendwohin gehen könnte, dann wäre sie am liebsten zu Luke gegangen. Sie hätte sich in sein Bett gelegt und wäre in seinem Geruch versunken. Selbst wenn er gar nicht da wäre. Wenigstens würde sie ihn an diesem Abend sehen. Er hatte versprochen vorbeizukommen. Wenn Luke da war, würde sie auch mit ihrer Mom und dem Haus fertig werden.

Das Telefon klingelte. Bei der unerwünschten Störung zuckte sie beinahe zusammen. Ihr Herz raste, als sie den Hörer abnahm.

»Ah, Bree«, sagte Denton Marbury mit seiner wie immer viel zu lauten Stimme. Sie hielt den Hörer ein Stück vom Ohr weg, damit ihr nicht das Trommelfell platzte. »Ich habe Ihnen mehrere Nachrichten hinterlassen, Bree. Sie haben mich nicht zurückgerufen.«

Tja, ich war mit meinem sterbenden Vater beschäftigt. Das sagte sie natürlich nicht, auch wenn sie ihn gerne schockiert hätte. Bei Denton Marbury, einem Mann mit einem Fell so dick wie bei einem Gürteltier, hätte es vielleicht nicht einmal funktioniert. »Ich war sehr beschäftigt, Mr Marbury, aber ich hätte Sie auf jeden Fall heute noch angerufen«, log sie. Sie hatte *vergessen*, einen Termin mit ihm zu machen, obwohl er das bei ihrem Treffen in der Woche zuvor von ihr verlangt hatte. Und sie fühlte sich nicht einmal schlecht deswegen.

»Ich habe Ihre Akten durchgesehen«, sagte er.

Bei diesen Worten überkam sie das Gefühl, er hätte eine Grenze übertreten, das sie jedoch schnell unterdrückte. Er sollte ihre Akten durchsehen, aber es gefiel ihr dennoch nicht, dass seine schleimigen Flossen irgendetwas berührten, was ihr gehörte. »Haben Sie irgendwelche Fragen?« Natürlich hatte er die. Er hatte immer Fragen, fand Fehler oder machte Vorschläge, wie sie etwas besser machen konnte.

»Wir müssen uns mal ernsthaft über Ihre Vorgehensweise unterhalten, bevor wir uns überhaupt auf diese Betriebsprüfung vorbereiten können.«

Sie verdrehte die Augen und rieb sich die Schläfen. »Ich kann Ihnen Ihre Fragen sofort beantworten.«

»Oh nein, nein, nein«, erwiderte er. »Das müssen wir von Angesicht zu Angesicht erledigen. Sie haben wohl vergessen, worum ich Sie letzte Woche gebeten habe. Sie müssen für einige Stunden in mein Büro kommen.«

Für einige *Stunden*? Das war doch Blödsinn. Dennoch wies sie ihn nicht zurecht. Das tat sie nie. Allerdings begehrte ein kleiner Dämon in ihrem Kopf auf. »Leider kann mich Erin momentan nicht entbehren. Aber wenn Sie herkommen, kann ich bestimmt etwas Zeit für Sie erübrigen.« Ha! Ihre Verwegenheit versetzte sie selbst in Erstaunen.

»Tja, wenn Erin Sie wirklich nicht entbehren kann …« Er ließ den Satz bedeutungsschwanger in der Luft hängen.

»Das kann sie *nicht*«, entgegnete Bree entschieden. »Soll ich sie herbitten, damit sie es Ihnen bestätigen kann?«

»Nein, nein, nein«, antwortete er sofort. »Ich verstehe Erins Bedürfnisse durchaus.«

Genau. Er verstand *Erins* Bedürfnisse, aber Brees waren ihm egal. Warum nahm sie diesen Mist überhaupt noch hin? Warum sagte sie ihm nicht einfach die Meinung, wie es Erin tun würde? Sie war so ein Feigling.

»Dann lassen Sie uns für diese Woche einen Termin ausmachen.«

»Donnerstag«, schlug sie vor. An diesem Tag wäre sie vermutlich nicht bei der Arbeit, weil sie Erin bis dahin vom Tod ihres Vaters erzählt haben würde. Erin würde darauf bestehen, dass sie sich einige Tage freinahm. Aber wenn sie sich vor dem Treffen mit Marbury drückte, schob sie das Unausweichliche nur auf. Es hatte ja auch nichts gebracht, dass sie ihn in den letzten Tagen ignoriert hatte.

»Donnerstag um neun Uhr passt mir gut«, bestätigte er.

»Gut. Auf Wiederhören!« Sie konnte hören, dass er noch etwas sagte, legte aber dennoch auf. Jetzt konnte er herumschreien, so viel er wollte. Am Donnerstag würde sie ihm seine dummen, kleinlichen Fragen beantworten, die vermutlich völlig unwichtig waren, und sie konnte das hier in ihrem *eigenen* Revier tun. Sie war nicht gern allein mit ihm in seinem Büro. Er schloss immer die Tür, und obwohl er sie nie anfasste, fühlte sie sich allein durch seine Nähe unwohl.

Um vierzehn Uhr dreißig kam Erin in ihr Büro und schickte sie nach Hause. Sie konnte kaum zugeben, dass ihre Mutter sie nicht mehr brauchte, weil ihr Vater bereits tot war. Tot, tot, tot.

Also ging sie. Sie überlegte, ob sie zum Marktplatz von Los Gatos fahren und sich auf den Rasen setzen sollte, um sich an diesem perfekten, wolkenlosen Tag ein wenig zu sonnen. Stattdessen fuhr sie nach Hause, weil sie sich fragte, was in Herrgotts Namen ihre Mutter schon wieder angestellt haben mochte, während sie weg war.

Doch es war nicht ihre Mom, um die sie sich Gedanken machen musste, sondern Luke. Er war bereits dort und mähte in Anzughose den Rasen, wofür er die Ärmel seines weißen Hemds hochgekrempelt hatte.

»Was machst du denn?«, rief sie. Er war früher von der Arbeit gekommen und hatte sie nicht einmal angerufen. Ihre Mutter musste das natürlich sofort ausnutzen und ihn zur

Arbeit abkommandieren. Er würde sich noch die Kleidung ruinieren.

Doch er legte einfach die Hand auf sein Ohr, tat so, als könnte er sie nicht hören, und machte weiter.

»Du hast ihn gezwungen, den Rasen zu mähen«, fuhr sie ihre Mutter an, nachdem sie das Haus betreten hatte.

Doch ihre Mutter blieb ganz ruhig. »Er hat es selbst angeboten.«

»Du musst etwas gesagt haben.«

»Ich habe nur gesagt, dass der Rasenmäher nicht anspringt.« Sie hatte Mehl auf der Schürze und stach gerade Kekse aus dem vor ihr ausgerollten Teig aus.

»Mom.« Bree war sich sicher, dass sie es nicht einmal versucht hatte.

»Ich backe ihm Kekse. Wenn der Rasen gemäht ist, können wir sie essen. Das ist doch ein fairer Handel.«

Und Bree konnte mit ihm schlafen. Himmel, so wären alle zufrieden. Sie hätte am liebsten laut geschrien. »Mom, bitte.«

»Ich mag ihn. Er ist ein guter Mann, das sehe ich.« Klar, weil ihre Mutter den Charakter eines Mannes auch so gut einschätzen konnte. »Und er ist gut für dich. Eine Frau braucht einen Mann, der für sie sorgen kann.«

Dieses Gespräch hatten sie doch schon einmal geführt. »Er muss nicht für mich sorgen.« Sie wollte keinen Mann, der für sie sorgte. Wenn man finanziell von einem abhängig war, dann konnte man nie verschwinden, wenn man es wollte. Es war genau so, wie ihre Mutter es gesagt hatte: Sie konnte nicht gehen, weil sie Angst hatte, dass sie etwas Schlimmeres erleben würde. Genau das wollte Bree niemals durchmachen.

Es war ja nicht so, dass Luke ein schlechter Kerl war. Er

war kein Mr Arschloch Marbury. Aber sie wollte trotzdem nicht finanziell von Luke abhängig sein.

Allerdings war ihr bewusst, dass sie gelegentlich auf andere Art von ihm abhängig war – wenn sie beispielsweise sehr gestresst oder kurz vor dem Durchdrehen war – und dass das für sie genauso viel bedeutete.

»Wir könnten ihm sein Leibgericht kochen«, schlug ihre Mutter mit begeisterter Stimme vor, als sie die Kekse auf ein Backblech legte. »Es heißt doch, der Weg zum Herzen eines Mannes geht durch seinen Magen.«

Äh, nein. Der Magen eines Mannes hatte nichts damit zu tun. »Ich weiß nicht, was er am liebsten isst.«

Ihre Mutter sah sie entgeistert an. »Wieso weißt du das nicht?«

Okay, was hatte Luke ihr darüber gesagt, wie lange sie sich kannten? Bree konnte sich nicht mehr genau an die Lüge erinnern. Es fiel ihr immer schwerer, all die Lügen zu behalten, all die Geheimnisse zu bewahren. »Das war unsere erste Verabredung, Mom.« Sie hatte ihrer Mom nicht erzählt, dass sie beim Bowling waren. Hätte sie das getan, wäre ihre Mutter vermutlich nicht mehr so begeistert von ihm gewesen. »Wir haben Pizza gegessen.«

Ihre Mutter schloss die Augen und lächelte verträumt. »Dein Vater hat Pizza gehasst.« Dann schlug sie die Augen auf. »Selbst zusammengestellt?«

»Ja.«

»Oh, wie schön!« Dann grinste sie, sodass ihre Zähne zu sehen waren, denen man das jahrelange Kaffeetrinken ansah. »Dann mag er bestimmt auch Lasagne.« Sie schob zwei Backbleche in den Ofen und stellte den Timer.

Anstatt ihn in den Augen ihrer Mutter herabzusetzen, schien sein Ansehen noch gestiegen zu sein. »Keine Ahnung.« Himmel, ihre Mutter wurde ja zur Kupplerin! »Wir sollten wirklich mal über das reden, was noch zu regeln ist. Seine Lebensversicherung, die Bankkonten, all diese Dinge.«

»Er hat mir eine Liste mit allem dagelassen, was ich erledigen muss.« Wenigstens hatte er das für sie getan. »Ich werde mich da durcharbeiten.«

»Ich kann dir helfen.«

»Du hast doch schon genug um die Ohren. Dein Vater hat bereits alles geregelt, daher ist nicht mehr viel zu tun. Er hat ein Treuhandkonto angelegt.«

»Oh!« Bree hatte nie nach solchen Dingen gefragt. Das hätte sie während dieser unerträglichen Sonntagstreffen ruhig mal machen können, vor allem, nachdem er krank geworden war.

Ihre Mutter stand bereits vor dem offenen Kühlschrank und goss ein Glas Limonade ein. »Luke hat bestimmt Durst. Bringst du ihm das bitte?«

Es war einfach unmöglich, mit ihrer Mutter eine vernünftige Unterhaltung zu führen. Aber vielleicht war sie ja doch nicht so unfähig, wie ihr Vater immer behauptet hatte.

Luke schob den Rasenmäher gerade wieder in die Garage.

»Hast du den Rasen hinten auch gemäht?«, erkundigte sie sich.

»Das mache ich am Wochenende. Das ist ja viel mehr als hier vorne.«

Sie war dankbar dafür, dass sie es nicht selbst machen musste. Unter seinen Armen hatten sich Schweißflecken gebildet, aber sie mochte seinen Geruch, der sauber und nicht sauer war. »Ich soll dir von Mom Limonade bringen, und sie möchte wissen, ob du Lasagne magst.«

»Ich mag beides.«

»Sie ist selbstgemacht.«

»Das ist ja noch besser.«

»Warum mähst du an einem Montagnachmittag bei meiner Mutter den Rasen? Hast du nichts Wichtigeres zu tun wie eine Vorstandssitzung oder anderen Geschäftsführerkram?«

Er legte ihr einen Finger auf die Nase und fuhr ihr dann mit der Fingerspitze über die Lippen. »Du hast gesagt, du machst früh Feierabend, und ich wollte hier sein, wenn du kommst.«

Seine Berührung hatte etwas an sich, das bewirkte, dass sie weiche Knie bekam. Er war so zärtlich. Sie dachte an Marbury und seine schroffe Stimme, wie ihr allein deren Klang auf die Nerven ging. Wie anders war es bei Luke, seine Stimme war tief und resonant. Wenn ihre Nerven darauf reagierten, dann nur auf äußerst positive Weise.

Dann überlegte sie, auf welche Weise eine Frau abgesehen vom Geld noch von einem Mann abhängig sein konnte. Er bot ihr sämtliche Varianten. Sie sehnte sich nach seiner Berührung, auch wenn sie wusste, dass diese Sehnsucht nicht gut war. Sie liebte den Geschmack seines Spermas, obwohl sie wusste, dass ihr eigentlich schlecht werden sollte, wenn sie es schluckte. Wenn er diese perversen Worte mit seiner Stimme sagte, ließ er sie alles andere vergessen, die schlimmen Erinnerungen daran, wie sie von anderen Männern Schlampe und Hure genannt worden war. Es gab so vieles am Sex vor der Ehe, das böse und unmoralisch war, und doch brachte Luke sie dazu, all das zu wollen. Bei ihm wollte sie sogar einen Orgasmus haben. Bei ihm wollte sie alles, was schlecht für sie war.

All das sagte sie natürlich nicht. Stattdessen erzählte sie ihm, dass ihre Mutter eine großartige Lasagne machen würde, die ihr Vater sogar gemocht habe, obwohl er lieber langweiliges Fleisch mit Kartoffeln aß.

* * *

»Warum geht ihr jungen Leute nicht ein Eis essen? Es ist endlich wieder schön und warm draußen, nachdem es so lange geregnet hat.«

Junge Leute? Mrs Mason war ein wandelnder Anachronismus. Sie konnte nicht viel älter als fünfundsechzig sein, redete aber wie eine zwanzig Jahre ältere Frau und benahm sich auch so. Beim Lasagneessen erfuhr Luke, dass sie ihr Leben lang Hausfrau gewesen und nie aufs College gegangen war, da sie Brees Vater direkt nach dem Highschoolabschluss geheiratet hatte. Sie waren vorher drei Jahre zusammen gewesen, und er war fünf Jahre älter als sie. Was bedeutete, dass ein zwanzigjähriger Mann mit einem fünfzehnjährigen Mädchen ausgegangen war. Ja, Luke konnte rechnen.

Falls – *falls* – Brees Vater seine Tochter auf irgendeine Art missbraucht hatte, so bezweifelte Luke, dass die Mutter davon gewusst hatte. Sie wirkte zu … mütterlich.

Er erfuhr auch einige andere Dinge über die Masons, beispielsweise, dass Bree ein Wunschkind gewesen war, nach zehn Jahren Ehe, als sie schon geglaubt hatte, sie würden keine Kinder mehr bekommen, und viele ähnliche Dinge. Allerdings hörte er nichts, das ihn Bree besser verstehen ließ.

Natürlich hätte er Bree einfach wegen ihres Vaters fragen können. Ein anderer Mann hätte das vielleicht getan. Aber sie musste auch darüber sprechen wollen, und das sollte sie lieber dann tun, wenn sie dazu bereit war.

Mrs Mason stand vom Tisch auf und begann, das Geschirr abzuräumen.

»Ich mach das schon«, sagte sie zu Bree, als diese aufstand, um ihr zu helfen, und machte eine abwehrende Handbewegung. »Zieh dir was Nettes an. Luke wird so lange auf dich warten.«

Bree sah unsicher zwischen ihm und ihrer Mom hin und her. »Ich habe nur Arbeitsklamotten mit hergebracht.«

Er wollte mit Bree ausgehen, wie es ihre Mutter vorgeschlagen hatte, und es war ihm egal, was Bree dabei trug. Sein Hemd war nach dem Rasenmähen ohnehin nicht mehr sauber, daher hatte er die Anzugjacke übergezogen, um die Flecken zu verbergen. Vielleicht sollte er mit Bree erst zu sich nach Hause fahren. Ja, das war eine gute Idee. »Sie sieht doch in dem, was sie anhat, wunderschön aus.«

Mrs Mason lächelte zufrieden und warf Bree einen Blick zu, der offensichtlich sagen sollte: »Siehst du, du gefällst ihm in allem.« Sie war eine seltsame Frau. Als er hierhergekommen war, hatte er ihr sein Beileid ausgesprochen, woraufhin sie sich bedankt hatte, um dann sofort zur Tagesordnung überzugehen, als wäre ihr Mann nicht am Vortag gestorben. Er war sich nicht ganz sicher, wie es dazu gekommen war, dass er schließlich für sie den Rasen im Vorgarten gemäht hatte. Eigentlich war das auch unwichtig, da er gern geholfen hatte. Aber wenn sie in Trauer war, dann vergrub sie das so tief in sich, dass von diesem Gefühl nichts an die Oberfläche trat.

Jetzt wedelte sie mit einer Hand, um sie aus dem Haus zu scheuchen. »Dann mal los mit euch! Viel Spaß! Ich werde nicht aufbleiben.«

»Ich werde Bree wieder wohlbehalten nach Hause bringen.« Er sagte nicht, dass sie früh nach Hause kommen würde, denn er hatte einiges mit ihr vor.

Als sie im Wagen saßen, flüsterte Bree, als hätte sie Angst, dass ihre Mutter ihre Worte hören könnte. »Was war das denn?«

»Vielleicht denkt sie, dass du ein bisschen Spaß gebrauchen kannst.« Er ließ den Motor an und fuhr aus der Auffahrt.

»Sie drängt mich dir ja förmlich auf.«

»Sie hat nur etwas vorgeschlagen, das ist nicht dasselbe.« Unter anderen Umständen wäre das auch völlig normal gewesen, aber da ihr Ehemann gerade erst gestorben war, kam ihm das schon reichlich merkwürdig vor. Er wäre davon ausgegangen, dass sie sich über Gesellschaft freuen würde, anstatt sie zu verscheuchen.

»Hast du sie gefragt, ob du mit mir ausgehen darfst, bevor ich nach Hause gekommen bin?«

Er warf ihr einen Blick zu. Sie blähte die Nasenflügel wie ein wütendes Tier.

»Ich habe überhaupt nichts arrangiert.« Er fuhr auf die Hauptstraße in Richtung Freeway. Es war noch so früh, dass der Berufsverkehr nicht abgeflaut war. »Geht es ihr gut?«

»Ja.«

»Ich meine, wegen deines Dads.«

»Ich habe dir doch erzählt, dass sie all seine Sachen rausgeschmissen hat. Sie kann es gar nicht erwarten, ihn aus ihrem Leben zu verbannen.«

Bree war definitiv wütend, allerdings war ihm nicht klar, ob sie sich über ihn oder ihre Mutter ärgerte. Oder sogar über ihren Vater. »Sie braucht eine Trauerbegleitung«, meinte er. Am besten gleich mit Bree zusammen.

Sie sah ihn merkwürdig an. Eigentlich sollte er ja der Dom und sie die Sub sein, aber in diesem Blick schwang keinerlei Unterwürfigkeit mit. »Warum schlägst *du* ihr das nicht vor?«

Das war eine Seite von Bree, die er noch nie zuvor gesehen hatte. Normalerweise ließ sie sich ihren Ärger nicht so offen anmerken. Auf seltsame Weise fand er das sogar beruhigend. Dass sie ihn daran teilhaben ließ, bedeutete, dass sie ihm wirklich ein wenig vertraute. »Ich kann mit ihr reden, wenn du willst«, bot er an, obwohl er die Antwort bereits kannte.

»Sie will mit niemandem reden. Nicht einmal mit mir.« Mutter und Tochter waren sich da offenbar sehr ähnlich. »Bringst du mich zum Ficken in dein Haus?«, fuhr sie ihn dann an, bevor er noch etwas anderes sagen konnte.

Oje! Er hatte irgendetwas gesagt, das sie in den falschen Hals bekommen hatte. »Ist es das, was du willst?«

Sie starrte ihn an, und ihr frecher Blick erregte ihn. Auf einmal war er auf unerklärliche Weise steif und bereit. Denn genau so wollte er sie haben. Sie sollte bestimmen, wo es langging. Sie sollte fordernd auftreten und furchtlos.

»Ich denke, du solltest all die Versprechungen, die du gemacht hast, langsam in die Tat umsetzen«, sagte sie und lehnte sich von innen an die Wagentür.

Er reihte sich in den Verkehr auf dem Freeway ein, bevor er antwortete. »Welche Versprechungen?«

»Die beim Telefonsex. Die Geschichten darüber, wie du mich in einen Sexklub bringen willst, wie du sehen möchtest, dass mich all die anderen Männer begehren. All diese Versprechungen.«

Das waren keine Versprechungen, das waren Fantasien. Nachdem ihn ihre Geschichte über die beiden Doms derart in Rage versetzt hatte, war er nicht gerade begierig darauf, die Fantasien real werden zu lassen. »Davor habe ich dich gerettet, als ich dich Derek weggenommen habe.«

»Vielleicht hat mir ja gefallen, was Derek mit mir gemacht hat.«

Am liebsten hätte er das Lenkrad herumgerissen, wäre auf den Standstreifen gefahren und über sie hergefallen. Sie erregte ihn sogar, wenn sie wütend war. Woher kam das alles nur? Sehnte sie sich tatsächlich nach einem anderen Mann?

Dann begriff er es schlagartig. Sie machte genau dasselbe wie am Vortag, als sie nach dem Tod ihres Vaters zu ihm gekommen war. Sie wollte ihn dazu anstacheln, sie zu bestrafen.

Vielleicht sollte er ihr einen Vorgeschmack auf das bieten, was sie verlangte, um sie daran zu erinnern, wie schlimm sie es wirklich bei Derek gehabt hatte. Damit sie wusste, wie viel besser es ihr bei ihm erging. »Okay. Du hast darum gebeten, also wirst du es bekommen.«

Er würde ihr eine Lektion erteilen, die sie nicht so schnell vergessen könnte. Ebenso wenig wie er. Schon allein beim Gedanken daran wurde er noch härter.

Kapitel 19

Sie hatte ihn wütend gemacht. Luke wurde nie wütend, er tat immer nur so. Normalerweise. Aber dieses Mal hatte Bree es übertrieben. Genauso, wie ihre Mutter es übertrieben hatte. Und, ja, Bree war ebenfalls sauer.

Ihre Mom wollte sie Luke andrehen, um ihre eigene Schuld zu vergessen und sich in Sicherheit wiegen zu können. *Ja, kümmere dich nur um Bree. Dann muss ich es wenigstens nicht tun.*

Sie ärgerte sich über beide.

Darum hatte sie Luke auch so angefahren. Während der Fahrt zu seinem Haus herrschte im Wagen eisiges Schweigen. Er ließ sie sogar im Wagen warten, als ob er sie nicht im Haus haben wollte. Vielleicht hatte er auch Angst vor dem, was er ihr sonst antun würde. Dieser Gedanke elektrisierte sie. Er tat nicht nur so, er war wirklich wütend. Das wirkte auf sie gleichzeitig erregend und einschüchternd. Doch nach genau diesen Emotionen sehnte sie sich, und die Angst war für sie ebenso wichtig wie die Lust.

Als er zum Auto zurückkehrte, trug er einen Smoking. »Ich bin keiner deiner Bikerfreunde«, sagte er, nachdem er ihre prüfenden Blicke bemerkt hatte. »Ich habe mehr Klasse.«

Da hatte er allerdings Recht. Das Schwarz und Weiß passte sehr gut zu seinem dunklen Haar und den braunen Augen, und er sah umwerfend aus. Er hatte sich nicht rasiert, sodass sich erste Bartstoppeln in seinem Gesicht abzeichneten.

Sie fuhren über die Dumbarton Bridge zur East Bay in ihre kleine Wohnung. Er beobachtete sie mit Adleraugen, während sie ihre Blumen goss, und ging dann im Schlafzimmer ihren Kleiderschrank durch. Als er gefunden hatte, was er suchte, zog er einen Bügel heraus und sagte: »Das.«

Er hatte sich für ein schwarzes Spitzen-Bustier entschieden, das mit burgunderrotem Satin gefüttert war. Nachdem er es ihr zugeworfen hatte, suchte er weiter. Sie zog sich aus, ohne dass er sie eines Blickes würdigte. Ihre Oberweite war nicht nennenswert, doch als sie das Bustier ganz zugeschnürt hatte, sprangen ihre Brüste beinahe heraus, und ihre Nippel sahen fast über den Rand.

Er strich über einen Rock, drehte sich zu ihr um und hielt inne. »Jetzt siehst du aus wie die Schlampe, die du auch bist«, sagte er. »Reif zum Ficken. Bist du bereit, dich jedem Mann hinzugeben, den ich für richtig erachte?«

Ihre steifen Nippel drückten gegen den Rand des Bustiers, und sie zitterte vor Begierde. »Du bist mein Meister. Ich muss tun, was du sagst.«

Er stellte sich vor sie und nahm ihr Kinn zwischen Daumen und Zeigefinger. »Und es wird dir ebenso gut gefallen, wie es dir bei Derek gefallen hat«, flüsterte er ihr geheimnisvoll zu.

Am Ende hatte es ihr bei Derek gar nicht mehr gefallen. Er hatte sie ohne Lust oder Gefühle missbraucht und ihr dafür nichts als stinkende Männer gegeben. Sie hatte sich eine Fantasie erfüllen wollen, von Derek jedoch die brutale Realität erhalten.

Luke war anders. Während ihr Ärger verebbte, betete sie, dass er ihre Fantasie erfüllen würde. Auch wenn sie eigentlich gar nicht wusste, wie diese genau aussah. Aber er war ihr Meister, und er würde es in ihren Gedanken lesen, es für sie herausfinden, da war sie sich sicher.

»Ich muss tun, was immer du sagst, Meister«, wiederholte sie.

Sein Blick hielt sie gefangen. »Ich könnte dich dazu zwingen, einen dicken Schwanz so tief in den Mund zu nehmen, dass dir übel wird.«

Sie schluckte schwer. Ihr Herz klopfte.

»Ich könnte dich fesseln und dich von einem Mann mit Gewalt nehmen lassen.«

Sie bekam eine Gänsehaut, obwohl es gar nicht kalt im Zimmer war.

»Dann werde ich dich vor all den anderen Leuten nehmen«, flüsterte er ihr die letzte Drohung ins Ohr.

Vor ihrem inneren Auge saugte sie an einem wunderschönen Schwanz, der nach Honig schmeckte, stellte sich vor, wie sie von einem gut aussehenden grauhaarigen Mann gefickt, mit Gewalt genommen wurde, während Luke zusah. Dann konnte sie sich ihrem Meister hingeben und die ultimative Bestrafung erhalten. Das alles klang nach den Dingen, die ihr Derek ebenfalls hatte aufzwingen wollen, doch bei Luke klangen sie aufregend. »Ja, Meister.« Ihre Stimme war kaum mehr als ein Flüstern.

Da er so dicht vor ihr stand, konnte sie seine Gesichtszüge kaum erkennen, als er sie aufforderte: »Zieh das an, Hure!«

Seine Worte, die sie zu streicheln schienen, ließen sie erzittern, und als sie den Stoff berührte, merkte sie, dass es ein

Rock war. Ein weiter schwarzer Faltenrock. Sie hielt ihn einen Augenblick fest.

»Kein Höschen. So kann ich ihn einfach hochheben und mit dir angeben, wenn ich will.«

Brees Herz klopfte schneller, und ihr Verlangen wuchs, während ihre Gedanken, ihre Fantasien sich überschlugen.

Aus ihrer Unterwäscheschublade holte er ihre Netzstrümpfe hervor, während sie den Rock anzog und den Slip auf den Boden warf. Dann stand sie barfuß und in Netzstrümpfen, Rock und Bustier vor ihm, und er umkreiste sie.

»Nuttige Kleidung. Perfekt. Jetzt fehlen nur noch die Schuhe.«

Er nahm ein Paar hohe High Heels aus dem Schrank, in denen sie ihn um einige Zentimeter überragte.

Daraufhin machte er einige Schritte nach hinten und musterte sie prüfend, während er sich über das Kinn strich, bis ihm auffiel, was noch fehlte. »Make-up. Tonnenweise nuttiges Make-up.«

Sie legte dick Mascara, Rouge und einen pflaumenroten Lippenstift auf, während er in der Tür stand und sie beobachtete.

Als sie sich umdrehte, wirkte er zufrieden. »Das sollte reichen. Aber eine Kleinigkeit fehlt noch.« Er hielt ihr ein schwarzes Lederhalsband hin, das mit bunten Strasssteinen besetzt war. »Um dich als meinen Besitz zu kennzeichnen«, meinte er.

Derek hatte ihr das Halsband gekauft, in dessen Mitte ein silberner Ring baumelte.

Sie band es sich um den Hals. »Brauchst du die Leine, Meister?«

Als Derek das Halsband und die Leine benutzt hatte, war sie gut damit klargekommen. Gestört hatte sie nur seine Einstellung, wenn er daran gezerrt hatte, sodass sie das Gleichgewicht verlor, oder sie auf die Knie gezwungen hatte, um an etwas Ekligem zu saugen. Als er sie leid gewesen war, hatte er angefangen, sie wegzugeben.

War Luke ihrer ebenfalls überdrüssig? Sie spürte einen Anflug echter Angst in sich aufwallen. Nein. Noch nicht. Er spielte nur mit ihr, weil sie ihn verärgert hatte.

»Ich brauche keine Leine«, erwiderte er mit rauer Stimme. »Einige Hunde sind so gut trainiert, dass ihr Herr nur mit dem Finger schnippen muss, und sie gehorchen.«

Die grausamen Worte taten ihr weh. *Sei vorsichtig, was du dir wünschst.* Aber sie hatte darum gebeten, ihn dazu gebracht, und jetzt würde sie es auch durchstehen.

Das war das Problem mit Derek gewesen. Sie hatte die Kontrolle über ihn verloren. Er zwang sie zu Dingen, die sie gar nicht tun wollte. Bis Luke sie gerettet hatte. Würde ihr Retter sie zu guter Letzt auch missbrauchen?

Im Wagen bestrafte er sie mit seinem Schweigen. Während der einstündigen Fahrt war sie eine Million Mal kurz davor zu sagen: »Ich habe meine Meinung geändert. Das ist nicht das, was ich will.«

Aber sie sprach es nicht aus.

In den sechs Monaten, die sie jetzt bei ihm war, hatte Luke ihre Treffen immer besser werden lassen. Stets hatte er sich selbst übertroffen. Bis er ihr schließlich in ihrer Wohnung und erneut am Sonntagmorgen genau das gegeben hatte, was sie brauchte. Daher vertraute sie darauf, dass es ihm auch jetzt wieder gelingen würde. Er hatte einen Plan.

Er würde dafür sorgen, dass alles gut wurde. Bei ihm würde sie die Stunden im Schlafzimmer ihrer Mutter vergessen können, in denen sie die Sachen ihres Vaters hatte anfassen, seinen süßlichen Geruch riechen und eine Tüte nach der anderen mit den Überresten seines Lebens hatte füllen müssen.

Luke parkte in einem Parkhaus einige Blocks von dem zwielichtigen Klub entfernt, in dem er sie erstmals bei Derek entdeckt hatte. Er nahm ihre Hand, und zusammen gingen sie relativ langsam die dunkle Straße entlang, da sie in den hohen Schuhen nicht so schnell laufen konnte. Bisher hatte er nur das Nötigste zu ihr gesagt. Nachdem er das Eintrittsgeld für sie beide bezahlt hatte, zog er ihr in der Lobby das Bustier herunter, sodass ihre Nippel heraussprangen.

»Sie sollen sehen, was sie erwartet.« Er musterte sie kritisch und kniff dabei fest in beide Brustwarzen. Ein Stromstoß schien ihr direkt bis in die Klit zu fahren. Was die meisten Frauen zum Weinen gebracht hätte, brachte ihr Blut in Wallung.

»So, jetzt sind sie beide schön rot und lecker.« Er legte den Kopf schief. »Vielleicht sollte ich dich verkaufen.« Dann sah er ihr in die Augen. »Wie viel bist du wohl wert?«

Sie bekam einen trockenen Mund. Derek hatte versucht, sie zu verkaufen. »Keine Ahnung.«

Er zuckte nur mit den Achseln, nahm ihre Hand, öffnete die Tür zur Lobby und ging mit ihr die Treppe hinauf zu einem Ort, an dem es keine Regeln gab.

Sie sah umwerfend aus. Ihre kleinen Brüste wirkten keck, und ihre Nippel waren rot, steif und einladend. Sie war ihr

Gewicht in Gold wert für jeden Mann, der das bezahlen konnte. Und sie gehörte ihm.

Luke hatte sich für den schmierigen Klub entschieden, in dem er sie zum ersten Mal gesehen hatte. Damals hatte er die Ausschweifungen mit angesehen und die Träne bemerkt, die ihr über die Wange gelaufen war. Und als Derek, der Schläger, sie daraufhin geschlagen hatte, war Luke durchgedreht. Nachdem er den Kampf gewonnen hatte, warf er Leine und Halsband weg, nur um jetzt herauszufinden, dass sie beides noch immer tragen wollte.

Der Kommentar mit dem Hund war unter seiner Würde gewesen und zu weit gegangen. Dennoch war er erstaunt, wie tief seine Gefühle reichten. Er wollte nichts Normales. Er wollte sie nicht mit anderen teilen. Am heutigen Abend würde sie seine Grenzen kennenlernen und merken, wie weit sie bei ihm gehen konnte, bis er sich widersetzte.

Er verabscheute Gewalt gegen Frauen, selbst wenn sie im gegenseitigen Einverständnis geschah, daher ging er an den Räumen vorbei, in denen Peitschen, Paddles und sogar Haarbürsten an den Wänden hingen. Mit der Hand spankte er sie ganz gerne mal, aber diese Instrumente verletzten die Haut. Zwar ging es hier im Vergleich zum vierten Stockwerk des Klubs noch harmlos zu, in dem sich die Hardcore-BDSM-Anhänger trafen und wo es Käfige gab und Zimmer, die aussahen wie Kerker und in denen die Subs an die Wände oder an mittelalterliche Folterwerkzeuge gefesselt wurden. Im dritten Stock fanden gleichgeschlechtliche sexuelle Handlungen statt, doch er hatte sich an diesem Abend für die zweite Etage entschieden, in der fast nur Heterosex praktiziert wurde, in der es aber heiß herging.

Da es noch relativ früh am Montagabend war, herrschte nur wenig Betrieb. Der Boden bestand auf diesem Stockwerk aus Hartholz, an den Decken befand sich falscher Stuck, und die Türgriffe waren reich verziert. In früheren Zeiten hatte dieser viktorianische Stil eine andere, stilvollere Klasse beherbergt. Trotz seines Smokings stufte er sich in eine andere, minderwertigere Kategorie ein, die aus Männern in Jeans und Lederkleidung bestand, mit zerrissenen T-Shirts oder nackter Brust und Frauen mit Halsbändern, Leinen und sehr wenig Kleidung. Bree hatte noch wesentlich mehr an als viele andere.

Ein junger Mann mit pinkfarbenem Haar und einem Nasenring drängte sich an ihnen vorbei. Bree starrte das Spektakel um sich herum mit großen Augen an, als ob sie nicht selbst schon viele Male hier gewesen wäre.

Es waren natürlich auch noch einige standesgemäßer gekleidete Männer zu sehen, die Anzüge oder sogar raffinierte Kostüme trugen, durch die er an die 60er-Jahre oder *Austin Powers* erinnert wurde, sowie Frauen in formeller Kleidung, aber sie bildeten die Ausnahme. Montagabends kamen nur wenige Stammgäste, die zum BDSM-Klientel gehörten, und dieser Klub zog sie auch nicht gerade an. Eigentlich war er zu simpel für die meisten Leute mit diesen Neigungen. Aber für seine Absichten reichte er völlig aus. Er wollte Bree einen weiteren Einblick in die schäbigen Abgründe bieten und ihr zeigen, wie ihr Leben aussehen *könnte*, wenn er nicht gewesen wäre.

Er zog sie durch eine Tür. Im Raum hatten mehrere Paare Oralsex, wobei die Frauen den Männern einen bliesen und gelegentlich ein Partnerwechsel stattfand. Natürlich wusste er, dass viele Männer lieber der Sub waren, aber an diesem Abend schienen sie sich woanders herumzutreiben.

Als er Bree beobachtete, sah er, wie sie mehrfach schwer schluckte.

»Soll ich dich da reinschleifen und dich zwingen, vor dem auf die Knie zu gehen?«, fragte er und deutete auf einen Jungen mit pickligem Gesicht, der gerade mal die Altersgrenze zum Betreten des Klubs überschritten haben mochte und dessen Augen glasig waren, während er von einer üppigen Frau mit dem Mund bearbeitet wurde.

In den meisten Klubs waren Single-Männer nicht gestattet. Man musste entweder eine weibliche Begleitung mitbringen oder eine Einladung vorweisen können. Auf diese Weise hielt man sich unerwünschte Gäste vom Leib und verringerte das Risiko, dass es Ärger geben könnte. Aber wenn man genug Geld hatte, sah man hier gern über derartige Nichtigkeiten hinweg. Eine Freundin hätte er nie mit hierher genommen. Auf gewisse Weise hatte gerade die Schäbigkeit dieses Klubs auf ihn einen gewissen Reiz ausgeübt. Manchmal war es genau das, was ein Mann wollte. Und in jener Nacht war ihm danach gewesen, doch stattdessen hatte er Bree gefunden. Er hatte sie gerettet und damit nicht nur sein Leben, sondern auch ihres verändert.

Zum ersten Mal an diesem Abend war er ein bisschen aufgeregt, dass er sie hierher gebracht hatte. Großer Gott, was hatte er sich nur dabei gedacht? Sie war zu gut für all das hier, ob er ihr nun nur eine Lektion erteilen wollte oder nicht. Ihr Vater war gerade gestorben, ihre Gefühle waren völlig durcheinander, und er musste seinen gottverdammten Verstand verloren haben, dass er überhaupt über diesen Klub nachgedacht hatte. Insbesondere wenn er an seinen Verdacht hinsichtlich ihrer Vergangenheit dachte. Es gab edlere Klubs, in denen sie einfach nur zusehen konnten und in denen man ihnen zusehen würde.

»Komm schon!« Er nahm ihre Hand und schob sie zurück in den Gang, wobei er beinahe einen Mann Mitte fünfzig umrannte, der eine stark geschminkte ältere Frau am Arm hatte. Voyeure. Möglicherweise waren sie zum ersten Mal hier, wenn er das gerötete Gesicht der Frau richtig deutete.

Doch während er weiterging, blieb Bree an einer anderen Tür stehen.

»Was ist denn?«, fragte er und stellte sich hinter sie.

Die Wände des Raums waren in einem tiefen Rot gestrichen, das leicht ins Orange ging, und es hatten sich einige Menschen vor der Hauptattraktion versammelt, einem großen Bett mit einer Tagesdecke, die farblich perfekt zu den Wänden passte. Eine nackte Frau mit verbundenen Augen war mit fellbesetzten Handschellen an zwei Bettpfosten gefesselt. Sie lag auf dem Rücken, und ihr langes Haar war kunstvoll auf den Kissen ausgebreitet. Die Gesichtszüge unter ihrer Halbmaske wirkten makellos. Im schwachen Licht schätzte er sie auf Anfang dreißig. Sie hatte einen schlanken, leicht gebräunten Körper und große Brüste, die aussahen, als wären sie nicht echt.

»Kommen Sie nur rein, und machen Sie mit, hübsche Dame.« Ein Mann, der etwa so alt sein musste wie die Frau, sprach Bree an. Er war groß, komplett in Schwarz gekleidet, sein langes Haar war ebenfalls schwarz, und er klopfte sich mit einer Reitgerte auf die Handfläche. »Meine gehorsame Sklavin muss öffentlich bestraft werden«, sagte er zu

Bree ebenso wie zu den Männern und Frauen, die entlang den Wänden standen.

»Was hat sie denn getan?«, rief ein älterer Mann wie auf Kommando.

»Ich habe sie gebeten, einem engen Freund Lust zu bereiten, und sie hat sich geweigert.«

Die versammelte Menschenmenge stöhnte leise auf.

Der Dom bediente eine Fernbedienung, woraufhin das Licht ausging, und nach einem weiteren Knopfdruck richtete sich ein Scheinwerfer auf die Frau, deren Körperformen durch den Lichtstrahl noch stärker betont wurden. Ihre Beine waren gespreizt, aber nicht gefesselt, und ihre Muschi glitzerte im hellen Licht.

Als sich Luke zurückziehen wollte, blieb Bree wie angewurzelt stehen. Etwas an dem Anblick zog sie in ihren Bann. Da er begreifen wollte, was sie derart fesselte, zog er sie zu einer freien Stelle an der Wand. Dort stellte er sich hinter sie und legte ihr die Hände auf die Hüften, und als er sie an sich drückte, schob er seinen Schwanz zwischen ihre Pobacken. Auf diese Weise konnte sie seine Reaktion genau spüren. Mit ihren hohen Absätzen war sie größer als er, und als er das Geschehen über ihre Schulter beobachtete, konnte er ihre Erregung riechen.

»Ist es das, was du willst?«, flüsterte er und wirbelte mit seinem Atem die kleinen Härchen an ihrem Ohr auf.

Sie drehte den Kopf ein kleines Stück. »Ich weiß es nicht. Ich muss es erst sehen.«

Aber sie war eindeutig fasziniert. Und Luke erging es ebenso, als er sie beobachtete. Das Zimmer war stilvoll gestaltet, und der Dom und seine Sub sahen attraktiver aus als die meisten anderen Paare, die er an diesem Abend gesehen hatte.

»Ich brauche Freiwillige«, sagte der schwarzhaarige Mann. Hände schossen in die Höhe, bevor er überhaupt erklärt hatte, worum es ging, und er nahm diesen Eifer lächelnd zur Kenntnis. In diesem Lächeln lag eine gewisse Freude an der Selbstdarstellung, es waren das Grinsen und die Augen eines Mannes, der gern im Mittelpunkt stand. »Vielleicht müssen Sie Streichhölzer ziehen.« Er lachte und sprach dann lauter, als sich ein Gemurmel erhob. »Sie hat sich dem Mann verweigert, den ich für sie ausgesucht habe. Daher muss sie jetzt fünf Männer zwischen ihre Beine lassen, ohne sie zu sehen.«

Bree erschauerte, und der Schauder setzte sich in Lukes Körper fort. Als er über ihre Schulter sah, konnte er selbst in dem schwachen Licht ihre Nippel erkennen, die über den Rand des Bustiers hinausstanden. Sie war äußerst fasziniert. Die Aufregung strömte durch ihren Körper, und er hätte schwören können, ihre Erregung zu riechen.

War sie wegen der Bestrafung so erregt oder wegen des schwarzhaarigen Mannes?

Kapitel 20

Eine Reihe von Männern wedelte mit den Armen in der Luft herum, obwohl sie in der Begleitung von Frauen waren. Luke gehörte nicht dazu. Er war hier, um zuzusehen und mehr über Bree zu erfahren, nicht um selbst ins Rampenlicht zu treten. Selbst die Bestrafung und die Lektion, die er ihr erteilen wollte, interessierten ihn jetzt nicht mehr. Jetzt wollte er nur noch wissen, was sie an diesem Anblick derart faszinierte.

Der Dom stand jedenfalls gern im Mittelpunkt. Er ging um das Bett herum und musterte jeden der Männer, die die Hand gehoben hatten. »Wir brauchen hier einen Bestrafungsfick, meine Herren, keine zärtliche Liebesbekundung.« Während er an der Gruppe vorbeiging, beugte er den Oberkörper ein wenig vor und senkte effektheischend die Stimme. »Sie mag es hart und grob. Sie steht auf große Schwänze. Daher müssen Sie zuerst die Hose fallen und sich inspizieren lassen.«

Bei dieser Drohung senkte kein Einziger die Hand.

Bree sah dem Mann hinterher, und ihr Kopf bewegte sich, als würde sie ein Sportereignis verfolgen, während sie gespannt lauschte. Luke drückte sie fester gegen seinen Penis, um sie daran zu erinnern, dass er bei ihr war.

Dann drehte sich der Dom um und strich mit der Gerte über das Bein seiner Sub und über den Oberschenkel, um ihr auf einmal damit in den Schritt zu schlagen. Sie stöhnte und wand sich auf dem Bett.

»Haben Sie das gesehen?«, meinte er zu seinem Publikum. »Wenn ich etwas befehle, gehorcht sie nicht. Aber wenn ich sie dazu zwinge, kann sie es kaum erwarten.« Genau in diesem Moment drehte er sich um und sah Bree in die Augen. »Geht es Ihnen genauso, schöne Frau?«

Vor lauter Anspannung zitterte Bree, was Luke durch den Körperkontakt deutlicher spürte als ihr leises Stöhnen.

»Sie spricht nur, wenn ich es ihr erlaube.« Luke machte eine kurze Pause und sah dem jüngeren Mann in die Augen. »Und ich werde es nicht erlauben.«

»Danke für die Warnung, mein Freund. Vielleicht sollten wir beide uns später mal darüber unterhalten ...« Er sah Bree begehrlich an und leckte sich die Lippen. »... wie man eine solche Erlaubnis bekommt.«

Luke sah ihn einfach nur streng an, bis der Mann schließlich grinste und sich abwandte. Er hatte die Botschaft erhalten: Luke würde sie an diesem Abend mit niemandem teilen.

»Wer macht den Anfang?«, rief der Mann wie ein Dresseur, der er ja in gewisser Weise auch war.

Ein dickbäuchiger Mittfünfziger schob sich durch die Menge, die ständig größer wurde, nach vorn. »Ich.« Er legte eine Hand auf seine Jeans.

Der Dom beäugte den Mann kritisch. »Das ist nicht Ihr Ernst.«

Der Mann warf sich in die Brust. »Vielleicht sollten Sie sich das Paket erst mal ansehen, bevor Sie eine voreilige Entscheidung treffen.«

Bei dieser Herausforderung schoss die Hand des Doms auf einmal nach vorn und packte dem Mann in den Schritt, während er ihm in die Augen sah. Schließlich stieß er die Luft aus. »Heilige Scheiße, meine Damen und Herren, wir haben einen Gewinner.« Er ging ein Stück zurück und schlug dem Mann mit der Gerte leicht auf die Schulter. »Dann zeigen Sie mal her.«

Und er hatte Recht, stellte Luke fest, als der Mann seine Hose aufknöpfte und sich entblößte. Er war behangen wie ein Pferd. Ein *riesiges* Pferd.

Luke hielt den Mund dicht an Brees Ohr. »Willst du den?«

Sie schüttelte den Kopf, sodass ihr Haar über seine Wange strich. »Der gefällt mir nicht.«

»Dann ist Größe doch nicht alles, was?«

Sie drehte sich um und rieb sich wie eine Katze an ihm. »Du hast genau die richtige Größe.«

Er lag zwar über dem Durchschnitt, konnte sich aber bei Weitem nicht mit diesem Mann vergleichen. »Sehr diplomatisch«, murmelte er.

Der Dom stieg auf das Bett, als ob es seine Bühne wäre, und beugte sich über seine Sklavin. Dann sagte er ihr so laut, dass es alle hören konnten: »Er ist so gut bestückt, dass ich mir nicht mal sicher bin, ob es überhaupt eine Bestrafung ist, meine Süße.«

Sie wand sich auf dem Bett. Er fuhr mit der Spitze der Gerte von einem Nippel zum anderen und zog sie dann hinunter zum Venushügel. Schließlich murmelte er mit dramatischer Stimme: »Ficken Sie sie jetzt.«

Der dicke Auserwählte zögerte keine Sekunde. Er kletterte auf das Bett und zog sich weder die Schuhe noch die Jeans aus, sondern schob sich einfach die Hose über die Hüften. Dann rollte er das Kondom, das ihm der Dom der Frau zuwarf, über seinen Penis und schob sich im nächsten Moment auch schon in sie hinein.

Es war ein beeindruckender Anblick, wie sein gewaltiger steifer Penis sie mit einem schnellen Stoß bis zum Bersten ausfüllte. Sie schrie nicht auf. Anscheinend war sie längst feucht und bereit.

Er fickte sie hart, wie es ihm aufgetragen worden war, und stöhnte laut. Die Brüste der Frau wogten und bebten. Sie schlang die Hände um die kleinen Ketten, an denen sie ans Bett gefesselt war, und hielt sich fest, während sie sich zu wappnen schien. Plötzlich reckte sie die Beine in die Luft und spreizte sie, um ihm alles zu geben. Sie keuchte, stöhnte, weinte und schrie, und all das aus schierer Lust.

Ihr Dom schob die Hand zwischen die beiden aufeinanderprallenden Körper und kniff sie in einen Nippel. Sie schrie, während er sie so festhielt, dass seine Knöchel schon ganz weiß wurden, und ihr Körper bäumte sich auf. Sie kam heftig und endlos, ertrug ihre Bestrafung und genoss sie gleichzeitig.

Bree drückte sich gegen ihn und wand sich, da sie mit der Frau mitzufühlen schien. Er hätte sie am liebsten berührt und getestet, wie feucht sie war. Also schob er ihr ein Knie zwischen die Oberschenkel und ließ seine Hand unter ihren Faltenrock gleiten. Ihre Haut war schlüpfrig und ihre Muschi heiß und feucht.

Während er ihre Klit rieb und sie erschauderte, sah der Schwarzhaarige auf dem Bett auf. Als er bemerkte, was Lukes Hand unter dem Rock tat, sodass es kaum jemand mitbekam, was die ganze Sache noch heißer machte, leckte er sich über die Lippen und starrte Luke an.

Keiner der beiden achtete auf den Mann zwischen den Beinen der Sub, der laut grunzend kam, bis er sich schließlich schwer atmend von ihrem Körper herunterhievte, wobei sein Penis noch immer halb erigiert war.

»Was ist mit Ihnen, Sir?« Der Dom deutete auf Luke. »Möchten Sie meine Lady mal testen?«

Brees Körper versteifte sich. Vielleicht war er ja nicht der Einzige, der nicht teilen wollte.

Er zog seine Hand von ihrer wunderbar feuchten Muschi zurück, steckte sich die Finger in den Mund und leckte sie ab. Dann lächelte er. »Ich bin mit meiner jetzigen Lage sehr zufrieden.«

»Ich genieße den Anblick ebenfalls.« Der Mann grinste so breit, dass seine weißen Zähne im Scheinwerferlicht aufblitzten. Dann beugte er sich erneut über seine Frau. »War das genug, meine Süße? Oder brauchst du noch mehr Bestrafung?«

»Ich habe meine Lektion noch nicht gelernt, Meister. Ich brauche noch mehr.«

Er strich mit der Hand über ihren Oberschenkel. »Das habe ich mir gedacht.« Dann stand er vom Bett auf und sah sich die vielen hochgereckten Hände an.

»Sie«, erklärte er und deutete auf einen Mann.

Der dürre junge Kerl zog sich bereits den Reißverschluss herunter, als er zwischen zwei deutlich breiteren Kerlen hindurchtrat, und präsentierte seinen Penis.

»Oha«, meinte der Schwarzhaarige staunend. »Das ist ja mal ein Anblick.« Er blickte dem Jungen in die Augen. »Was stellt ein junger Grünschnabel wie Sie denn mit so einem Schwanz an?«

»Ich kann zehn Meter weit spritzen«, verkündete der Junge stolz.

»Das ist ja ganz großartig. Vielleicht sollten Sie sie ficken und ihn dann im letzten Moment rausziehen, damit wir dieses Wunder miterleben dürfen.«

Der Junge nickte begierig. Er nahm das Kondom und bezog am Bettende Position. Zehn Minuten lang bearbeitete er die liegende Frau mit stetigen Stößen, wobei er deutlich länger durchhielt als der ältere Mann. Dann setzte er sich auf den Hintern, zog ihre Beine über seine Oberschenkel und fickte sie stehend, bis sie zuckte, keuchte, stöhnte und ihren Kopf auf dem Kissen hin und her warf. Tränen der Lust rannen über ihre Schläfen. Sie erschauderte zweimal, und Luke vermutete, dass sie auch zwei verschiedene Orgasmen gehabt hatte.

»Er hat sie einfach so zum Höhepunkt gebracht, ohne sie zu berühren«, flüsterte Bree staunend.

Sie kam nie allein vom Ficken, sondern brauchte das Spanken, die Beschimpfungen und seine Finger. Die wenigen Male, wo er geglaubt hatte, sie sei auch so zum Orgasmus gekommen, hatte sie ihm höchstwahrscheinlich was vorgespielt. Aber sie war fasziniert von diesem Anblick, von der Art, wie die Frau ihren Körper bewegte und ihre Hüften anwinkelte, damit der Junge ihren G-Punkt traf. Die langsamen, stetigen Stöße taten ein Übriges und dienten gleichzeitig dazu, den Orgasmus des Jungen aufzuschieben.

Doch dann schnippte ihr Dom mit den Fingern. »Mach hin, Junge, hier warten noch mehr Leute.«

»Ja, Sir.« Der Junge pumpte sich jetzt so hart und schnell in sie hinein, dass die Brüste der Frau heftig wackelten. »Großer Gott, ich komme«, schrie der Junge.

»Vergiss nicht, ihn rauszuziehen«, warnte ihn der Dom.

Der Junge zog seinen Penis heraus, riss das Kondom ab und warf es in die Menge, die jubelte und klatschte, während er seinen Schwanz dreimal streichelte und dann derart explosiv kam, dass der Großteil des Samens ans Kopfteil des Bettes schoss, bevor er den Schwall nach unten richtete, sodass das Gesicht, der Hals und die Brüste der Frau davon bedeckt wurden.

Ihr Dom krabbelte wieder aufs Bett und wischte ihr etwas von dem weißen Sperma mit den Fingern vom Hals, um sie damit zu füttern. Sie leckte ihn gierig sauber.

Bree rieb ihren Hintern an Luke und streichelte seinen Schwanz, der zwischen ihren Pobacken klemmte.

»Willst du auch was von dem Sperma?«, flüsterte er, knabberte an ihrem Ohr und drückte sein Gesicht in ihr Haar. Es gefiel ihm sehr, zusammen mit ihr den Voyeur zu spielen, zu spüren, wie ihre Haut immer heißer wurde, ihr Puls raste und sie leise stöhnte. Auch wenn der Abend ganz anders begonnen hatte, so verwandelte er sich langsam in eine heiße Fantasie, die sie miteinander teilten.

Die Szenerie auf dem Bett veränderte sich, und der Schwarzhaarige ging auf die Suche nach seinem nächsten Opfer.

»Ich will es tun«, rief eine Frau, und ein Raunen ging durch den Raum. Da es an der gegenüberliegenden Wand recht dunkel war, konnte Luke nicht erkennen, zu wem diese verführerische Stimme gehörte.

Der Dom lachte. »Haben Sie einen Umschnalldildo dabei?«

»Ich brauche keinen. Sie wird es lieben, was ich mit ihr anstelle.«

Er richtete sich an die auf dem Bett liegende Frau. »An diese Idee hatte ich noch gar nicht gedacht«, murmelte er, und man konnte ihm ansehen, dass er nicht abgeneigt war. »Was denkst du, Süße? Darf sie dich haben?«

»Oh, Meister, nein!«

Er lachte schallend. »Sie hat ein Safeword, aber sie hat es nicht gesagt. Das bedeutet, dass Sie an der Reihe sind.«

Die Frau, die jetzt in die Mitte des Raumes trat, war nicht gerade als schön zu bezeichnen. Sie wirkte eher matronenhaft, musste um die fünfzig sein, hatte ihr braunes Haar gefärbt, um das Grau zu verbergen, und besaß große Brüste. Sie wirkte irgendwie mütterlich und trug einen blassblauen Anzug, dessen Jacke sie gerade aufknöpfte, während das komplette Publikum den Atem anhielt. Auch wenn sie nicht schlank war, konnte man ihre Muskeln deutlich erkennen. Sie kletterte nackt und anmutig aufs Bett und strich mit den Fingern über den Körper der Frau.

»Ihre Haut fühlt sich wunderbar an.«

Selbst ihr Dom schien von der Sanftheit, die durch das leise Stöhnen seiner Sub unterstrichen wurde, fasziniert zu sein.

»Die anderen haben Sie nicht mal geküsst«, murmelte die Matrone, spreizte ihre Beine und setzte sich auf die Hüften der anderen Frau. Zuerst leckte sie den Samen des Jungen von den Wangen und der Kehle der Sklavin und ließ keinen einzigen Tropfen übrig. Dann gab sie ihrem Opfer einen tiefen Zungenkuss, den man in der Stille des Raumes deutlich hören konnte, und die beiden Frauen genossen gemeinsam den Geschmack des Samens.

Er hatte schon früher zwei Frauen miteinander spielen sehen. Aber das hier war etwas anderes. Die pure Erotik des Kusses war nahezu hypnotisch. Ihre Körper bewegten sich in einem süßen Rhythmus, ihre Brüste berührten sich, sie vereinten sich.

»Es ist wunderschön«, raunte Bree ihm leise zu.

Er legte einen Arm um ihre Taille und lehnte sich dann an die Wand, während er sie mit sich zog. »Ja«, stimmte er ihr zu.

Sie streckte einen Arm nach hinten aus und legte ihn um seinen Hals, um dann den Kopf zu neigten, sodass ihre Lippen direkt neben seinem Ohr lagen. »Sie sind so zärtlich zueinander.«

Männer waren nicht immer zärtlich. Normalerweise stand sie auch nicht darauf. Ihr gefiel es, hart gefickt zu werden, aber das hier war anders und irgendwie magisch.

Obwohl sie sich in dem Kuss zu verlieren schien, legte die ältere Frau die Hand zwischen ihre Beine und streichelte die Schamlippen der Sklavin. Dabei war sie ganz langsam und zärtlich, und sie streichelte sie, bis sie ihre Finger schließlich in sie hineinsteckte. Ein langes, tiefes Stöhnen ertönte. Die unter ihr liegende Sklavin nahm ihre Bestrafung voller Freude hin, hob die Hüften, drückte sich an die andere Frau und bettelte um mehr.

Brees Atem ging schneller, und sie rieb sich an ihm.

»Gefällt dir das? Willst du auch eine Frau?«

Die beiden Frauen auf dem Bett rieben ihre Muschis aneinander und imitierten so einen Fick, und die Stille im Raum wurde nur durch ihr Stöhnen und ihr Keuchen unterbrochen.

»Nein, Meister«, antwortete Bree. »Ich will dich.«

»Lügnerin.«

Er fragte sich, ob er es ertragen konnte, sie mit einer anderen Frau zu sehen, und ob das anders wäre, als wenn er sie einem Mann geben würde.

Die ältere Frau unterbrach den lustvollen Kuss und kroch am Körper der Sklavin nach unten. Sie kniff in die hochstehenden Nippel, was ein Keuchen hervorrief, leckte den Samen des Jungen weg und zog dann eine Spur aus Küssen über ihren Bauch, bis sie zwischen den gespreizten Beinen lag und mit dem Mund die offene, geschwollene, nach mehr verlangende Muschi berührte. Dann leckte sie die Klit der Frau.

»Berühr mich«, flüsterte Bree mit vor Begierde rauer Stimme.

Er hatte eine bessere Idee. »Berühr dich selbst! Greif unter deinen Rock und streichel deine Klit für mich!« Das ging in Richtung der Fantasie, die er am Telefon für sie erschaffen hatte, dass sie vor Publikum masturbierte, auch wenn sie nicht im Mittelpunkt der Aufmerksamkeit stand.

Sie tat, was er ihr befohlen hatte, und er drückte seinen Penis zwischen ihre Pobacken, während er immer steifer wurde und seine Hoden kurz vor dem Platzen zu stehen schienen, als er die Bewegung ihrer Hand beobachtete.

Ihr Geruch machte ihn verrückt, ihr leises Stöhnen benebelte ihn. Er legte ihr das Kinn auf die Schulter, sah, wie sie den Mund öffnete und die Augen schloss, nur um sie einen

Augenblick später wieder aufzureißen, damit sie nichts verpasste.

Sehnte sie sich danach, von einer Frau berührt zu werden?

Die ältere Frau auf dem Bett leckte und saugte, und ihre Finger steckten in der anderen und bearbeiteten ihren G-Punkt.

»Ja, ja, ja«, kreischte die Sub und riss ihren Kopf hin und her. Ihre Hüften zuckten und bäumten sich auf, um eine tiefere Penetration zu ermöglichen. »Oh, Meister, das ist so gut!«

In diesem Moment richtete Luke den Blick wieder auf den Mann. Er beobachtete nicht etwa die Sklavin, sondern starrte Bree an, die masturbierte und nichts um sich herum mitzubekommen schien.

Und er stand so dicht vor ihnen, dass Luke sein Flüstern hören konnte. »Lassen Sie mich sie berühren.«

»Verpissen Sie sich«, erwiderte Luke ruhig. Dann spürte er, wie Brees Körper erbebte. Er zog sie weiter nach hinten und beobachtete, wie ihre Wangen rot wurden, sich ihre Brüste über dem Bustier rasch hoben und senkten und ihre Nippel steinhart und tiefrot wurden.

Er glaubte, jetzt zu wissen, was sie wollte und brauchte, was er ihr geben und was er akzeptieren konnte.

Er würde es nie akzeptieren, dass sie ein anderer Mann zum Höhepunkt brachte, eher würde er den anderen umbringen. Aber es gab einige Grenzen, die er überschreiten würde, wenn es ihrer Lust dienlich war.

Kapitel 21

»Kneif in ihren Nippel!«, befahl Luke.

Der Dom trat näher. Bree legte den Hinterkopf auf Lukes Schulter, als der Mann ihren Busen streichelte. Sie presste sich so eng an ihn, dass Luke spüren konnte, wie sie den Atem anhielt. Er war sich sicher, dass es vor lauter Vorfreude geschah.

»Was für perfekte Nippel!« Die Finger des Mannes wurden weiß, als er fest zukniff.

Sie keuchte auf, biss sich auf die Lippe, und ihre Knie gaben nach. Luke legte den Arm unter ihre Brüste, um sie zu stützen.

»Komm für uns, kleine Lady«, lockte sie der Dom. Dann sah er Luke an. »Ich möchte sie schmecken. Nur ihre Finger. Ich zahle dir, was du willst.«

Bree stöhnte. Das war es, was sie wollte, was sie brauchte, dass ein Mann ihr huldigte, dass er sie so sehr wollte, dass er alles dafür geben würde. Nicht so wie damals, als Derek sie verkaufen wollte, wo es nur um seine Macht gegangen war und nicht darum, dass man sie begehrte.

Luke nahm ihre Hand und führte sie unter ihren Rock. »Lass ihn deine Finger ablecken«, forderte er. Sobald sie die Hand zwischen den Beinen hervorzog, legte er seine auf ihre heiße Klit, rieb sie, und schob seine Finger dann in ihre Muschi.

Sie verspannte sich in seinen Armen, und er spürte ihre Lust. Sie wollte es, aber sie hatte auch Angst. Sie brauchte das, doch sie befürchtete, dass er sie hinterher auf eine Art bestrafen würde, die sie nicht mochte. Nach all den Monaten mit ihr begriff er das, inzwischen konnte er ihre nonverbalen Signale deuten. Er war ihre Erlösung. Er war ihre Grenze. Was immer er wollte, begehrte sie auf einmal auch.

»Tu es, du kleine Schlampe, oder du wirst für deinen Ungehorsam büßen!«

Sie legte den Kopf in den Nacken, schloss die Augen und seufzte. »Ja, Meister.«

Der Schwarzhaarige stellte sich so hin, dass Luke ihn gut sehen konnte – und Luke wusste, dass er es absichtlich tat –, als Bree ihre Finger vor seinen Mund hielt.

Dann leckte und saugte der Dom daran und schien es zu genießen, während er ihr weiterhin ins Gesicht sah. Luke konnte bis ins Innerste spüren, wie sie vor Wonne zitterte und alles genoss. Sie wurde begehrt, und das in vielerlei Hinsicht. Das war mehr, als ein Mann allein ihr geben konnte, mehr, als Luke je geglaubt hatte, ihr geben zu können. Sie lechzte nach seiner Anerkennung und nach der Lust des anderen Mannes, seiner Macht über sie und den lüsternen Blicken des anderen Mannes, die auf ihr ruhten. An diesem Abend musste sie nicht ficken oder ihm einen blasen. Es war dieser Anblick, diese Geräusche, ihre gesteigerten Sinne, das heiße, gierige, unbezwingbare Verlangen, das einen Mann dazu trieb, verrückte Dinge für die Frau zu tun, die er unbedingt haben wollte. Während der andere Mann an ihren Fingern saugte und Luke sie zwischen den Beinen berührte, erschauderte sie und machte ein Geräusch, das zwischen Keuchen und Stöhnen schwankte. Dann zitterte ihr ganzer Körper, als sie kam, ihre Oberschenkel pressten sich gegen seine Hand, hielten sie fest, hielten sie in ihrem Inneren, mehr als nur seine Finger, sondern ein Stück von Luke selbst, das er nie mehr zurückbekommen konnte. Das war die Fantasie, die er für sie am Telefon erschaffen hatte, nur noch besser. Doch sie bestätigte auch seine schlimmsten Befürchtungen.

Er war in seiner eigenen Lektion gefangen. Noch als er sie während ihres Höhepunkts festhielt, fragte er sich, wie lange es noch dauern würde, bis er ihr einen anderen Mann geben musste, damit sie einen ähnlichen Höhepunkt erleben konnte.

Wie lange würde es dauern, bis sie die gefesselte Frau auf dem Bett sein wollte?

Luke zerrte sie so schnell aus dem Klub, dass kein Zweifel mehr daran bestand, wie wütend er war. Aber warum? Weil sie den dunkelhaarigen Mann an ihren Fingern hatte lecken lassen? Luke hatte es ihr doch befohlen. Oder hatte er erwartet, dass sie sich widersetzen würde? Vielleicht lag es auch an den Frauen oder daran, dass sie ihn überhaupt dazu gebracht hatte, diesen Raum zu betreten.

Sie taumelte, als er sie über den Bürgersteig in Richtung Tiefgarage zerrte. Mit kürzeren Beinen wäre sie in den hochhackigen Schuhen vermutlich gestürzt, aber so konnte sie gerade noch mit ihm mithalten. Sie liebte seine Männlichkeit, die ihren Puls beschleunigte und sie schneller atmen ließ. Doch sein Schweigen und sein finsterer Gesichtsausdruck jagten ihr Angst ein. Es war fast so, als hätte sich seit ihrer Ankunft im Klub nichts geändert. Seine Augen hatten das tiefe Braun eines wütenden Löwen angenommen. Was war, wenn die Sache einen Haken hatte?

Was wäre, wenn er sie einem anderen Mann gab und nicht mehr zurückhaben wollte?

Hatte sie dann nur noch ihre Mutter und musste in das Haus zurückkehren, in dem ihr Vater gestorben war?

»Luke.«

Er drehte sich um und sah sie finster an. Sie beschloss, lieber nichts zu sagen.

Er hatte in einer dunklen Ecke der Tiefgarage an einer Wand und direkt hinter einer Säule geparkt. Bevor sie auch nur protestieren konnte, riss er die hintere Tür auf, schob sie mit dem Kopf voran auf den Rücksitz und stürzte sich auf sie.

Im Wagen war es kalt und stickig, und sie lag mit dem Gesicht auf dem Sitz. Ihr Herz raste.

»Du Schlampe«, flüsterte er ihr ins Ohr.

Sie zitterte bei diesen Worten, zum Teil vor Angst und zum Teil vor Begierde.

»Du wolltest, dass er dich fickt, nicht wahr?«

»Nein«, flüsterte sie. Sie war sich nicht sicher, was sie eben wirklich gewollt hatte, und sie wusste auch nicht, was Luke jetzt hören wollte.

Er zog ihren Kopf an den Haaren nach oben. Ihre Kopfhaut kribbelte, aber der Schmerz schoss ihr durch den Körper und schien ihn schmelzen zu lassen.

»Dann sag mir, was du gewollt hast, und wag es nicht, mich anzulügen, du Hure.« Sein Atem wehte warm und süß gegen ihren Nacken, als er so auf ihr lag und seinen harten Penis gegen sie drückte.

Dieser Beweis seines Verlangens erregte sie noch mehr. »Es hat mir gefallen, dass er mich begehrt hat, aber dass du mich ihm nicht geben wolltest.«

Er lachte rau. »Du hast mich manipuliert, du kleine Hure.«

»Nein, nein. Ich habe getan, was du verlangt hast, Meister.« Sie wusste beim besten Willen nicht, ob er wirklich wütend war oder nur so tat, und diese Unsicherheit machte das Ganze noch aufregender. Sie liebte es, wenn ihre Lust auf diese Weise von Angst durchzogen war.

»Es hat dir zu sehr gefallen.« Er schob ihr ein Knie zwischen die Beine, spreizte sie und schob ihr eine Hand zwischen die Oberschenkel, um nach ihrer feuchten Muschi und der geschwollenen Klit zu tasten. »Sag mir die Wahrheit! Du wolltest, dass er dich fickt.«

»Nein, Meister. Ich wollte, dass du mich vor ihm fickst.«

Er schwieg einige Sekunden lang. »Warum hast du mich dann nicht darum gebeten?« Seine Stimme klang rau, skeptisch, ungläubig.

»Weil es besser ist, wenn du mir befiehlst, dass ich das tue, was ich will.«

»Warum?« Er streichelte ihre Klit.

Sie zitterte vor Verlangen. Sie konnte zugeben, dass sie ihn begehrte. Sie hatte sich in diesem Raum so verausgabt, dass sie den Orgasmus, die Erlösung gewollt hatte. Er hatte ihr den Höhepunkt auf die bestmögliche Weise geschenkt, mit dem Rücken zu ihm, sodass sie es nicht sehen musste. Es hätte auch ihre eigene Hand unter dem Rock sein können. »Wenn du mich dazu zwingst, muss ich mich nicht schlecht fühlen.«

Er gab ihr nicht die Zeit zum Nachdenken, sondern stellte sofort die nächste Frage. »Warum haben dich die Frauen erregt?« Er drückte sein Bein gegen das ihre, sodass sie sich noch weiter öffnen musste, und drückte seinen Penis gegen sie, sodass sie nur noch der Stoff seiner Hose voneinander trennte.

Sie konnte kaum noch denken und wusste den Grund dafür nicht mehr genau. »Weil es schmutzig und tabu war, dass sich zwei Frauen so küssen und berühren.«

»Du magst Tabus.«

»Das stimmt nicht.« Sie keuchte, als sie seine Hände erneut fühlte, die den Reißverschluss seiner Hose öffneten. »Das ist auf schreckliche Weise erotisch. Ich hasse mich dafür, aber ich kann nicht anders, als feucht zu werden.«

»Dann magst du Tabus.«

Nein, nein, hätte sie am liebsten gesagt und es geleugnet, aber er hatte Recht. Sie hasste sich manchmal selbst dafür, aber, ja, Tabus erregten sie.

Sie hörte, wie er eine Kondompackung aufriss und sich etwas aufrichtete, um es überzustreifen. »Hätten zwei Männer dieselbe Wirkung?«, fragte er und strich mit der Eichel über ihre Muschi.

Als sie ihn spürte, keuchte sie auf und war erstaunt, wie problemlos er über die Haut glitt und wie feucht und bereit sie war. »Ja. Es wäre schrecklich, aber auch sehr erregend.«

»Würdest du wollen, dass ich dich bei dem Anblick ficke?«

»Ja, ja.«

Er stieß in sie hinein, so tief, dass es ihr den Atem raubte. Dann blieb er still liegen, den Körper auf ihr, in ihr, als würde er von ihr Besitz ergreifen. »Erzähl mir mehr«, forderte er.

»Ja, das würde mir gefallen. Wenn ich sie beobachte. Du mich bei dem Anblick nimmst. Solange du mich dazu zwingst.« Sie wusste, dass es eigentlich keine Macht der Welt gab, die sie dazu zwingen konnte, aber wenn sie es aussprach, konnte sie wenigstens so tun und die Schuldgefühle vergessen.

»Ich werde dich immer zwingen. Und du wirst alles tun, was ich dir befehle. Wenn ich dir sage, du sollst einen anderen Mann ficken, dann wirst du das tun. Aber wag es nicht ...« Er beugte sich vor und biss ihr wie eine paarungsbereite Wildkatze in den Hals. »... wag es nicht, es zu wollen, zu genießen oder zu begehren!« Er zog seinen Penis heraus, stieß wieder fest zu und bohrte sich tief in sie hinein, um mit rauer Stimme zu sagen: »Ich bin dein Meister, du dreckige kleine Schlampe, und ich bin der Einzige, den du je begehren wirst.«

»Ja, du bist mein Meister.« Sie wimmerte vor Furcht, vor Wonne und vor Schmerz. »Ich will nur dich.« Luke allein konnte das für sie tun, all diese verschiedenen Emotionen auf einmal in ihr auslösen.

»Ich werde dich jetzt ficken. Ich werde dich nehmen wie die dreckige kleine Schlampe, die du bist. Und du wirst kommen, denn wenn du es nicht tust, werde ich dir wehtun. Ich werde dich bestrafen. Du wirst dafür bezahlen.« Er schob eine Hand unter ihren Körper und legte einen Finger auf ihre Klit.

Diese furchteinflößende Ekstase nahm ihr die Luft zum Atmen.

»Sag Ja!«, verlangte er.

»Ja.«

Er fickte sie. Es war hart. Es war schnell. Es war so unfassbar gut in einer Welt, die eigentlich schlecht sein sollte. Bree schrie. Sie wollte nicht kommen, aber er zwang ihr den Orgasmus auf, zog sie mit sich in die Tiefen seines Verlangens, während er seinen heißen Schwanz in sie hineinstieß und seine ekstatischen Schreie ihren Verstand erfüllten. Sie kam für ihn, ohne es vorzutäuschen. Hart. Lang. Immer und immer wieder, bis um sie herum alles schwarz und perfekt wurde.

Sie lag auf dem Rücksitz in seinen Armen. Ein Wagen des Garagenwachschutzes war zweimal an ihnen vorbeigefahren, aber inzwischen hatten sie ihre Kleidung gerichtet, ihre Haare geglättet und waren wieder präsentabel.

Er hatte sie vor Derek gerettet, versucht, ihr die Zärtlichkeit anzubieten, nach der sich Frauen seiner Meinung nach sehnten, doch sie unterwarf sich nur einem dominanten Mann, der sie zwang, Dinge zu tun, die sie zwar tun wollte, was sie jedoch nicht zugeben konnte. Und er liebte es. Er hatte einen explosiven Orgasmus erlebt, der seinen Körper zu zerreißen schien und ihm die Sinne raubte.

Der Unterschied zwischen Derek und ihm war, dass sein Verlangen nach ihr immer unterschwellig eine Rolle spielte, selbst wenn sie in einem schäbigen Sexklub Bondage-Spiele und Ausschweifungen beobachteten, er ihr mit anderen Männern drohte, sie grob und ohne jegliche Zärtlichkeit fickte, so wollte und begehrte er sie doch mehr als jede andere. Das unterschied ihn von Derek, der nur an der Herabsetzung interessiert gewesen war. Er hatte vergessen, dass sie sich gleichzeitig wie jemand Besonderes fühlen musste, er hatte ihr nicht mehr gezeigt, dass es ihn anmachte, wenn sie *für* ihn einem anderen einen blies, und dass er sich bei keiner anderen Frau so fühlte wie bei ihr.

An diesem Abend hatten sie den besten Sex ihrer Beziehung. Möglicherweise lag das daran, dass er aus der Rolle gefallen war, aber er wollte sie so, wie sie an diesem Abend war: heiß, sexy, begierig, nach ihm verlangend und mit einem so heftigen Orgasmus, dass sie ihn einfach mitgerissen hatte. An dem Abend, an dem sie bowlen gewesen waren, hatte er eine andere Seite von ihr gesehen und diese Persönlichkeit begehrt, aber die Frau, zu der sie an diesem Abend geworden war, hielt seine Seele gefangen. Er wollte beide, aber er war sich nicht sicher, ob er beide gleichzeitig haben konnte.

Es gab so viele Scheißprobleme mit dem, was sie zusammen taten. Hinterher erinnerte er sich an ihr Geständnis, dass sie dazu gezwungen werden musste, damit sie sich nicht schlecht fühlte. Jemand hatte ihr vor langer Zeit etwas angetan. Ihr Vater oder ein anderer Mann hatte ihr etwas Falsches über Sex beigebracht. Und Luke nutzte das aus, was man ihr angetan hatte. Ja, er saß gewissermaßen in der Klemme. Er wusste nicht, wie er damit aufhören sollte. Er wusste nicht einmal, ob er das überhaupt wollte.

Denn sie hatte sie beide in den Himmel katapultiert. »Ich bin zufrieden mit dir«, sagte er förmlich. »Das hast du heute Abend gut gemacht.«

Sie seufzte, als er seine Zufriedenheit bekundete. »Wir können meiner Mutter wohl auch nicht sagen, was wir an diesem Abend gemacht haben«, murmelte sie mit geschlossenen Augen, während ein leichtes Lächeln ihre Lippen umspielte.

Er grinste, auch wenn sie es nicht sehen konnte. »Ich weiß nicht, ob sie es gutheißen würde.«

Nachdem sie sich etwas enger an ihn gekuschelt hatte, sah sie ihm in die Augen. »Wirst du mich nächstes Mal dazu zwingen?«

»Wozu, die Frau auf dem Bett mit all den Männern zu sein oder es mit einer anderen Frau zu tun?«

»Der Dom«, flüsterte sie. »Wirst du mich ihm überlassen?«

Sein Herz wurde schwer. Er hatte nicht die Absicht, einem anderen Mann zu erlauben, sie zu berühren oder sie zu ficken. Ihm war klar, dass ein Teil von ihm durchdrehen würde, wenn er herausfand, dass sie das wirklich wollte. Aber er war offen für Fantasien, solange er die Kontrolle behielt. Außerdem konnte es bei ihr aufregender sein, ihr damit zu drohen, als es wirklich zu tun. Zumindest war es an diesem Abend so gewesen. »Wenn du mich das nächste Mal verärgerst, werde ich mir überlegen, welche Bestrafung du verdienst hast, ob ich dich dazu zwinge, einen anderen zu ficken, ihm einen zu blasen oder vor anderen zu masturbieren.«

Er nahm ihr Haar in die Hand und hielt sie so fest. »Aber ein Teil der Bestrafung wird mein Vergnügen beim Zusehen sein, daher werde ich deine Folter im Hinblick auf meine Wünsche und nicht auf deine auswählen.«

»Ja, Meister«, murmelte sie und stieß einen schläfrigen Seufzer aus.

»Wenn du Glück hast, entscheide ich mich für den Dom von heute Abend.«

»Dann muss ich demnächst sehr ungezogen sein.«

»Schlampe«, fuhr er sie an. »Mach mich nur wütend,

indem du bei mir den Anschein erweckst, dass du ihn begehrst.« Aber er genoss es, mit welcher Lockerheit sie ihn neckte. Das war ungewöhnlich.

Sie schüttelte den Kopf und war wieder ernst. »Ich will nur dich, Meister. Du bist nicht wie die anderen Männer, die ich gekannt habe.«

Er hatte nie gefragt, wie viele es gewesen waren. Er wollte es auch gar nicht wissen. Normalerweise war es andersrum, und die Frau wollte nichts über die Vergangenheit ihres Liebhabers wissen, aber er wusste, dass er im Vergleich zu ihr harmlose Erfahrungen gemacht hatte.

Lange Minuten saßen sie ineinanderverschlungen da, und er genoss es, sie so zu spüren. Bis sie wieder etwas sagte. »Ich muss leider nach Hause zu meiner Mutter.«

Er gab ihr mit einem Schnauben zu verstehen, dass er sie gehört hatte, und wartete, dass sie weitersprach.

»Ich weiß nicht, wie ich von ihr wegkommen soll. Wann wird sie bereit sein, mich gehen zu lassen? Manchmal wirkt sie ganz normal, dann wieder ist sie nur noch … merkwürdig.« Schnell legte sie ihm einen Finger auf die Lippen. »Sag nichts! Ich weiß überhaupt nicht, warum ich dir das alles erzähle.«

Er wusste nicht, wie er sie aufbauen sollte.

»Aber es ist Zeit zu gehen«, meinte sie, und der Augenblick war vorbei. »Ich muss morgen früh arbeiten.«

Es würde andere Nächte geben. Sie brauchte ihn. Dessen war er sich ganz sicher.

Aber war er auch gut für sie?

Kapitel 22

Sie hatte sich letzte Nacht ins Haus geschlichen aus Angst, ihre Mutter würde sie in dem Bustier, dem kurzen Rock und den Netzstrümpfen sehen und sie fragen, was zum Teufel sie getrieben hatte.

Bree dachte immer wieder daran, was sie Luke im Wagen gesagt hatte. Dass sie nicht wusste, wie sie von ihrer Mom wegkommen sollte. Dieser bizarre Gedanke war ihr gekommen, als sie in seinen Armen gelegen hatte, geborgen und sicher, und als ihr Verstand einen dunklen Ort angesteuert hatte. Es war schon seltsam, dass sie erst dieses heiße Szenario im Klub erlebt hatten, gefolgt von den Dingen, die er mit ihr auf dem Rücksitz angestellt hatte, und sie dennoch von diesen bösen Gedanken gepeinigt wurde.

Sie hätte sich darauf konzentrieren sollen, dass er die Gelegenheit gehabt hatte, sie wegzugeben, und es nicht getan hatte. Er spielte seine Rolle so perfekt. Er war so gut darin, und sie hatte keinen Zweifel daran, dass er seine Drohungen auch in die Tat umsetzen würde. Aber damit hätte er alles ruiniert.

Doch jetzt hatte sie keine Zeit, um darüber nachzudenken. Sie musste diesen Tag überstehen und Erin von ihrem Vater erzählen. Viel länger konnte sie es nicht mehr vor sich herschieben.

»Tschüss, Mom«, rief sie, bevor sie zur Arbeit fuhr.

Ihre Mutter steckte den Kopf aus der Küchentür. »Dann bis heute Abend, Schatz. Kommt Luke wieder vorbei?«

Das äußerst hoffnungsvolle Lächeln ihrer Mutter und ihre strahlenden Augen hatten etwas Irritierendes an sich. Als ob sie all ihre Hoffnungen auf Luke setzte. Vielleicht brauchte Bree ja einen Beschützer, aber nicht auf die Art, an die ihre Mutter dachte. Sie war finanziell abgesichert. Ihr fehlte allein die emotionale Sicherheit. Für fünf Sekunden, nachdem sich Luke letzte Nacht aus ihr zurückgezogen hatte, war sie da gewesen, um dann wieder zu verschwinden. Sie schien weder einen Mann noch diese Sicherheit halten zu können.

»Mom, wir können uns nicht in allem von ihm abhängig machen.«

Ihre Mutter wedelte nur mit der Hand und verschwand wieder in der Küche. Es war, als ob sie nicht begriffe, dass sie in der Beziehung mit Brees Vater abhängig gewesen war. Und wenn man von jemandem abhängig war, dann konnte man nicht gehen, wenn man es wollte. *Das* müsste ihre Mutter doch wenigstens wissen.

Jetzt zur Arbeit. Vom Haus ihrer Mutter aus musste sie nicht weit fahren. Sie wappnete sich, als sie auf die Vordertür zuging. Rachel winkte ihr enthusiastisch aus ihrem winzigen Büro zu. Auf der anderen Seite konnte sie Erin an ihrem Schreibtisch sitzen sehen. Sie schien in etwas auf ihrem Computermonitor vertieft zu sein und fuhr mit einem Finger über den Bildschirm. Aus der Fertigung war Santana, Steves Lieblingsband, zu hören. Steve, der für die Qualitätssicherung verantwortlich war, sah aus wie ein ehemaliger Hell's Angel mit all den dazugehörigen Tattoos und hörte auch die entsprechende Musik. Bree lief in ihr eigenes Büro, warf den Regenschirm neben den Aktenschrank und hängte ihren Mantel an den Haken. Noch regnete es nicht, aber der Himmel war bereits dunkel und wolkenverhangen.

Bitte zwing mich nicht dazu!

Würde diese armselige Stimme in ihr denn niemals verstummen?

Okay, tief durchatmen. Diverse Ängste rauschten durch ihren Kopf, sie bekam eine Gänsehaut und weiche Knie. Sie ließ sich auf ihren Stuhl fallen.

Sie hatte Angst, dass Erin glauben würde, sie sei zu keinen Gefühlen fähig. Was wäre, wenn Erin nach der Beerdigung fragen würde oder sogar daran teilnehmen wollte? Wie sollte sie erklären, dass es keine geben würde? Sie würde sich nicht normal verhalten können, und Erin würde Fragen stellen. Natürlich würde sie wissen wollen, warum Bree am Tag nach dem Tod ihres Vaters zur Arbeit gekommen war, ohne es auch nur zu erwähnen. Und dann würde Erin wissen, dass mit Bree etwas *ganz und gar* nicht stimmte.

Sie hätte es Erin gleich am Montag erzählen sollen. Da hätte sie den Test noch bestanden. Vielleicht wäre es besser, zu warten, bis Erin zu ihr kam und sich nach ihrem Befinden erkundigte, was sie gewiss tun würde. Feigling. Immer nur reagieren, aber nie agieren.

Tu es, tu es, tu es!

Sie stand zu schnell auf, und ihr wurde schwindelig. Dann drehte sie beinahe durch, als Erin nicht in ihrem Büro saß. Vor einigen Minuten war sie doch noch da, Herrgott noch mal! Wo konnte sie denn nur hingegangen sein?

»Ist alles in Ordnung, Bree?«

Sie zuckte zusammen und hätte beinahe aufgeschrien,

konnte sich aber im letzten Moment noch zusammenreißen. »Dominic.« Wo war der denn hergekommen? Sie merkte, dass ihre Hände feucht wurden.

»Wie geht es deinem Dad?«

»Er ist tot.« Die Worte kamen einfach aus ihrem Mund. *Nimm sie zurück, nimm sie zurück!* So direkt hatte sie es nicht sagen, sondern eher behutsam darauf hinarbeiten wollen. Aber jetzt war es zu spät.

»Oh Gott, Bree! Das tut mir so leid.« Dominic berührte ihren Arm. Er war groß, über einen Meter neunzig, und wegen seiner Größe hätte sie sich am liebsten bei ihm angelehnt und ihr Gesicht in seinem dunklen Haar vergraben. Nicht auf sexuelle Weise. Nicht einmal so, wie sie von Luke getröstet werden wollte. Aber Dominic war nun einmal ein starker und gütiger Mann. Und er wollte nichts von ihr. Bei ihm war man sicher.

Seine Augen verdunkelten sich voller Mitgefühl, und er musterte ihr Gesicht, als ob er darin lesen könnte. »Du hättest uns anrufen können. Du musstest doch heute nicht herkommen.«

Was hatte er von ihr erwartet? Die Situation war völlig anders gewesen, als sie Jay verloren hatten. Ein Kind war etwas anderes als ein alter Mann. Eine plötzliche Tragödie, nicht zu vergleichen mit einer Krebserkrankung, von der die Familie monatelang gewusst hatte. Der Anfang des Kummers anstatt das Ende einer langen, schlimmen Reise. Als Dominic nach der Sache mit Jay wieder zur Arbeit gekommen war, hatte er ausgesehen wie ein Geist, durch den man hindurchsehen konnte.

Bei Bree war das anders. Sie war nicht traurig. Sie spürte

nichts außer Erleichterung und Schuld. Aber sie wollte nicht, dass Dominic diese *falschen* Gefühle mitbekam.

»Ich bin einfach froh, dass er von seinem Leiden erlöst wurde.« Wie ein Hund, den man eingeschläfert hatte. Oh ja, genau *das* sollte Dominic doch nicht hören.

Er nickte, und seine Augen wirkten umwölkt. Bestimmt dachte er an Jay, und es tat ihr leid, dass sie es war, die ihn an seinen Sohn erinnerte.

Dennoch berührte er sie voller Sympathie und Mitgefühl an der Schulter. »Du solltest bei deiner Mom sein, Bree, und nicht hier.«

»Sie hatte was zu erledigen.« Ihre Mom brauchte sie nicht. Sie warf nur weitere Sachen aus dem Haus. An diesem Tag wollte sie die Garage aufräumen, in der ihr Vater all seine Werkzeuge aufbewahrte. Bree hatte sie gebeten, besonnen vorzugehen und nichts wegzuwerfen, was sie noch für die Pflege des Hauses und des Gartens brauchten.

Aber diese Verrücktheit konnte sie Dominic natürlich nicht eingestehen. Stattdessen fügte sie hinzu: »Sie kommt schon klar. Meine Mom ist unerschütterlich.« Selbst das klang noch nicht nach einer Erklärung, also redete sie schnell weiter. »Sie muss immer irgendetwas tun. Immer in Bewegung, das ist meine Mom.« Sie versuchte zu lächeln und merkte, dass es nicht richtig funktionierte. »Ich hatte das Gefühl, dass sie ein wenig alleine sein wollte, um sich an alles zu gewöhnen und es zu begreifen …« Sie sprach nicht weiter, weil sie selbst merkte, dass sie sich mit ihrem bedeutungslosen Geplapper nur weiter in die Bredouille brachte.

Falls Dominic ihr Gestammel bemerkt hatte, so erwähnte er es nicht. Er schüttelte einfach nur mitfühlend den Kopf.

»Ich weiß, wie schwer das ist. Darum ist das auch eine Zeit, in der die Familie zusammen sein muss. Fahr nach Hause! Wir kommen schon klar.«

»Aber ich muss noch die Schecks überprüfen.«

Er sah sie irritiert an. »Das kann Erin erledigen. Fahr nach Hause, Bree!«

Auf einmal war sie froh, dass sie mit Dominic und nicht mit Erin gesprochen hatte. Er fragte nicht nach Einzelheiten, er wollte keine Details wissen. Außerdem fand er die richtigen Worte und stellte keine Fragen, die sie auffliegen lassen konnten. Aber sie versteckte sich hinter ausweichenden Antworten und idiotischem Geplapper, anstatt das zu sagen, was gesagt werden musste. Sie musste sich langsam mal ändern und Rückgrat zeigen. Zum Angriff übergehen. Beschließen, was zu tun war, anstatt die Entscheidungen von anderen treffen zu lassen.

Doch nicht an diesem Tag. Nach einigen weiteren belanglosen Worten nutzte Bree die Gelegenheit, die ihr Dominic bot, und machte sich aus dem Staub. Sie ging nicht einmal zurück, um ihren Regenschirm und den Mantel zu holen. Wie ein richtiger Feigling.

Dominic fand Erin in der Produktion, wo sie gerade etwas mit Matt besprach. Sie hatten Matt, einem ihrer Techniker, die Verantwortung für den Zusammenbau der Messwandler übertragen. Das waren die Sonden, die die Messungen der Ultraschallgeräte aufzeichneten und die Qualität eines Instruments ausmachten. Lange Jahre hatten sie das von Leon in einer Fremdfirma machen lassen, doch Leon war inzwischen im Ruhestand. Matt, ein dürrer Junge von Mitte zwanzig mit glatt herabhängendem Haar und Hundeblick, hatte sich mit größerem Enthusiasmus auf den Wandlerzusammenbau gestürzt, als sie es je bei ihm erlebt hatten. Erins Entscheidung, ihm zu vertrauen, war richtig gewesen, aber sie bemutterte ihn dennoch ein wenig. Das lag einfach in ihrer Natur.

Dominic stand einen Augenblick lang da und beobachtete sie. Seine Frau raubte ihm noch immer den Atem. Das würde sie auch immer tun. Nachdem sie Jay verloren hatten, hätten sie sich beinahe getrennt. Er würde sich für den Rest seines Lebens in jeder Minute nach Jay sehnen, aber ohne Erin könnte er nicht überleben. Irgendwie hatten sie in den letzten Wochen einen Weg gefunden, es gemeinsam zu bewältigen. Trotzdem erinnerte er sich in Momenten wie diesem daran, wie schnell sich das Leben ändern konnte. Als er die Qual und den Schmerz in Brees Gesicht gesehen hatte, die Art, wie sie mit der Nachricht vom Tod ihres Vaters herausgeplatzt war, und den Schreck in ihrem Gesicht, nachdem sie es ausgesprochen hatte, wurde ihm das wieder einmal bewusst.

Er hatte all das schon erlebt. Und noch viel mehr.

»Hast du kurz Zeit, Schatz?«, fragte er Erin.

Sie sah auf, und ihr Gesicht spiegelte ihre Konzentration wider, so sehr war sie auf ihre Aufgabe fokussiert. Bis sie blinzelte. Und lächelte. Wie er dieses Lächeln liebte. Auf gewisse Weise hatten sie diesen aufregenden Reiz des Neuen in ihrer Beziehung wiederbelebt, der nach fünfzehn Jahren Ehe längst verschwunden war. Natürlich hätte er sein Leben für die Rückkehr seines Sohnes gegeben, aber er hatte Erin, und dieses Mal würde er jede kostbare Minute ihres Zusammenseins genießen und nichts als gegeben hinnehmen.

»Was ist?« Sie zog die Augenbrauen zusammen.

Dominic bedeutete ihr, mit ihm außer Hörweite zu gehen. »Ich habe eben mit Bree gesprochen«, begann er.

»Ihr Vater ist tot«, beendete Erin den Satz für ihn und legte sich die Hand an die Stirn. »Verdammt, ich habe sie heute nicht mal herkommen sehen. Ich hätte besser aufpassen müssen. Wie geht es ihr?« Es war so typisch für Erin, sich selbst die Schuld zu geben.

»Sie war merkwürdig und hat tatsächlich gesprochen.«

»Was hattest du erwartet?«

»Ich meine, sie hat mit mir *gesprochen*.« Normalerweise sagte Bree nur das Nötigste zu ihm. »Sie war regelrecht schwatzhaft.« Zumindest für ihre sonstigen Verhältnisse. Es fiel ihm schwer, genau in Worte zu fassen, was ihn beunruhigte.

»So hat sie sich bei mir noch nie benommen. Es war fast so, als ob sie nicht wüsste, wie sie mir das, was sie sagen wollte, mitteilen sollte, und dann hat sie einfach losgeplappert. Sie hat sogar angemerkt, dass sie sich noch um die Schecks kümmern müsse«, fügte er hinzu. »Ich habe sie nach Hause geschickt.«

»Oh Gott, das mit den Schecks kann ich doch machen! Geht es ihrer Mom gut?«

»Ich denke schon. Sie sagte, ihre Mutter hätte einiges zu erledigen, was immer das zu bedeuten hat.«

Erin schürzte die Lippen. »Sie hätte heute nicht mal herkommen müssen. Wann ist er gestorben?«

»Keine Ahnung. Das hat sie nicht gesagt.«

»Dann haben sie vermutlich noch nicht entschieden, wann er beerdigt wird. Ich werde sie nachher mal anrufen und hören, wie es ihr geht, dann frage ich sie auch, wann der Gottesdienst stattfindet. Wir sollten daran teilnehmen und auch Blumen schicken.«

Das war typisch für Erin, sie wollte immer nur das Beste für andere. Dennoch machte er sich Sorgen um Bree. Sie hatte ihre Gefühle schon immer in sich verschlossen, trotzdem fragte er sich, ob die Krankheit ihres Vaters und jetzt sein Tod sie an die Grenzen ihrer Belastbarkeit brachten.

»Luke, hier draußen ist eine Frau für Sie, aber sie hat keinen Termin.« Seine Sekretärin sprach leise, und ihre Stimme klang vorsichtig und unsicher. »Ich habe ihren Namen noch nie gehört oder in Ihrem Terminkalender gesehen. Und sie hat auch keine Visitenkarte dabei«, fügte Linda langsam und ungläubig hinzu.

»Wer ist es denn?«, erkundigte er sich. Normalerweise war Linda nicht so zurückhaltend. Tatsächlich klang sie sogar ein wenig entgeistert.

»Sie sagt, sie heiße Miss Mason.«

Bree? Mitten am Tag? Sie war im Laufe ihrer Beziehung nicht ein Mal in sein Büro gekommen. Zwar hatten sie neulich davon gesprochen, wie sie ihm bei der Arbeit einen blies, aber ihm war nicht mal bewusst gewesen, dass sie die Adresse seines Büros kannte. Auch wenn er den Namen seiner Firma nicht vor ihr geheim gehalten hatte.

»Schicken Sie sie rein! Und halten Sie meine Anrufe erst mal zurück!«

Seine Sekretärin war effizient, aber sie mochte keine Überraschungen. Und sie war definitiv nicht daran gewöhnt, dass Frauen unangekündigt hier auftauchten, erst recht nicht ohne Visitenkarte oder Termin, *wo kämen wir denn da hin?*

Bree trat ein, und Linda schloss hinter ihr die Tür.

Sie hatte dunkle Ringe unter den Augen, trug keinen Lippenstift, und ihre Haut war so blass, dass man die Venen schattenhaft darunter erkennen konnte. Bree sah, wie man so schön sagte, aus wie der Tod auf Latschen. Sie hatte ihr Haar zu einem Pferdeschwanz gebunden, aus dem sich bereits einige Strähnen lösten, und ihr schwarzer Blazer schien an ihr herunterzuhängen. Er hätte sie am liebsten einfach in den Arm genommen.

»Meister«, sagte sie, und er wusste, dass eine Umarmung das Letzte war, was sie jetzt von ihm brauchte.

Kapitel 23

»Schließ die Tür ab«, sagte Luke in absichtlich grobem Tonfall und kam hinter seinem Schreibtisch hervor.

Sie tat es.

»Komm her!« Er deutete auf eine Stelle einen knappen Meter vor sich. Sie stellte sich dorthin und wartete auf seine Anweisungen.

»Was zum Henker bildest du dir ein, einfach unangekündigt in meinem Büro aufzutauchen?« Er war sehr gerührt, dass sie zu ihm gekommen war, weil sie ihn brauchte. Das war kein normaler Besuch. So etwas machte Bree nicht. Sie war hier, weil sie etwas brauchte, was nur er allein ihr geben konnte. Und jetzt war nicht die Zeit, um über den Grund dafür nachzudenken oder sich wegen dem, was ihr in der Vergangenheit angetan worden war, schlecht zu fühlen.

Also fuhr er sie weiter an. »Was soll meine Sekretärin denn denken? Ist dir klar, in was für eine peinliche Lage du mich bringst?« Er bereitete sie auf die Bestrafung vor, die sie benötigte, und freute sich auch ein wenig darauf, es hier in seinem Büro zu tun mit seiner Sekretärin vor der Tür, seinem Notebook auf dem Konferenztisch, dem in fünfzehn Minuten anstehenden Meeting.

Er ging zwei Schritte auf sie zu und deutete auf den Teppich. »Auf die Knie, du dreckige Schlampe.«

Sie kniete sich hin, und ihre dunklen Augen strahlten.

Sein Herz raste, als er ihren Eifer bemerkte. »Blas mir einen. Mach es sofort, und mach es gut, damit ich vergesse, dass ich mich über dich geärgert habe.«

Ihre Finger zitterten, als sie seinen Reißverschluss herunterzog, und sie machte sich nicht einmal die Mühe, seinen Gürtel zu öffnen. Sie holte seinen Penis heraus, und er war schon steif und pulsierte für sie. So würde es immer sein, dass sie ihn mit einem Blick, einem Wort oder einem Atemzug erregte.

Als sie seine Eichel mit der Zunge berührte, knurrte er und stachelte sie weiter an. Dann spürte er ihre Lippen über den Schaft gleiten, und er legte den Kopf in den Nacken und genoss ihren warmen, feuchten Mund. »Das ist gut, Baby.«

Er wusste nicht, ob er wirklich kommen wollte. Manchmal reichte es ihm, sie nur zu spüren. Wenn es nach ihm ginge, hätte es ewig so weitergehen können.

Sie packte seine Hüften, hielt sich fest und nahm ihn weiter in den Mund. Seine Beine zitterten und drohten unter ihm nachzugeben. Sie brachte ihn so schnell zum Kochen, dass ihm die richtigen Worte nicht einfallen wollten. »Gott!« Nein, das war nicht richtig. »Hure.« Sie saugte fester. Ja, dreckige, schmutzige, heiße, geile Worte. »Du schwanzlutschende kleine Schlampe.«

Sie bearbeitete seinen Schwanz wie wild, saugte an ihm, nahm ihn weit in den Mund und ließ ihn dann wieder herausgleiten, und er glaubte, dass sein Kopf bald platzen würde. Seine Hoden schmerzten, aber er hielt sich zurück.

»Wag es nicht, mich zum Orgasmus zu bringen, du dreckige Hure!«

Sie stöhnte, behielt ihn weiterhin im Mund und umspielte ihn mit ihrer Zunge.

»Als Bestrafung wirst du meinen Samen nicht so bekommen, wie du es willst.« Als er glaubte, es nicht mehr ertragen zu können, als sein Herz wie wild schlug, sein Puls rasend schnell ging und er keuchte, schob er sie weg.

Sie fiel auf den Hintern, stützte sich mit den Händen ab und sah ihn mit geweiteten, gierigen Augen an.

Er konnte kaum noch atmen, als er seinen Penis wieder in die Hose schob und den Reißverschluss hochzog. Seine Haut unter dem weißen Hemd war gerötet. »Miststück«, flüsterte er. »Hure.« Es fühlte sich gut an, als könnte er sie für seine Verweigerung verantwortlich machen, und er fragte sich, ob das zu den Dingen gehörte, die einen richtigen Dom anmachten, dass er der Sub die Schuld geben und sie bestrafen konnte.

»Steh auf!«, befahl er.

Sie stand auf, und ihre Haut war von der Anstrengung leicht gerötet.

»Zieh die Schuhe aus, und beug dich über meinen Schreibtisch!«

Sie kickte ihre High Heels zur Seite, schob seinen Stifthalter und den Hefter aus dem Weg und stützte sich mit beiden Unterarmen auf seinem Schreibtisch ab. Sie hatte seit dem Betreten seines Büros außer dem ersten Wort noch nichts weiter gesagt. Er genoss ihr Schweigen, ihr Verlangen.

Er stellte sich hinter sie, drückte sich an ihren Rücken und griff dann mit einer Hand an ihren Bauch, um ihren Gürtel zu lösen. »Das wäre viel einfacher, wenn du einen Rock tragen würdest. Tauch hier ja nie wieder in einer Hose auf. Du wirst immer einen Rock tragen, damit ich leicht an dich rankomme. Hast du verstanden?«

»Ja, Meister«, flüsterte sie mit gierigem Wimmern in der Stimme.

Das erregte ihn noch mehr, ihr Gehorsam, ihre Fügsamkeit, ihr Wunsch, alles für ihn zu tun. Darin lag so viel Macht, und auch wenn er ein Befürworter der Gleichberechtigung war und fand, dass Mann und Frau auch beim Sex gleichgestellt sein sollten, genoss er es, die völlige Kontrolle zu haben.

Er zog den Reißverschluss ihrer Hose herunter und schob sie über ihren milchig weißen knackigen Hintern herunter. »Zieh sie aus«, sagte er, als sie sich auf ihren Fußknöcheln bauschte.

Dann schob er sie mit dem Fuß beiseite, lehnte sich gegen sie, legte die Lippen an ihr Ohr und glitt mit den Fingern über ihren String, der zwischen den Pobacken klemmte. »Von jetzt an wirst du Strümpfe unter dem Rock tragen«, flüsterte er. »Außerdem tragen dreckige geile Schlampen kein Höschen. Ich werde dich bei der Arbeit anrufen und dir befehlen, für mich zu masturbieren.« Sie erschauerte unter ihm und atmete schneller. »Ich rufe dich vielleicht sogar an, wenn du gerade im Auto sitzt«, fuhr er fort, »und dann wirst du die Beine für mich spreizen. Du wirst vierundzwanzig Stunden am Tag und sieben Tage die Woche für mich bereit sein und tun, was immer ich dir sage. Wenn ich nach einem anstrengenden Meeting einen Blowjob brauche, dann wirst du alles stehen und liegen lassen und hierherkommen.« Sein Penis zuckte, und er fragte sich, wieso ihm das nicht schon früher eingefallen war. »Hast du das verstanden, du süße kleine Nutte?«

»Ja, Meister«, erwiderte sie mit vor Lust heiserer Stimme.

Er hatte sie beide mit seinen Worten erregt. Die Möglichkeiten übermannten ihn, und als er ihre Muschi streichelte, die ihn unter dem schwarzen Satinstoff zu rufen schien, wollte er sie ficken, sie ausziehen und nehmen, seinen Schwanz tief in sie hineinstoßen. Jetzt. Für immer. Er hatte ein Kondom in der Hosentasche, das er für den heutigen Abend gedacht hatte, falls sich eine Gelegenheit ergeben sollte. Aber noch nicht, er musste sie noch mehr bestrafen, bevor er sie ficken konnte.

Er sah nicht einmal auf seine Uhr. Beeman würde pünktlich zu ihrem Termin kommen, aber er konnte draußen warten. Luke gefiel der Gedanke, Beeman warten zu lassen, während er mit ihr schlief. Er wollte es, und zwar jetzt.

Er ging ein Stück zurück und schlug ihr auf den Hintern. »Sei ganz still, du kleine Hure!«

Sie schrie nicht auf, sondern stöhnte nur ganz leise.

Er zog ihr Höschen beiseite, und sein Penis glitt kurz in ihre warme, feuchte Muschi. Dann schob er den schwarzen String bis auf den Boden herunter, forderte sie aber nicht auf, ihn beiseitezuschieben, sondern genoss den Gedanken, dass der Satinstoff ihre Füße fesselte.

»Ich werde dich jetzt spanken, weil du es gewagt hast, ohne Vorankündigung in mein Büro zu kommen.«

Er schlug fest zu und strich dann mit den Fingern über ihre Muschi, weil er sie einfach spüren musste, diese Süße, diese Feuchtigkeit.

»Spreiz die Beine, du dreckige Schlampe!«

Sie stellte die Füße so weit auseinander, wie es ihr mit dem hinderlichen String möglich war.

Er bewegte die Hand noch weiter und fand ihre Klit. Sie stöhnte und drückte sich gegen ihn, legte den Oberkörper ganz auf den Schreibtisch und streckte die Hände aus, um sich auf der anderen Seite festzuhalten.

Das Telefon klingelte. Er hielt Bree an den Haaren fest und presste ihr Gesicht nach unten. »Keinen Mucks«, flüsterte er und drückte den Knopf, um den Lautsprecher zu aktivieren, während seine andere Hand noch immer zwischen Brees Beinen lag und sie streichelte. »Ja?«

»Luke, Mr Beeman ist hier wegen der Besprechung.«

Bree erschauderte, als er zwei Finger in sie hineinschob. Aber sie schien sogar die Luft angehalten zu haben. Ein wenig wünschte er sich, dass sie nicht ganz so gehorsam wäre. Es hätte einen gewissen Reiz gehabt, wenn man sie hören könnte.

»Sagen Sie Beeman, dass ich noch wenigstens eine halbe Stunde brauche!« Dann beendete er das Gespräch.

Und schlug Bree so fest auf den Hintern, dass sie quiekte, bevor sie sich wieder unter Kontrolle hatte.

»Siehst du, was du angerichtet hast? Wegen dir muss ich meine Termine absagen. Und meine Sekretärin hat vermutlich längst erraten, wozu du mich hier drin gebracht hast. Hure.«

Er schlug sie erneut. Ihre Finger krümmten sich um die Tischkante und wurden weiß, und als er jetzt wieder zwischen ihre Beine griff, war sie noch feuchter als zuvor.

Er gab ihr mehr von dem, was sie wollte.

Bree konnte nicht mehr atmen, es war einfach zu gut. Ihr Hintern schmerzte, ihre Muschi war so feucht und begierig, und seine Finger in ihr berührten die richtigen Stellen. Und wie er sie beschimpfte, was er ihr an den Kopf warf. Sie war schlecht, schmutzig, schrecklich. Er wusste, dass sie all das wollte, was er mit ihr machte.

Er schlug ihr auf den Hintern, dass es wehtat, dann streichelte er ihre Klit, sodass sie beinahe laut schreiend gekommen wäre. Noch nicht, er hatte ihr noch nicht die Erlaubnis dazu gegeben. Sie durfte erst kommen, wenn er es ihr gestattete. Sie durfte auch nicht schreien, selbst wenn er ihr endlich den Höhepunkt genehmigte.

Sie hatte nicht gewusst, was sie brauchte, als sie hierhergekommen war. Aber Luke wusste es, und er hatte sie sofort auf die Knie gezwungen und ihr seinen köstlichen Schwanz in den Mund geschoben. Und jetzt das!

Sie existierte nur noch als Empfindung, als Schmerz, Lust, seine Finger in ihr, ihr Saft tropfte ihr auf die Beine, er schlug ihr immer wieder auf den Hintern, und wie er ihre Muschi streichelte, das machte sie ganz wild.

»Meister, Meister, Meister, ich komme gleich.« Sie war sich nicht mal sicher, ob sie die Worte laut ausgesprochen hatte oder ob sie sich nur innerlich nach ihm verzehrte.

»Wage es nicht, jetzt schon zu kommen, Schlampe! Ich bin noch nicht fertig.« Das unterstrich er mit einem besonders festen Schlag, dem ein sanftes Streicheln ihrer Muschi, ihrer Klit und ihres G-Punkts folgte.

Sie hätte am liebsten vor Lust laut geschrien und spürte, wie ihr die Tränen in die Augen stiegen, die sie fest zusammenkniff. Aber sie kam nicht, sie schob den Orgasmus beiseite.

Auch wenn sie nicht alle Worte hörte, nicht den ganzen

Satz oder Befehl verstand, so kam das Wichtigste doch bei ihr an: Schlampe, Hure, Nutte. Das waren Begriffe der Zuneigung. Seine besonderen Namen für sie. *Seine* Schlampe, *seine* Nutte, sie war alles für ihn.

Sie war kurz davor und wimmerte, weil es so anstrengend war, sich zurückzuhalten. Nur seine Stimme, die ihr verbot zu kommen, hielt sie vom Höhepunkt ab. Sie war ihm ausgeliefert, wurde kontrolliert, und seine Berührung war so perfekt, der Schmerz so intensiv, die Lust so viel besser.

Auf einmal drückte sich seine Eichel gegen sie. Sie krümmte die Finger um die Tischkante, als er sich tief in sie hineinrammte.

»Nimm das, du dreckige Nutte! Du gehörst mir. Ich kann mit dir machen, was ich will, einfach alles. Du bist meine kleine Sklavin.«

Er legte die Hand auf ihre Klit und spielte daran herum, während er sich immer wieder fest und tief in sie hineinstieß. Der Stoff seiner Hose rieb über die brennende Haut an ihrem Hintern, und der zusätzliche Schmerz steigerte ihre Lust.

»Du wirst kommen, wenn ich es sage, und nicht vorher, Schlampe. Ich werde mir erst von dir nehmen, was ich will, bevor du kommen darfst.« Seine Stimme war wie eine Drohung, die ihre Gedanken fesselte, jede Zelle ihres Körpers, die alles miteinander verband und sie an ihn fesselte.

»Schlampe«, flüsterte er, und sie spürte, wie er sie völlig ausfüllte.

»Nutte«, murmelte er, und sie zog sich um ihn herum zusammen, nahm ihn noch tiefer in sich auf, flehentlich und begehrlich.

Sie krümmte sich, als er sich wieder und wieder in sie rammte, keuchte und hatte Tränen in den Augen.

»Hure«, raunte er ihr zu.

Und sie spürte, wie ihr Körper nicht mehr konnte, wie der Orgasmus über sie kam und sie übermannte.

»Nicht ohne mich, Schlampe.«

Sie starrte ihre weißen Fingerknöchel an der Tischkante an und schloss dann die Augen.

»Komm jetzt«, forderte er, und sie spürte, wie er sich in ihr ergoss, wie sein Schwanz pulsierte, wie er leise neben ihrem Ohr stöhnte, und sie gab sich dem Höhepunkt hin. Sie spürte alles, die Luftströmungen rings um ihren Körper, den rauen Stoff seiner Hose an ihrem Hintern, seine Gürtelschnalle, die sie streifte, und schließlich sein Gewicht, als er über ihr zusammensackte und sie auf den hölzernen Schreibtisch drückte.

Sie schien zu einem Ort zu treiben, der weit von der Realität entfernt war, auch wenn sie spürte, wie er sich aus ihr zurückzog, das Kondom entsorgte und seinen Reißverschluss wieder hochzog. Dann nahm er sie in die Arme, und ihr String segelte zu Boden.

Das Büro war groß, darin standen ein Sofa, ein Sessel und ein Kaffeetisch und natürlich der Schreibtisch sowie ein Konferenztisch. An den Wänden hingen geschmackvolle Fotos von fliegenden Vögeln. Sie wäre am liebsten mit ihnen fortgeflogen.

Er ließ sich mit ihr im Arm auf das Ledersofa fallen. Sie war unterhalb der Taille nackt, aber ihre Haut war erhitzt und ihre Wangen waren gerötet.

Himmel, was hatte sie getan, dass sie hergekommen war

und gebettelt hatte … um was eigentlich? Aber sie hatte nicht nach Hause gekonnt. Sie war ziellos in der Gegend herumgefahren, bis ihr klar geworden war, dass sie immer engere Kreise um sein Bürogebäude zog. Da hatte sie aufgegeben.

»Ich wollte einfach nur deine Stimme hören«, flüsterte sie. Ein Anruf hätte nicht gereicht. Sie brauchte seine Stimme und seine Berührung.

Wenn sie weglaufen wollte, dann war er derjenige, zu dem sie gehen konnte. Sie legte die Arme um seinen Hals und hielt sich fest, als würde er versuchen, sich von ihr zu befreien, wenn sie losließ.

Dominic hatte gesagt, sie solle nach Hause gehen, aber das hatte sie nicht gekonnt. Sie konnte ihrer Mutter nicht gegenübertreten, das Ausräumen, die alten Geister und all das einfach nicht ertragen.

»Mach, dass ich mich sicher fühle«, sagte sie kaum hörbar.

Sie war noch nie sicher gewesen. Die Männer hatten sich immer geändert, immer entschieden, dass sie nicht gut genug war, und waren weitergezogen, aber nicht, ohne dafür zu sorgen, dass sie sich wertlos, nutzlos, ungeliebt und ungewollt fühlte. Sie zeigten ihr vor dem Abschied immer, dass sie nichts Besonderes oder Kostbares war.

Nur zu Luke durfte sie immer wiederkommen. Bis jetzt. Wie lange würde das noch anhalten?

»Du bist sicher«, murmelte er in ihr Haar.

Sie hielt ihn noch fester. »Schick mich nicht weg!« Sie hielt ihn so fest, dass ihre Arme zitterten.

»Das werde ich nicht.«

Wenn sie die Augen zukniff, tat ihr der Kopf weh, und auf

einmal standen ihr Tränen in den Augen und sie konnte nicht verhindern, dass sie unter den geschlossenen Lidern hervorquollen. »Ich habe solche Angst«, flüsterte sie. »Ich habe solche Angst.« Sie wusste nicht, wovor sie Angst hatte, aber sie sagte es immer wieder in der Hoffnung, dass er ihre Angst vertreiben würde, dass er sie in eine Lüge verwandeln würde. Dass sie bei ihm in Sicherheit war.

Sie hatte noch nie zuvor geweint, zumindest nicht so. Nicht einmal, als ihr Vater gestorben war. Sie weinte beim Orgasmus, auch wenn Luke nie genau wusste, ob sie das aus Lust oder vor Schmerzen tat. Aber nach dem Sex hatte sie noch nie geweint.

Er wusste auch nicht, was sie derart beschäftigte, dass sie es jetzt tat.

»Du brauchst keine Angst zu haben«, sagte er leise, als wäre sie ein Kind, das getröstet werden musste. »Ich werde mich um dich kümmern. Ich bin hier. Ich werde immer hier sein.«

Er konnte sich nicht vorstellen, sie jemals gehen zu lassen. Worum sie jetzt bat, war die Intimität, nach der er sich immer gesehnt hatte, die Zärtlichkeit, der Trost, die süßen Momente nach dem Sex, in denen sich zwei Seelen vereinten. Er *wollte*, dass sie ihn brauchte. Er wollte ihre Abhängigkeit, damit er für sie sorgen konnte. Er hielt sie fest, nahm ihren Schmerz und ihre Tränen in sich auf und fühlte sich wie der wichtigste Mann der Welt.

Und doch war er ein Teil ihres Rituals geworden, der Szene, die sie immer und immer wieder nachspielte, um sich besser zu fühlen. Auch wenn es ihm gefiel, dass sie ihn brauchte und zu ihm kam, war daran doch irgendetwas falsch. Das spürte er seit einigen Tagen deutlich. Er kam sich vor, als würde er sie missbrauchen und sich dann hinterher entschuldigen. Er befürchtete, dass das, was er tat, wie perfekt und gut es für ihn auch sein mochte, sich letzten Endes als schlecht für sie erweisen würde.

Kapitel 24

Himmel, war das erbärmlich! Sie schämte sich so. Sie hatte in seinem Büro wie ein kleines Mädchen gejammert, bis seine Sekretärin ihn erneut wegen des Meetings angerufen hatte.

»Was sollte das denn?«, fragte sich Bree laut, als sie nach Hause fuhr. Sie konnte sich nicht einmal mehr genau an ihre Worte erinnern, nur dass sie darüber geklagt hatte, dass er sie eines Tages verlassen würde und all so was. Aber sie dachte daran, direkt in ihre Wohnung zu fahren und die Kleidung zu holen, die sie für ihn tragen sollte, nur Kleider und Röcke, keine Hosen. Oh ja, diese Befehle befolgte sie sofort.

Er würde an diesem Abend zu ihr kommen. Sie hatte geweint, also würde er da sein. Wollte sie einen Mann so an sich binden? Mit Tränen und Hilflosigkeit?

Als sie in der Auffahrt vor ihrem Elternhaus stand, schaltete sie den Motor aus und rieb sich den Unterschenkel, weil sie einen Krampf hatte. Das konnte so nicht weitergehen. Sie durfte sich nicht derart von ihm abhängig machen. Er wäre sie sonst schnell leid und würde sie noch früher verlassen, als er es ohnehin schon geplant hatte. Sie schüttelte sich und riss die Wagentür auf. Was machte das schon? Männer gingen irgendwann doch immer, weil sie dich leid waren. Sie hatte es schon früher überlebt und würde es auch dieses Mal schaffen. Es tat eine Zeit lang weh, dann war es vorbei. Keine große Sache.

Aber bei der Vorstellung, seine Stimme nie wieder zu hören, zog sich in ihr alles zusammen.

»Ich bin in der Küche«, rief ihre Mutter fröhlich, als Bree die Eingangstür noch nicht mal geschlossen hatte.

»Die ist ja verrückt«, murmelte Bree leise. Ihre Mutter war zu glücklich. Sie war immer stoisch gewesen, niemals glücklich. Diese Veränderung beunruhigte sie. War das der Beginn einer Demenz? Wie sollte sich Bree um sie kümmern?

Sie folgte dem Duft von Keksen. Ihre Mutter hatte schon wieder gebacken. Wenn sie keine Sachen rauswarf, buk sie ohne Unterlass. Wer sollte das alles essen? Ach ja, Luke würde es essen.

»Sieh mal, was ich gemacht habe.« Ihre Mutter stand mit leuchtenden Augen in der Küche und deutete auf das Blech mit den frisch gebackenen Schokokeksen. In der Nähe stand eine kleine Pappschachtel auf der Arbeitsplatte.

Bree ignorierte die Kekse und deutete auf die Schachtel. »Was ist das?«

»Die Asche deines Vaters.«

Bree schluckte schwer, aber ihr Hals tat weh, und auf einmal schien sie so schnell zu atmen, dass ihre Nasenlöcher die viele Luft nicht mehr bewältigen konnten. Darin bekam man die Asche, in einer schlichten Pappschachtel? Vermutlich hatte ihre Mutter keine Urne bezahlen wollen. Sie machte den Mund auf, aber das war sogar noch schlimmer, denn wenn Asche in der Luft war, würde sie sie bei jedem Atemzug einatmen. Ihre Mutter hatte gebacken, während die Asche ihres Vaters auf der Arbeitsplatte stand. Großer Gott!

»Ich wusste nicht, dass es so schnell geht, aber sie haben angerufen, und ich habe sie gleich abgeholt«, sagte ihre Mutter mit völlig emotionsloser Stimme. Selbst Bree hatte Gefühle, auch wenn sie nicht genau wusste, wie diese aussahen.

Das war doch völlig verrückt.

»Ich weiß auch schon den perfekten Platz für ihn«, fuhr ihre Mom fort, als würde sie über das Einpflanzen ihrer Amarylliszwiebeln sprechen. In diesem Moment bemerkte Bree, dass die Dumbo-Keksdose direkt neben der Schachtel stand.

Ihre Mutter zog Dumbos Schwanz, den Griff der Dose ab, und entfernte das Hinterteil. »Wir werden ihn hier reintun.«

In Dumbos *Arsch*? Oh mein Gott!

»Für Kekse hat sie sich ohnehin nie geeignet, weil man an die vorderen Kekse nicht richtig rankommt und alle Krümel in die Beine fallen.« Das hatte Brees Vater auch immer gesagt. Ihre Mutter klang wie ein Papagei. »Aber dafür ist sie perfekt, findest du nicht?«

»Ähm.« Mehr brachte Bree nicht heraus.

»Hier, tu ihn rein!« Ihre Mom schob die Schachtel zu ihr herüber.

Bree hätte beinahe aufgeschrien, sie zog die Hand weg, bevor die Schachtel sie berührte. »Das ist verrückt. Du kannst ihn doch nicht in eine Keksdose tun. Bring ihn weg und verstreu seine Asche im Meer.«

Zum ersten Mal in diesen drei Tagen sah ihre Mutter sie an. »Diesen Ort hat er verdient, Brianna, weil er ihn gehasst hat.« Sie nahm die Schachtel, öffnete sie und zog einen Plastikbeutel hervor, der mit einem Kabelbinder aus Nylon zugebunden war und an dem sich ein Metallschild befand.

Heilige Scheiße! Ihr Vater war in einer Tüte und konnte mit einer Hundemarke identifiziert werden.

Ihre Mutter trennte den Verschluss mit einer Küchenschere auf. »Das passt perfekt«, sagte sie, stellte die Tüte auf den Kopf und schob die Öffnung in die Keksdose.

Bree rechnete schon damit, es innerhalb des Keramikkörpers von Dumbo klappern zu hören, aber es ertönte nur ein leises Zischen. War alles komplett verbrannt und pulverisiert worden? Auf einmal wurde ihr ganz schwummrig, und ihr wurde übel, als ihre Mutter die Tüte leerte und eine graue Rauchwolke aufstieg.

Bree konnte es nicht mehr ertragen, und sie ging langsam rückwärts, wobei sie über wer weiß was stolperte, vielleicht über ihre eigenen Füße. »Das ist total gestört. Willst du ihn in der Küche stehen lassen?« Sie wollte nichts weiter, als dass er verschwand, dass alle Erinnerungen an ihn ausgelöscht wurden, damit sie normal werden oder zumindest so tun konnten. Sie konnte doch nicht sonntags zum Essen herkommen, wenn seine Asche auf der Küchenarbeitsplatte stand.

»Das muss ich mir noch überlegen«, antwortete ihre Mutter. »Vielleicht stelle ich ihn auch ins Bad hinter die Toilette.«

»Wir sollten darüber reden, Mom.« Es war Demenz. Oder ein Nervenzusammenbruch nach dem ganzen Stress der letzten Monate. »Wir müssen über deine Gefühle reden.« Das galt eigentlich auch für sie selbst, aber sie wollten beide nicht über dieses Thema reden. *Hast du es gewusst, Mom?*

Ihre Mutter starrte sie einfach an. »Das ist nur Asche. Es ist nicht einmal er. Lass mir doch meinen Spaß.«

»Du klingst, als hättest du ihn gehasst.« Genauso wie in der Nacht, als sie an seinem Bett gestanden und darauf gewartet hatte, dass er starb. *Sag doch was, Mom!*

Ihre Mutter schnaubte. »Natürlich habe ich ihn nicht gehasst. Er ist dein Vater.«

Das bedeutete gar nichts. Soweit es die Empfängnis betraf, war er nur ein Samenspender. »Wir sollten wirklich darüber reden.« Bree war sich nicht sicher, ob sie das tatsächlich wollte, aber ihre Mutter benahm sich zu merkwürdig, um es zu ignorieren.

»Da gibt es nichts zu reden.« Sie knüllte die leere Tüte zusammen und legte sie, den Kabelbinder und das Metallschild in die Schachtel, öffnete die Tür unter der Spüle und warf alles in den Abfalleimer. Wie Müll. Dann schob sie Dumbo wieder an seinen Platz zwischen den anderen Keksdosen.

Bree würde nie wieder einen Keks aus einer der Dosen ihrer Mutter essen.

Dann, als wäre absolut nichts Verrücktes passiert, fragte ihre Mutter: »Kommt Luke heute zum Essen?«

Bree hatte das Gefühl, im All zu treiben. Sie konnte nicht denken, nicht handeln und schaffte es gerade mal, ihrer Mutter zu antworten. »Er hat nichts vom Essen gesagt, nur, dass wir uns später noch sehen.«

»Dann werde ich etwas Besonderes kochen.« Ihre Mom lächelte und deutete mit dem Finger auf Bree. »Er betet dich an und wird herkommen, keine Sorge. Du musst diesen Mann festhalten, Bree. Er ist älter und klüger, und er wird sich gut um dich kümmern.«

Himmel, sie klang ja schon wie eine Schnulze! Sie drehten beide langsam durch. »Mom, würdest du bitte damit aufhören?«

Aber das hatte ihre Mom gar nicht vor. »Jetzt geh unter die Dusche! Du siehst furchtbar aus, dein Make-up ist völlig verschmiert, und deine Haare sind zerzaust.«

Vielen Dank auch, Mom! Das sprach sie nicht aus, da sie

sich nicht mit ihrer Mutter streiten wollte. Sie hatte schon immer gewollt, dass sie sich mehr schminkte, sich eine schickere Frisur zulegte und öfter Kleider anstelle von Hosen trug. »Hör mal, Mom, wir müssen einiges besprechen, zum Beispiel, wann wir zum Notar wollen.«

Ihre Mutter wedelte mit der Hand in der Luft. »Ich habe am Donnerstag um neun einen Termin bei ihm.«

Verdammt! Zu dieser Zeit war Bree mit Marbury verabredet. »Warum hast du mir nicht gesagt, dass du einen Termin vereinbarst? Jetzt habe ich Donnerstag schon etwas vor, das ich nicht verschieben kann.«

»Ach, dabei brauche ich dich nicht, Schatz. Das ist nur eine Formalität. Dein Vater hat das Treuhandkonto eingerichtet, und alles wird reibungslos laufen.«

»Aber, Mom ...«

Ihre Mutter schürzte die Lippen. »Du machst dir zu viele Sorgen. Ich bin nicht völlig verblödet und kriege das auch alleine hin.«

»Wofür brauchst du mich hier dann noch?« Sie wollte sie nicht so anfahren, aber sie ärgerte sich ungemein über ihre Mutter.

Ihre Mom packte ihren Arm, und ihre Finger bohrten sich in Brees Haut, obwohl sie noch ihre Jacke trug. »Du kannst mich nicht alleine lassen. Ich brauche dich hier, Brianna. Ich kann noch nicht alleine in diesem Haus bleiben.« Sie sah sie mit aufgerissenen, starren Augen an.

»Aber du bist den ganzen Tag alleine.«

»Aber ich weiß, dass du abends wiederkommst, und das macht es für mich einfacher.«

Bree starrte ihre Mutter an. Vielleicht sollte sie die verdammte Asche doch lieber wegschütten, anstatt sie in einer Keksdose aufzubewahren. Ein normaler Mensch hätte das getan. Das wurde von einem erwartet. Manchmal musste man einfach alles runterschlucken und so tun, als ob man normal wäre.

»Okay, Mom, ich bleibe noch eine Weile.« Vielleicht konnte sie in der Zeit herausfinden, ob ihre Mom wirklich dement wurde.

»Wenn Sie bereits zwei Töchter haben, bedeutet das dann, dass Sie bei Ihrer nächsten Ehe keine weiteren Kinder mehr wollen?«

Bree hätte die Minestrone, die ihre Mutter gekocht hatte, beinahe über den halben Esstisch gespuckt. »Mom. Lass ihn in Ruhe!«

»Ich mache nur Konversation, Bree.«

»Es ist schon in Ordnung«, meinte Luke und spielte den wohlerzogenen Gast. »Ich habe in absehbarer Zeit keines von beiden vor, Mrs Mason.«

In seinem dunklen Anzug und dem weißen Hemd sah er so verdammt sexy aus, dass Bree ihn am liebsten berührt hätte. Sie hatte sich noch nie zuvor danach gesehnt, einen Mann zu berühren, nicht auf diese Weise. Sie hätte sich am liebsten an ihm gerieben wie eine Katze. Luke schien irgendwie ein neues Phänomen zu sein. Lag es daran, dass ihr Vater gestorben war? Sie konnte es nicht genau sagen.

Aber ihre Mutter ging ihr mit dem Verkuppeln einfach zu weit, und sie bekam Angst, dass Luke einen Keks aus Dumbo haben wollte. »Es wird Zeit aufzubrechen«, sagte Bree. »Sonst kommen wir noch zu spät.«

»Ich wusste nicht, dass ihr etwas Bestimmtes vorhabt.« Ihre Mutter machte ein enttäuschtes Gesicht. »Davon hast du nichts gesagt.«

Bree lächelte angespannt. »Etwas ganz Bestimmtes. Wir sollten wirklich los.«

»Aber ich habe Nachtisch gemacht«, meinte ihre Mutter traurig.

»Du kannst ihn einpacken, und Luke nimmt ihn mit.«

»Brotpudding muss man warm essen.«

Luke saß die ganze Zeit vor seinem leeren Suppenteller, auch das Weißbrot hatte er aufgegessen. Er beobachtete sie. Was sah er? Was dachte er? Fand er, dass sie zu grob mit ihrer Mutter umsprang?

Bree holte tief Luft und wünschte, er würde irgendetwas sagen, um ihr zu helfen. Warum kam er überhaupt hierher?

»Ich würde gern ein Stück mitnehmen, Mrs Mason. Und ich verspreche, dass ich es im Backofen und nicht in der Mikrowelle warm mache.«

Oh, Gott sei Dank, er hatte etwas gesagt!

Ihre Mutter strahlte. »Ja, aus dem Ofen ist er viel besser. Ich fülle Ihnen etwas um, während sich Bree zurechtmacht.«

»Sie sieht doch schon toll aus.«

Himmel, jetzt wurde er auch noch zum Charmeur! Sie hatte sich an diesem Abend für ihn geschminkt, sich die Haare gewaschen und sich wie befohlen einen Rock angezogen. Bloß Strümpfe, kein Höschen. Nur für ihn.

Er entschuldigte sich und ging auf die Toilette, und Bree half ihrer Mutter beim Abräumen.

»Bree, deine Schuhe sind wieder zu hoch.« Ihre Mutter

zischte ihr diesen Kommentar fast schon ins Ohr. »Du musst andere anziehen. Ein Mädchen sollte nie größer sein als ihr Liebhaber.«

Himmel! »Er ist nicht mein *Liebhaber*. Und Luke mag es, wenn ich hochhackige Schuhe trage.« Er nannte sie ihre Fick-mich-Schuhe. »Lass gut sein.« Dann drehte sie sich um und legte flehentlich die Hände zusammen. »Bitte, bitte, bitte hör auf mit diesen Fragen! Das ist mir peinlich.«

»Ich will nur wissen, wie er sich seine Zukunft vorstellt.«

»Mom, er ist fünfundvierzig Jahre alt, leitet eine eigene Firma, ist geschieden und hat zwei Töchter. Er steht mitten im Leben, und seine Zukunft geht dich nichts an.«

Ihre Mutter schmollte und tat etwas Brotpudding in eine Plastikschüssel.

Als Luke zurückkam, strahlte sie jedoch wieder, reichte ihm die Schale und erklärte ihm, auf welche Temperatur er den Ofen einstellen musste.

»Vielen Dank! Ich verspreche, dass ich sie früh wieder nach Hause bringe«, erklärte Luke.

»Oh, machen Sie sich wegen mir keine Sorgen. Ich habe keine Angst, alleine zu sein. Amüsiert ihr euch ruhig.«

Genau, darum hatte ihre Mom Bree ja auch angefleht, noch nicht nach Hause zu gehen. Bree verdrehte die Augen. Sie hatte noch nicht einmal mit Luke darüber gesprochen, wo sie hingehen wollten, aber sie konnte es hier nicht länger aushalten, wenn ihre Mutter ihm weiter so zusetzte.

»Wie geht es dir?«, fragte Luke, nachdem er ihr in den Wagen geholfen hatte. Höflich wie immer hatte er zuerst ihr die Tür geöffnet.

»Mir geht es gut.«

»Ist mit deiner Mom alles okay?«

»Du hast sie gehört. Es geht ihr gut.« Sie bewahrt Dads Asche in Dumbos Arsch auf und fängt schon damit an, die Hochzeit ihrer Tochter zu planen.

»Du wirkst irgendwie angespannt.«

»Ich bin nicht angespannt«, fuhr sie ihn an. Himmel, genau das war es, was sie nicht wollte. Sie war bei Luke früher nie emotional und zickig geworden, und jetzt gleich an zwei Abenden hintereinander. Das passte nicht zu ihrer Beziehung, aber sie konnte nicht anders, wenn ihre Mutter in der Nähe war.

»Nach dem heutigen Morgen musst du deinen Gefühlen vielleicht freien Lauf lassen«, sagte er und ließ den Wagen an.

Sie wollte aber nichts freien Lauf lassen. Sie wollte nicht einmal zugeben, dass sie Gefühle hatte. Sie ließen sich schwer einschätzen und analysieren. Und sie konnte ihm nicht von Dumbo erzählen. »Das ist nicht notwendig.«

Er seufzte hörbar, als er den Wagen an einer Ampel anhielt. »Okay. Deine Mom scheint mit allem gut klarzukommen. Sie ist eine starke Frau.«

Bree wusste nicht, warum sie dieser Satz wütend machte, aber sie schnaubte. »Ja, genau. Du hättest sehen sollen, was sie heute Nachmittag gemacht hat.«

»Was hat sie denn gemacht?«

Scheiße! Was in aller Welt sollte sie jetzt sagen? Er würde nicht mehr von diesem Thema ablassen. »Vergiss es! Ich hätte es gar nicht erst erwähnen sollen.«

Aber Luke war niemand, der so etwas vergaß.

Kapitel 25

Und genau das tat Luke schließlich: Er fragte nach.

Als die Ampel grün wurde und er weiterfuhr, sagte er: »Du hast deine Mutter erwähnt. Vielleicht kann ich helfen.«

»Das bezweifle ich«, flüsterte Bree, der die Worte fast in der Kehle stecken blieben. Er würde sie beide für verrückt halten, wenn sie ihm von der Asche ihres Vaters erzählte.

»Sag es mir! Du willst doch darüber reden, sonst hättest du es gar nicht erwähnt.«

Er sagte das, als würde er glauben, die Frauen zu kennen, als würde er wissen, wie sie dachten, und vielleicht tat er das auch, nachdem er mit seiner Frau und zwei Töchtern zusammengelebt hatte. Aber er kannte *sie* nicht. »Hör mal, ich *wollte* das gar nicht sagen, und es geht dich auch nichts an.« Der zweite Teil klang gereizter, als sie es vorgehabt hatte. Sie wurde zur Furie, obwohl er ihr bloß helfen wollte, aber da war auch ein kleiner Teil in ihr, der jubilierte, wenn sie so mit ihm sprach. Mit einem Mann. Ihrem Meister. Sie hatte Angst, Marbury etwas zu verweigern, aber jetzt sagte sie Luke auf einmal, er solle sich um seine eigenen Angelegenheiten kümmern.

»So. Du findest also, dass es mich nichts angeht, wie es dir und deiner Mutter nach dem Tod deines Vaters geht.« Sie konnte im Licht der Straßenlaternen erkennen, dass sich sein Kiefer verspannte und dass seine Nasenflügel flatterten.

»Warum sagst du mir dann nicht, was mich überhaupt was angeht.«

»Der Sex, Luke. Das ist es, was uns ausmacht: der Sex. Das hat dir schon immer gefallen. So was wie das, was wir heute Morgen in deinem Büro gemacht haben.« Auch wenn sie noch nie zuvor in sein Büro gekommen war. Ja, sie wusste, dass sie da eine Grenze überschritten hatte. Aber er hatte ihr die Fantasie von einem Quickie in den Kopf gesetzt. Sie hatten darüber gesprochen.

»Was genau aus meinem Büro?«, fragte er mit harter Stimme. »Als ich dich gespankt und gefickt habe? Oder als du weinend in meinen Armen gelegen hast?«

»Das war ein Ausrutscher.« Sie konnte ihm nicht sagen, worum es dabei wirklich gegangen war. Um die völlige und absolute Angst vor allem in ihrem Leben, um Himmels willen! Und das war *vor* Dumbo.

»Dann willst du mir also sagen, dass es bei uns *nur* um Sex geht.«

Irgendwie war das nicht richtig angekommen. So hatte sie das nicht gemeint. Denn es ging nicht *nur* um Sex. Es ging auch um … Sie überlegte, wie sie es ausdrücken sollte, aber er ließ ihr nicht genug Zeit.

»In Ordnung. Dann lass uns Sex haben. Oder wie wäre es mit einem Spanking? Ich könnte dich auch fesseln und ficken. Oder wie wäre es, wenn ich dich ein paar Männern überlasse, die mit dir machen können, was sie wollen, weil ich einen langen Arbeitstag hinter mir habe und mir nicht mehr die Mühe machen will?« Er sah sie aus schmalen Augen an, und sie konnte seinen Blick im halbdunklen Wagen nicht richtig deuten. »Was wäre dir lieber? Wenn ich es mir recht überlege, sind deine Wünsche eigentlich egal, weil ich der Meister bin.« Jetzt war er richtig in Fahrt. Sie hatte ihn wieder einmal verärgert, und jetzt gab es kein Halten mehr. »Wir drehen den Spieß um und suchen jemanden, den ich ficken kann, während du zusiehst.«

Ihr Magen schien sich zu einem großen Klumpen zusammenzuziehen. Sie wollte nicht, dass er eine andere anfasste. Diese Vorstellung gefiel ihr überhaupt nicht. Derek hatte das getan und sie zusehen lassen. Als er sie leid war. Er hatte sie sogar geschlagen, als sie sich beschwert hatte. Luke schlug sie nie. Das würde er auch nie tun. Einige Männer konnten das einfach nicht. Aber Luke konnte es auch nicht lassen, sie ständig zu bedrängen und aufzuhetzen.

Sie schoss direkt zurück. »Du bist der Meister und kannst tun, was immer du willst.« Wenn er sie beim Wort nahm, war sie geliefert.

»Du hast Recht, ich bin der Meister. Ich habe die Kontrolle, was du zu vergessen scheinst, wenn es dir in den Kram passt. Also spielen wir heute nach meinen Regeln.« Er fuhr auf den Freeway, der nicht zu seinem Haus führte. »Was trägst du unter dem Kleid?«

»Strümpfe. Kein Höschen.«

»Braves Mädchen. Ich kann nicht glauben, dass du tatsächlich einen Befehl befolgt hast, wo du den ganzen Abend so aufsässig bist. Und jetzt sei still, bis wir an unserem Ziel ankommen.«

Bree saß in der unerträglichen Stille im Wagen. Sie wusste, dass sie gemein gewesen war und ihre ganze Verzweiflung über das Verhalten ihrer Mutter an Luke ausgelassen hatte. Ihr Vater war auch immer so gewesen und hatte seine Familie seinen Zorn spüren lassen, während jeder andere, der ihn kannte, nichts davon mitbekam. Ja, er hatte sich das Schlimmste für die Menschen aufgehoben, die er angeblich liebte. Luke war da ganz anders.

Manchmal, wenn sie zu viel Zeit zum Nachdenken hatte, stellte sie sich vor, wie sie seine Töchter kennenlernte. Sie würden ihn lieben, ihn vergöttern und für den Größten halten. Das war ihr vollkommen klar, schließlich war er ja auch der beste Meister. Und doch hatte sie ihn verärgert, und jetzt musste sie den Preis dafür bezahlen und wurde bestraft. Bei dieser Aussicht verspürte sie eine schaurig-schöne Vorfreude.

Vielleicht hatte sie ihn ja auch absichtlich verärgert, nur um ihn auf die Palme zu bringen.

Die Stille gefiel ihm gar nicht, aber er hatte die Drohung ausgesprochen und musste die Sache jetzt durchziehen. So lief das in ihrer Beziehung nun mal. Er konnte sie in der Enge des Wagens tatsächlich riechen. All die Drohungen und Befehle hatten sie tatsächlich erregt, sie war voller Verlangen und Furcht, eine mächtige Kombination. Es funktionierte jedes Mal. Dabei hatte er sie noch nicht einmal Schlampe genannt.

Er war sich sicher, woher ein Teil ihrer Probleme rührte, aber dennoch wusste er nicht, wie er das ändern könnte. Das war jetzt ihr Ritual. Wut, heißer Sex, dann ein Zusammenbruch. In jenen kurzen Momenten nach dem Höhepunkt brauchte sie ihn für mehr als Sex. Und er brauchte diese Momente auch. Das war verrückt und wurde immer schlimmer.

Aber sie war seine Sub, und sie hatte die Zicke gespielt. Das durfte er nicht ungestraft durchgehen lassen. Sonst wäre seine Autorität beschädigt. Würden sie die Rollenverteilung ändern, dann konnte er sie verlieren, weil es das war, was sie wollte, eine feste Hand. Er musste zugeben, dass sein Blut ebenfalls in Wallung war. Sie hatte ihn mit all den Gedanken, die sie in seinen Kopf brachte, erregt. Er konnte förmlich spüren, wie seine Hand brannte, wenn er ihr auf den Hintern schlug, und wie er steif wurde. Er sah sie gefesselt vor sich liegen, ihm auf Gedeih und Verderb ausgeliefert, und sein Herz schlug schneller. Er stellte sich vor, wie sie an ein Bett gefesselt war und eine Reihe von Männern wartete, die sie besteigen wollten, während er über ihr kniete und ihr Haar festhielt. *»Willst du sie? Oder willst du meinen Schwanz tief in dir spüren, während sie zusehen und dich umso mehr begehren?«* Er würde sie selbst besteigen, selbst wenn sie etwas anderes wollte, es war nur eine Frage der Zeit. Und ihr würde all das gefallen.

Er warf ihr einen Blick zu. Sie war auf ihrem Sitz zusammengesunken, hatte die Beine angezogen und den Körper unter dem Sicherheitsgurt gekrümmt.

Vielleicht sollte es genau so in einer richtigen Dom-Sub-Beziehung laufen. Sie schloss ihn aus, bedrängte ihn und wurde zickig, um ihn in Fahrt zu bringen. Er musste reagieren, das war seine Rolle. Sie wollte es wieder eskalieren lassen, das Spiel und die Wut, was ihm nicht gefiel, insbesondere hinsichtlich seiner Vermutung in Bezug auf ihren Vater. Trotzdem reagierte er, und sie öffnete sich hinterher, wenn auch nur kurz. Er sagte sich, dass das ausreichte.

Großer Gott, er wollte das auch, das Spiel, die Erregung,

das Hin und Her des wütenden, emotionalen Sex. Es war ein unglaubliches Gefühl. »Willst du wissen, wo wir hinfahren?«

»Ich unterstehe deinem Befehl, Meister«, antwortete sie mit leiser Stimme, der ihre Erregung anzuhören war.

»Du bist so leicht zufriedenzustellen, Schlampe«, murmelte er.

»Nur bei dir.«

»Das werden wir noch sehen.«

Er fuhr zu einem Hotelkomplex in der Nähe des Freeway im Herzen des Silicon Valley und entschied sich für eines der luxuriöseren, das auch dafür bekannt war, dass es hier oft zu Seitensprüngen kam.

»Ich dachte, wir fahren in einen Klub«, sagte sie und setzte sich in ihrem Sitz auf.

»Das habe ich nie gesagt.«

»Aber …«

Er warf ihr einen Blick zu, und sie schwieg. »Komm mir nicht mit ›Aber‹!«, fuhr er sie an. »Ich bin sauer. Du wirst alles tun, was ich sage, und keine Fragen stellen. Hast du verstanden?«

»Ja«, flüsterte sie.

»Und was bist du?«

»Ich bin deine dreckige Sklavenschlampe.«

»Ja, die bist du. Und jetzt zieh den BH aus. Ich habe dir doch gesagt, dass du keine Unterwäsche tragen sollst.«

»Aber vor meiner Mutter …«

»Die ist jetzt nicht hier.«

Bree schlängelte sich aus dem BH und warf ihn auf den Rücksitz. Er hatte seinen Sicherheitsgurt bereits gelöst und beugte sich zu ihr herüber, um ihr unter den Rock zu greifen. »Spreiz die Beine, kleine Hure!«

Sie ließ ihn zwischen ihre Oberschenkel. Sie war warm und feucht, und er genoss es, ihr in die geweiteten Augen zu sehen, ihre Klit unter seinem Finger zu spüren und ihr Keuchen zu hören.

»Du willst das. Du bist bereits feucht und geil.«

»Ja.«

Er drückte ihren Kopf in den Nacken und presste seinen Mund auf ihren. Sie war süß, und der innige Kuss ließ sein Herz rasen. »Dreckige Schlampe«, flüsterte er. Dann zog er sich zurück und leckte ihren Saft von seinen Fingern. Himmel, wie er ihren Geschmack liebte!

»Wenn ich dich unter dem Tisch anfassen will, dann wirst du sofort für mich die Beine spreizen«, ordnete er an, während sie ihr Kleid richtete. »Wir werden eine Weile sitzen bleiben und mein Opfer auswählen. Ich möchte, dass du die Frau aussuchst, die ich ficken werde, während du zusiehst.«

Sie schluckte schwer, und in ihren Augen loderte es auf, dann nickte sie. Wann würde sie ihn aufhalten? Wann würde sie seinen Arm nehmen und ihm sagen, dass sie unmöglich dabei zusehen konnte? Wie weit musste er gehen, bevor sie ihm gestand, dass sie das nicht wollte?

Dieses Szenario war sehr aufregend, und er fühlte sich wie ein Spieler, dessen Einsatz so hoch war, dass er ihn nicht bezahlen konnte, wenn er verlor, aber er hatte das Gefühl, das Glück auf seiner Seite zu haben, und konnte der Verlockung nicht widerstehen.

Sie biss sich auf die Lippe. »Wie willst du jemanden auswählen, wenn du neben mir sitzt?«

Er lächelte verschlagen. »Ihr Frauen mögt es doch, einer anderen den Mann wegzuschnappen, oder? Wenn wir eine finden, werden wir beide uns einfach trennen, als wären wir Geschäftspartner. Dann werde ich ihr charmant mitteilen, dass meine *Kollegin* zusehen möchte.« Er grinste breit und falsch und wartete auf ihre Reaktion.

Sie ließ sich nichts anmerken. Er hatte ihr zu viel Zeit gelassen, sich darauf vorzubereiten.

Als er ausstieg, öffnete er ihr nicht die Tür. Er hielt ihr auch nicht den Arm hin, als sie die Lobby betraten, die sehr groß war, eine Glasfront und einen Marmorboden besaß und in der es von Gästen nur so wimmelte, die größtenteils Businesskleidung trugen, als wäre es eine Uniform. Am Empfang stand eine Schlange, doch sie gingen daran vorbei zur Bar.

In dem Raum mit der hohen Decke waren viele Plätze belegt, und die Stimmen vereinten sich zu einem Summen. An den Seiten befanden sich erhöhte Separees, zwischen denen verspiegelte und bepflanzte Trennwände aufgebaut waren. In der Mitte spiegelte sich das Kerzenlicht auf schwarzen Lacktischen.

Er entdeckte ein Paar, das an einem Ecktisch saß, und steuerte mit Bree darauf zu. Der Mann musterte ihn im Vorbeigehen von oben bis unten, dann wanderte sein Blick zu Bree, und er lächelte, als würde er denken, dass sich der ältere Mann natürlich eine jüngere Frau gesucht hatte. Da neben ihm eine Blondine von etwa Mitte zwanzig saß, erkannte er sich vielleicht auch selbst in dem anderen wieder.

Luke ging mit Bree in ein leeres Separee. »Jetzt such ein Opfer aus«, forderte er sie in beiläufigem Ton auf.

»Wenn du es wünschst, dann werde ich das tun.« Sie sah

ihn ausdruckslos an und fügte dann hinzu: »Meister.« Das sagte alles. Sie war nicht glücklich. Gut.

»Wie wäre es mit der da?« Er drehte das Kinn in Richtung eines Tisches, an dem eine brünette Mittdreißigerin mit üppiger Oberweite saß.

»Was immer du willst, Meister.« Dieses Mal kam das »Meister« viel schneller.

»Nein. Mir ist heute mehr nach einer Rothaarigen.«

Sie presste die Lippen zusammen und sagte nichts.

Er amüsierte sich prächtig auf ihre Kosten. Dann legte er ihr eine Hand aufs Knie. Sie bewegte sich nicht. »Spreiz die Beine«, forderte er sie auf.

Sie war die Sub ihres Meisters und tat das, was ihr aufgetragen worden war. Ihre Haut war warm, und ihre Strümpfe fühlten sich unter dem Rock glatt an. Er sah ihr in die Augen, als er zum Beinansatz kam und die nackte Haut und ihr gestutztes Schamhaar spüren konnte.

Ihr Atem ging schneller, und er konnte im Kerzenlicht erkennen, wie sich ihre Pupillen weiteten.

»Du bist feucht.« Er streichelte sie kurz. »Du bist bereit, uns zuzusehen. Du willst es, du brauchst es. Ich werde dich fesseln, dich zum Zusehen zwingen, und dadurch wirst du noch geiler werden. Vielleicht bitte ich sie, dich zu lecken, so wie es diese Frau gestern gemacht hat.«

Ihre Brust hob und senkte sich, ihre Haut schimmerte oberhalb des tiefen Ausschnitts wie Porzellan, und ihr Puls am Hals schlug schneller. Dann leckte sie sich die Lippen.

»Hast du Durst?« Er streichelte ihren Oberschenkel und genoss es, wie sie erschauerte.

Die Kellnerin war überfordert, eilte zwischen den Tischen

hin und her und hatte sie noch nicht bemerkt. »Ich werde dir etwas holen.« Das erschien ihm wie die perfekte Strategie, Bree kurz alleine zu lassen. So konnte sie alle hier anwesenden Frauen unter die Lupe nehmen und bei dem Gedanken, wie weit er wirklich gehen würde, halb verrückt werden. »Was möchtest du trinken?«

»Du bist der Meister und solltest für mich entscheiden.«

»Was Hochprozentiges«, entschied er, verließ das Separee, nur um sich dann noch einmal über sie zu beugen und den Geruch ihres Shampoos einzuatmen, das ihn an die sanfte Liebkosung einer leichten hawaiianischen Brise erinnerte und dessen Duft vom Aroma ihrer Erregung durchzogen war. »Vermutlich solltest du für das, was dir bevorsteht, lieber betrunken sein.«

Kapitel 26

Arschloch, dachte Bree, als er zur Theke ging. Sie war ein wenig beschwingt und feucht zwischen den Beinen, wo er sie berührt hatte. Er sah einfach zu gut aus, war zu selbstbewusst und sich ihrer zu sicher. Dass er eine großbusige Brünette auswählte, nur um sich über ihre kleinen Brüste zu mokieren. Oder eine Rothaarige. Erst tat er so, als würde er eine andere Frau wollen, aber dann steckte er seine Hand doch wieder unter ihren Rock.

Er brachte sie dazu, vor Angst und Erregung ganz feucht und geil zu werden.

Was würde er tun, wenn sie ihm sagte, was sie dachte, was sie wollte? Wenn sie ihm sagte, dass sie die Vorstellung verabscheute, dass ihn eine andere Frau bekam, sie gleichzeitig aber auch unglaublich erregend fand? Ihr Leben war voll von derartigen Fragen. Sie hatte Angst vor Dingen, die noch nicht einmal passiert waren, und versuchte immer, einen Weg zu finden, sie zu verhindern, indem sie Reaktionen vorhersah, überlegte, plante, den Mund hielt und anderen etwas vorspielte.

Er stand am Ende der langen Bar und winkte den Barkeeper zu sich heran, der ohnehin schon geschäftig hin- und herlief und mit Flaschen, Gläsern und Shakern hantierte. Aber Luke war ein Mann, den man nicht warten ließ, wenn er etwas von einem wollte.

Anstelle eines hohen Cocktailglases holte der Mann zwei Champagnerflöten aus dem Glasregal an der verspiegelten Rückwand der Bar. Das gedämpfte Licht spiegelte sich darin, und der ganze Raum schien um Luke und den Barkeeper zu verblassen, als er den Champagner eingoss. Durch Champagner wurde sie noch schneller beschwipst als durch härtere Drinks, da ihr die Kohlensäure direkt in den Kopf stieg.

Dann lachte Luke, drehte den Kopf ein wenig und grinste breit. Auf dem Barhocker neben ihm saß eine Frau, die etwa in Brees Alter sein musste. Eine Rothaarige. Sie sah gut aus und trug ihr Haar in einem frechen Kurzhaarschnitt. War er etwa wegen ihr losgegangen, um etwas zu trinken zu holen, anstatt darauf zu warten, dass ein Kellner an ihren Tisch kam? Bree trommelte mit den Fingern auf die Tischplatte. Er hatte sich jetzt ganz der Rothaarigen zugewandt und hielt ein Champagnerglas in der Hand, während das zweite noch auf der Theke stand. Sie lachten beide.

Bree wurde ganz heiß. Sie sagte nie, was sie wollte oder nicht wollte. Von ihr kam immer nur »Ja, Meister, was immer du willst«, manchmal mit passiv-aggressivem Sarkasmus, aber sie sagte immer Ja. Es war ihr egal, was die Männer mit ihr anstellten, solange sie sie wollten und sie sich bei ihnen gut und begehrenswert fühlte. Hätte Luke sie im Klub dem Dom überlassen, dann hätte ihr das nichts ausgemacht, solange er bei ihr blieb und ihr sagte, dass es ihn erregte, dass er dadurch ganz geil und hart wurde, und sie fragte, was sie empfand.

Doch jetzt schien er meilenweit von ihr entfernt zu sein, als er mit der anderen Frau lachte. Das machte ihr Angst. Sie wäre am liebsten über den Boden gekrochen und hätte ihn angefleht, hätte sich erniedrigt und alles getan, damit er damit aufhörte und sie bemerkte.

Der Barkeeper brachte das Wechselgeld, Luke deutete auf die beiden Gläser, und auf einmal waren es drei. Luke stieß mit der Frau an und sie trank einen Schluck, während sie ihn nicht aus den Augen ließ. Dann strich sie mit den Fingern über den Ärmel seines Jacketts.

Bree zuckte zusammen, als ob sie das Knistern zwischen ihnen spüren könnte.

Bitte zwing mich nicht dazu!

Sie wollte ihm nicht zusehen. Und doch konnte Bree spüren, wie sie zwischen den Beinen feucht wurde, als er die großbusige Rothaarige musterte, wie sie bewusster atmete, wie ihre Haut empfindlicher wurde und ihr Herz schneller schlug. Es war definitiv aufregend, den Voyeur zu spielen, vor allem, wenn sie daran dachte, was er mit ihr machen wollte: sie fesseln, sie zum Zusehen zwingen und zu anderen Dingen. Gleichzeitig verspürte sie Eifersucht. Himmel, aus diesem Blickwinkel konnte er ihr bestimmt gut ins Dekolleté sehen.

Bree hatte kein nennenswertes Dekolleté.

Er sah nicht zu ihr herüber, er drehte sich nicht einmal um. Aber sie spürte ihn. Er wusste, dass sie den Blick nicht von ihm abwenden konnte, er kannte ihre Gedanken. Mach schlimme Dinge mit mir! Was immer du willst. Alles, *was du willst.* Sie wusste, dass er sich ihrer Anwesenheit durchaus bewusst war.

Er beugte sich ein wenig vor und ließ sich von der Frau berühren. Nur am Arm, aber sie war ihm sehr nahe. Sie warf den Kopf in den Nacken und hielt sich bestimmt für sexy, und selbst aus der Entfernung glaubte Bree, das nervige Prickeln des Lachens zu spüren.

Würde er sie mit an ihren Tisch bringen? Er hatte ihr etwas zu trinken spendiert. Das war ein Anfang.

»Sie sind viel zu hübsch, um alleine an einem Tisch zu sitzen, und das auch noch ohne einen Cocktail.«

Bree zuckte zusammen und stieß sich das Knie am Tisch an. Der Mann stellte ein Glas Weißwein vor ihr ab und setzte sich neben sie. »Haben Sie etwas dagegen, dass ich Ihnen Gesellschaft leiste?«

Er musste um die vierzig sein, hatte dunkles kurzes Haar, trug Anzug und eine Krawatte, außerdem sah er gut aus, hatte ein nettes Lächeln und trug einen Ehering, den er nicht einmal zu verbergen suchte. Sie sah zu Luke hinüber.

Er war anderweitig beschäftigt.

»Sie sehen durstig aus. Warten Sie auf Ihre Freundinnen?«

Sie schüttelte den Kopf, rührte den Wein aber nicht an.

»Dann auf einen Mann.« Er zog eine Augenbraue hoch und sah noch attraktiver aus. »Kommt er zu spät?«

Ein normaler Mensch hätte die Gelegenheit genutzt, um Luke eins auszuwischen. Bree bekam auf einmal Angst, und das war kein angenehmes Gefühl. Sie wusste nicht, wie sie mit Männern reden sollte, konnte nicht flirten. Sie hatte keine Ahnung, wie sie es Luke heimzahlen konnte, und eigentlich wollte sie das auch gar nicht. Sie wollte, dass Luke alles regelte und sie sich um nichts kümmern musste.

Verschwinde! Sie versuchte, dem Mann das mit Blicken mitzuteilen, brachte aber nur ein weiteres Kopfschütteln zustande.

»Dann sind Sie also zu früh hier.« Er lächelte und wirkte

sympathisch. »Wird er eifersüchtig, wenn er sieht, dass Sie mit einem anderen Mann Wein trinken?« Seine Augen funkelten im Kerzenlicht. »Vielleicht wäre das ja gar nicht so verkehrt.« Er deutete auf den Wein. »Nur zu, kosten Sie! Ich habe einen süßen Wein bestellt, weil Sie so süß aussehen.«

Himmel, war er dreist! Und selbstsicher. Genau wie Luke. Sie warf Luke einen Blick zu. Er hatte sich umgedreht und alles mitbekommen. Er schien jede ihrer Bewegungen zu beobachten.

Unter seinem bohrenden Blick schien sie auf einmal auszudörren, und sie griff nach dem Wein, um ihren Durst zu stillen. Er war viel zu süß und entsprach eher dem Geschmack ihrer Mutter, aber der Mann …

Sie sah ihn an, musterte sein hübsches Gesicht und seinen ansehnlichen Körper. Warum machte er *sie* an? Sie war definitiv nicht die begehrenswerteste Frau hier. Die Frau bei Luke hatte ein deutlich üppigeres Dekolleté. Ebenso die Brünette, auf die Luke anfänglich hingewiesen hatte.

»Ich bin Frank.« Als sie nichts erwiderte, fügte er hinzu: »Und Sie heißen?«

»Sie heißt Bree.« Lukes Stimme schien Frank nicht zu erschrecken, und auch der bedrohliche Unterton ließ ihn kalt. »Sie ist vergeben. Schwirr ab!«

Frank lächelte weiter. »Dann hatte ich Recht. Der eifersüchtige Liebhaber war im Anmarsch.«

Luke schob das Weinglas von ihr zu Frank und stellte die Champagnerflöte vor sie. »Eifersüchtig müsste ich nur werden, wenn ich mir Sorgen machen müsste.« Luke schenkte dem Mann ein verschlagenes Grinsen. »Aber ich ziehe es vor, wenn Bree nicht von Salonlöwen belästigt wird.«

Frank lachte so laut, dass sich einige andere Gäste nach ihnen umdrehten. »Diesen Begriff habe ich zuletzt gehört, als ich als Kind Filme aus den Fünfzigern gesehen habe.«

»Kann schon sein, aber er passt.« Lukes Lippen wurden schmal. »Muss ich erst handgreiflich werden?«

Seine Stimme, die beiläufig, aber dennoch schroff, gleichzeitig charmant und hart klang, erregte sie. Sie klang wie in der Nacht, als er sie Derek weggenommen hatte. Er meinte, was er sagte, und würde jetzt keinen Rückzieher machen. Und all das nur wegen ihr.

»Vielleicht sollten wir die hübsche Dame fragen«, schlug Frank mit hochgezogener Augenbraue vor.

Kämpften sie gerade um sie? Der Gedanke war furchtbar und passte eher zu einer egozentrischen Frau, aber er erregte sie. Sie war feucht und wollte mehr, sie brauchte diese Bestätigung. »Was wäre, wenn ich sage, dass ihr euch beide hinsetzen sollt und ich beide nehme.« Sie machte eine kurze Pause, damit das Bild in ihrem Kopf Gestalt annehmen konnte. »Die Drinks, meine ich«, stellte sie schließlich klar.

Lukes Augen glitzerten und drohten ihr Strafe an. Er setzte sich direkt neben sie und sprach so leise, dass man ihn nur an diesem Tisch verstehen konnte. »Ich bin derjenige, der entscheidet, wann geteilt wird, nicht du, meine Liebe.« Er sah Frank in die Augen. »Und heute ist mir nicht nach Teilen zumute.«

Sie riss die Augen auf und sah ihn unschuldig an. »Aber noch vor wenigen Minuten hast du gesagt«, begann sie, während sie sich fragte, woher diese wunderbare Aufsässigkeit kam, »dass du mit der Frau da drüben teilen willst.« Sie deutete mit dem Kinn auf die Bar. Die Rothaarige nippte noch immer an ihrem Champagner und warf Luke wehmütige Blicke zu.

Er legte Bree einen Finger unter das Kinn. »Das ist eine andere Art des Teilens, Baby.«

Franks Gesicht glühte förmlich, und seine Wangen waren vor Aufregung oder Verlangen oder gar beidem rot geworden. »Da habe ich mir wohl den richtigen Tisch ausgesucht.«

Luke starrte ihn einige Sekunden lang an. »Richtiger Tisch, falscher Zeitpunkt.«

Dann nahm er Brees Hand und zerrte sie förmlich aus dem Separee.

»Dir ist doch klar, dass das bestraft werden muss?«

Luke hatte ihre Hand noch immer nicht losgelassen. »Ich lasse dich fünf Minuten lang alleine, und schon machst du anderen Männern schöne Augen.«

»So war es doch gar nicht«, flüsterte sie leise.

»Oh doch!« Ein tiefes Knurren begleitete seine Worte. Er konnte nicht beschreiben, wie er sich gefühlt hatte, als er aufgesehen und bemerkt hatte, dass sie mit einem anderen Mann flirtete. Eine Mischung aus Erstaunen, Wut, Eifersucht, Angst und Erregung war in ihm aufgeflammt. Ihm war nur zu gut bewusst, dass Bree den Mann nicht ermutigt hatte, aber sie hatte es auch nicht beendet. Sofort war die Rothaarige namens Liza vergessen, und er schritt ein, um der Sache Einhalt zu gebieten.

Und dann musste sie auch noch diesen Vorschlag machen.

Gefühle und Verlangen waren untrennbar miteinander verbunden. Je stärker die Emotionen, desto größer war auch die Leidenschaft. In jenem Moment hätte er sie am liebsten mit dem Gesicht nach unten auf den Tisch gedrückt und sie sofort genommen. Wie ein Macho.

Das war es, was sie mit ihm und für ihn tat: Sie steigerte seine Gefühle, bis ihn sein Verlangen einfach übermannte.

Als sie vor dem Wagen standen, wirbelte er sie herum, drückte sie mit dem Rücken gegen die Fahrertür und presste sich an sie. »Du hast geflirtet. Und das muss bestraft werden.«

»Ehrlich, ich …«, erwiderte sie.

Er unterbrach sie, indem er eine Hand unter ihren Rock schob und ihr einen Finger in die Muschi steckte, sodass sie aufkeuchte.

»Wie feucht du bist«, flüsterte er. »Wie sehr du ihn gewollt hast!«

»Ich … ich …« Sie konnte nicht mehr klar denken, als er ihre Klit streichelte.

»Du prüfst mich, drängst mich. Du willst, dass ich dich bestrafe. Du bittest darum, flehst darum, weil du eine schmutzige, geile kleine Schlampe bist.«

Sie zitterte und stöhnte.

So gefiel sie ihm. Wenn er Drohungen ausstieß, schmolz sie dahin, und das war es, was er wollte, was er brauchte. Die meisten Frauen brauchten das nicht, sie schon. Er musste nur die ablehnende Stimme in seinem Kopf ausblenden, die ihm sagte, dass das nicht gut für sie war.

Er nahm die Hand weg, und sie richtete ihren Rock. »Steig in den Wagen!« Diesmal spielte er nicht den Gentleman und ging nicht um das Auto herum, um ihr die Tür zu öffnen. Stattdessen stieg er ein und startete den Motor, und als sie neben ihm saß, konnte er nicht widerstehen und musste an seinen Fingern lecken, während sie ihn beobachtete.

Sie machte den Mund auf. Er drohte ihr mit einem Finger. »Sag nichts! Ich bin so sauer, dass ich dich mit jedem weiteren Wort nur verletzen würde.«

Er fuhr los und schmiedete dabei Pläne. »Schneller, heißer Sex«, murmelte er leise. »Im Überfluss. Du wirst gefesselt sein. Du wirst mich nicht aufhalten.« Dann fuhr er auf den Freeway in Richtung seines Hauses. »Ich werde dir zeigen, was es bedeutet, mich an meine Grenzen zu bringen.«

Die Stille zwischen ihnen war fast schon elektrisch aufgeladen. Ihr heißes Aroma erfüllte den Wagen und glich dem Duft eines rolligen Weibchens, der jedes Männchen anzog.

»Das hast du mit Absicht gemacht, um mich zu verärgern. Um mich dazu zu bringen, dich zu bestrafen.«

Sie rutschte auf dem Sitz hin und her, und er wusste, dass sie es genoss.

»Du solltest Angst vor dem haben, was ich mit dir anstellen werde, Schlampe«, warnte er sie mit rauer Stimme. Er war jetzt ganz bei der Sache, spielte ihr Spiel und gab ihr, was sie wollte. Als würde er sie *wirklich* dazu zwingen und ihr nicht etwa genau das geben, was sie begehrte.

Die sexuelle Spannung im Wagen stieg weiter, bis sie fast spürbar war. Als er in seine Auffahrt fuhr, war er bereits steinhart.

Immer noch schweigend ging er um die Motorhaube herum, öffnete ihre Tür und zog sie aus dem Wagen. Sie taumelte, und er tat so, als würde ihn das nicht interessieren. Auch als sie auf der Treppe stolperte, half er ihr nicht.

Das Haus war dunkel, kalt und roch nach italienischen

Gewürzen. »Wo soll ich dich bestrafen …?«, überlegte er, als sie im Flur standen.

Dann wusste er es. »Großartig«, murmelte er. »Im Esszimmer. Stell dich in die Ecke neben das Sideboard!« Sie befolgte seinen Befehl und stellte sich mit dem Gesicht zur Wand in die Ecke. »Nein, nicht so! Dreh dich um! Sieh mich an, Hure!« Die Beschimpfungen und Erniedrigungen fielen ihm inzwischen leicht, waren fast schon zu seiner zweiten Natur geworden und erregten sie beide.

Sie schluckte schwer, tat aber schweigend das, was er ihr aufgetragen hatte.

Er nahm eine Pflanzenampel ab, die über ihrem Kopf hing. Beth hatte Zimmerpflanzen geliebt, und er wusste nicht genau, warum er sie behalten hatte. Jetzt war da nur noch ein nackter Haken in der Decke.

Er beugte sich vor und legte den Finger genau zwischen Brees Augen. »Nicht bewegen und nicht weglaufen!«

»Nein, Meister«, flüsterte sie. Die ersten Worte, seit sie in den Wagen eingestiegen war.

Er ließ sie da im Dunkeln wie ein ungezogenes Mädchen in der Ecke stehen.

Sie hörte, wie er im Haus rumorte, Türen zuschlug, Schubladen öffnete und vor sich hin murmelte, und ihre Erregung stieg mit jedem Geräusch, das aus der Dunkelheit kam. Sie spürte ihren rasenden Puls an ihrem Hals und den Handgelenken und wie ihr das Herz in der Brust klopfte.

Sie wollte es, was immer er auch mit ihr machen würde. Und sie hatte eine Ahnung, seitdem er die Pflanze von der Decke genommen und den Haken freigelegt hatte. Seitdem bekam sie kaum noch Luft, und da sie kein Höschen trug, waren die Innenseiten ihrer Oberschenkel ganz feucht vor Verlangen. Es tropfte nur so aus ihr heraus. Er hatte ihr verboten wegzulaufen, aber sie wäre ohnehin nicht dazu in der Lage gewesen. Sie wollte es auch gar nicht. Sie musste tun, was immer er mit ihr vorhatte.

Kapitel 27

Luke suchte nach Accessoires. Im Schlafzimmer fand er einige Schals und eine Augenbinde. Perfekt. Er knallte die Schublade zu, damit sie es auch hören konnte, und beim Verlassen des Schlafzimmers fiel auch diese Tür lautstark zu. Als er durch den Flur ging, schaltete er das Licht ein. Der Lichtstrahl fiel ins Esszimmer auf den Parkettboden, sodass es jetzt hell genug für ihn war, sie aber noch im Dunkeln blieb.

»Streck die Hände aus, Schlampe, und halte die Handgelenke zusammen!«

Sie zitterte, und erneut stieg ihm ihr Duft in die Nase und vernebelte seine Gedanken. Er wickelte einen Schal um ihre Handgelenke. Den zweiten Schal schob er unter ihren gefesselten Händen hindurch, verknotete ihn und hängte die Schlaufe dann an den Haken an der Decke.

Dann stellte er sich dicht vor sie und sah ihr direkt in die Augen. »Du bist *meine* Hure, ganz allein meine. Hast du verstanden?«

»Ja, Meister.«

Sie hatte die perfekte Größe, um sie im Stehen zu ficken. Er öffnete den Reißverschluss ihres Rocks und ließ ihn zu Boden fallen.

Dann hob er erst ihren einen und dann den anderen Fuß hoch und zog den Rock weg. »Deine Möse gehört mir, ist das klar?« Sein Atem strich warm über ihre hübsche kleine

Muschi mit dem gestutzten Schamhaar, die den Duft ihrer Lust ausströmte.

»Ja, Meister«, erwiderte sie mit leisem Verlangen in der Stimme.

Er stand wieder auf. »Du hast es nicht verdient, deinen Meister anzusehen, während er dich fickt, Hure. Habe ich recht?«

Sie war mit allem einverstanden. »Nein, Meister, das habe ich nicht«, antwortete sie leise.

Er legte die elastische Augenbinde um ihren Kopf und platzierte das wattierte Material über ihren Augen. Da im Esszimmer keine Lampe brannte, befand sie sich darunter in völliger Dunkelheit, nichts war durch die Seiten zu sehen. Ihre Sinne wären geschärft und voller Erwartung.

Er trat zurück, sagte nichts und ließ sie einige Sekunden lang warten. Himmel, war sie schön! Die langen, schlanken Beine in den schwarzen Strümpfen, das Dreieck aus Haaren an den milchweißen Oberschenkeln, ihr Bauchnabel unter dem engen Top schienen förmlich darum zu betteln, von seiner Zunge liebkost zu werden.

»Eine richtige Schlampe muss halb angezogen gefickt werden. Weil sie so eine Hure ist, kann sie nicht so lange warten, bis sie sich ausgezogen hat, sie muss sofort einen Schwanz in sich spüren.« Er zog ihr Lycra-Top hoch, sodass es ihre Brüste nicht mehr bedeckte. Es war kühl im Haus, und ihre Nippel wurden hart.

Sie erschauerte. Er überlegte, ob er die Heizung höher stellen sollte. Stattdessen nahm er jedoch beide Nippel zwischen Daumen und Zeigefinger und kniff so fest hinein, dass sie aufschrie.

Er beugte sich vor und atmete den heißen Duft ihrer Erregung ein. »Schlampen mögen Schmerzen, nicht wahr?«

»Ja, Meister. Wenn du mir wehtust, wird all meine Wertlosigkeit weggespült.« Sie war wie eine Sünderin, die büßte und der Absolution erteilt wurde.

»Du musst für das bezahlen, was du heute Abend mit Frank gemacht hast.«

Sie gab leise ihre Zustimmung.

Er kniff noch einmal in einen Nippel, allerdings nicht mehr so fest, und strich mit den Fingern über ihren Bauch bis zu ihrer feuchten Muschi, um ihre Klit zu reiben, bis sie am ganzen Körper zitterte. Schmerz, Bestrafung und Vergnügen, sie brauchte alles.

»Wag es nicht, schon zu kommen, Schlampe! Erst, wenn ich es erlaube.«

»Nein, nein, Meister, ich werde nicht kommen.« Ihre Worte endeten in einem Keuchen, und sie verspannte die Muskeln, um den Orgasmus, der sich bereits in ihr aufbaute, zu unterdrücken.

»Stell die Beine weit auseinander!«, befahl er und schob ihre Füße zur Seite. Dann packte er ihr Kinn und hielt es fest, als sie taumelte. »Wag es nicht zu kommen, wenn ich dich lecke!«

Sie schüttelte fast schon wild den Kopf.

Sie war gefesselt. Ihre Beine waren gespreizt. Sie gehörte ihm. Er ging vor ihr auf die Knie und merkte nicht einmal, wie hart der Boden war. Er war nicht härter als sein Penis und half ihm, sich zu konzentrieren. Er roch, dass sie vor Verlangen und Lust schwitzte, roch die Süße ihrer Begierde. Dann kostete er sie. Himmel, er konnte einfach nicht genug von ihr bekommen! Sie war so sauber, so weich, so pink, so großartig. Sie ließ ihn den Sex *spüren*. Mit ihr war es nicht nur ein körperlicher Akt, es war ein Erlebnis. Wenn er glaubte, mehr von ihr zu brauchen, so hatte er noch nicht begriffen, wie viel sie ihm bereits gab, wenn er es nur richtig anstellte. Sie war eine Frau mit einer Fülle an Empfindungen und Gefühlen, und es gab noch so viel zu entdecken.

Sie drückte sich gegen seinen Mund, als er sie leckte, an ihr saugte, ihre geschwollene Klit zwischen seine Lippen nahm und bearbeitete, bis sie weinte und zuckte, bis ihre Beine zitterten.

Er legte die Hände an ihre Hüften, zog sie weiter auseinander und leckte sie mit der Zunge.

Sie keuchte und stöhnte. »Bitte, bitte, bitte!«, stammelte sie.

Sie war kurz davor. Er ließ von ihr ab. »Wag es nicht, Schlampe! Komm ja nicht! Deine Bestrafung wird umso schlimmer, wenn du nicht gehorchst.«

Sie war dazu geboren, nicht zu gehorchen und bestraft zu werden, und als er sie erneut mit dem Mund nahm, schob er zwei Finger in sie hinein, um ihren G-Punkt zu streicheln. Ihre Schreie erfüllten das Zimmer, in dem es nicht länger kalt war, sondern sehr, sehr heiß. Sie kreischte, die Muskeln in ihren Oberschenkeln verkrampften sich, und ihr Körper schwankte in den Schals, die sie an die Deckenhaken fesselten. Der Höhepunkt war gewaltig, ein Schwall süßer Feuchtigkeit quoll aus ihr heraus, bedeckte seine Lippen, erfüllte seinen Mund, und er hielt sie fest und nahm alles in sich auf.

Als er sich schließlich wieder hinstellte, glänzten Tränen auf ihren Wangen. Die Feuchtigkeit glitzerte in dem schwachen Licht wie Diamanten.

»Schlampe«, flüsterte er, als wäre es eine Liebkosung. »Hure.« Sie atmete schwer. »Es tut mir so leid, Meister. Ich wollte nicht kommen.«

»Sei still!« Zwei Worte, mit Nachdruck ausgesprochen. »Ich will nichts mehr von dir hören, du ungehorsame kleine Schlampe.« Er nahm einen der kürzeren Schals, die er auf den Tisch gelegt hatte, und wickelte ihn um ihr Gesicht, um sie zu knebeln. »Kein Wort mehr. Nicht mal ein Stöhnen. Kein Betteln. Ich werde dich ficken, und du wirst schweigen und es hinnehmen, du dreckige kleine verhurte Schlampe.« Er zog ihren Kopf an den Haaren nach hinten, sodass sie ihm den Hals hinhielt, dessen Haut köstlich duftete. Er biss zu. Sie machte ein Geräusch, das durch den Knebel nicht zu verstehen war. »Jetzt kannst du nicht mehr leugnen, dass du dich danach gesehnt hast, von Frank gefickt zu werden.«

Sie schüttelte den Kopf. Die Hand in ihrem Haar vergraben, hielt er sie fest. »Lügnerin«, flüsterte er. »Du hast dir gewünscht, ihn zwischen deinen Beinen zu spüren, weil du eine Schlampe bist. Du bist so ungezogen. Du musst bestraft werden. Ich bin viel zu sanft mit dir umgesprungen.«

Ihr Atem ging schneller. Sie war feucht vor Verlangen, ihre Haut und ihre Muschi strömten Hitze aus.

»Ich werde dich wie eine Hure ficken, gefesselt, geknebelt und mit verbundenen Augen.« Er war sich nicht sicher, ab welchem Augenblick er das ebenfalls *wollte*, aber es geilte ihn total auf. Wann hatte es aufgehört, nur um sie zu gehen? Er hatte sich auch verändert. Und doch ignorierte er die warnende Stimme in seinem Kopf. Das war es, was sie beide wollten, sich komplett in dieses Spiel aus Bondage und Erniedrigung zu stürzen.

»Ich werde dich besitzen«, knurrte er. Er hatte wie immer ein Kondom in der Tasche und war bereit, nachdem er es sich übergestreift hatte. Dann hob er sie hoch und legte sich ihre Beine um die Taille. Ihr Körper schwankte, als ob sie auf einer Schaukel sitzen würde. Er lehnte sich mit dem Rücken an die Wand.

Er konnte sie durch den Knebel nicht küssen. Sie konnte ihn durch die Augenbinde nicht sehen. Er konnte sie nur ficken. Es war fast schon unpersönlich. Bis er sich tief in sie hineinstieß und *alles* so verdammt persönlich wurde, dass es ihm den Atem raubte. Ihr Körper umgab ihn, saugte ihn in sich auf. Sie zog die Beine eng um seine Taille zusammen, während ihre Muskeln seinen Schwanz bearbeiteten. Sie brachte ihn dem Orgasmus nahe, obwohl er sich noch gar nicht in ihr bewegt hatte. Sie zu fühlen versetzte ihn in eine andere Dimension, und er musste sich daran erinnern, das Atmen nicht zu vergessen.

»Schlampe«, flüsterte er und rammte sich erneut in sie hinein, sodass ihr Rücken gegen die Wand prallte. Ein Teil seines Verstandes dachte, dass sie davon blaue Flecke bekommen würde, aber er stieß wieder und wieder zu. So viele Emotionen, er wusste nicht mehr, was real und was falsch war, was er ihr zuliebe spielte, die Wut, die Gier, das wilde Verlangen.

Ich will dich, ich brauche dich, ich muss dich haben. Du gehörst mir. Diese Worte schossen ihm durch den Kopf, bis nichts anderes mehr da war als sie und ihr Körper um ihn herum, der sich bei ihrem Orgasmus zusammenzog, bis er selbst heftig kam.

Bree klammerte sich an ihn, nahm ihn tiefer in sich auf, ließ sich von ihm ausfüllen, begehren, nehmen. Sie schien zu schweben. Das war kein Orgasmus, das war mehr, das war so viel besser. Sie spürte die harte Wand nicht, die Schmerzen in ihrem Rücken, wie sich die Schals schmerzhaft um ihre Handgelenke wickelten, den trockenen Stoff in ihrem Mund. In der Dunkelheit hinter der Augenbinde gab es nur das Gefühl seines Körpers und die Worte, die er immer wieder sagte. *Ich will dich, ich brauche dich, ich muss dich haben. Du gehörst mir.*

Sie hatte ihn dazu getrieben, er konnte nicht anders. *Das* war es, was sie von einem Mann brauchte, zu wissen, dass sie die Besondere, die Wertgeschätzte, die *Einzige* war.

Jetzt lehnte er sich schwer gegen sie und zerdrückte sie fast mit seinem Körper. Da sie nichts sehen konnte, war das die einzige Empfindung, sein Atem, der abgehackt gegen ihren Hals pustete, sein verschwitztes Hemd, das in der Dunkelheit bereits abkühlte, seine raue Kleidung an der Haut ihrer Oberschenkel, die sie um ihn geschlungen hatte, das Schlagen seines Herzens an ihrer Brust, das Dröhnen ihres eigenen Blutes in ihren Venen.

»Großer Gott!«, murmelte er in ihr Haar. Der gutturale, gierige Ton in seiner Stimme ließ sie erneut erbeben. »Du hast mich dazu gebracht. Es ist deine Schuld. Du hast mich dazu gezwungen, dich zu bestrafen.«

Er schenkte ihr die Worte, nach denen sie sich sehnte. Sie wollte nie analysieren, warum sie sie brauchte, warum dadurch alles richtig wurde. Sie wollte nur ihre Arme um ihn legen, seine Haut spüren, seine Lippen schmecken, ihn sehen. Doch alles, was sie tun konnte, war, sich an ihn zu klammern.

Bis er schließlich die Luft ausstieß. »Mist! Ich wollte dich nicht so lange hängen lassen.« Er lachte über den Witz, aber er sprach langsam und benommen, als wäre er noch im Niemandsland nach dem Orgasmus gefangen. Dann stieß er sich von der Wand ab und löste ihre Beine, bis sie sich nicht mehr berührten, und sie nahm eine seltsame Haltung ein, ihre Arme noch in der Luft, auf den Zehenspitzen stehend. Allein sein Geruch markierte jetzt noch ihren Körper.

Er fummelte an den Schals an ihrem Handgelenk herum, dann löste er den Knoten über ihrem Kopf, mit dem sie an die Haken gefesselt war.

»Verdammt, die haben sich zusammengezogen! Ich muss sie durchschneiden. Ich hole ein Messer aus der Küche.«

Seine Schritte entfernten sich. Auf einmal war das Zimmer kalt, sie hörte ihren eigenen Herzschlag. Er hatte weder den Knebel noch die Augenbinde entfernt, und sie verlor in der Dunkelheit die Orientierung. Sie fühlte sich nackt und entblößt, und ihre Nippel wurden in der kalten Luft unangenehm steif. Ihre Handgelenke pochten an den Stellen, an denen sich die Knoten eingeschnitten hatten, und schnitten die Blutzufuhr in ihre Hände ab. Ihre Knie fühlten sich an, als würden sie nachgeben, sobald er die Schals durchschnitt. Himmel, sie würde doch nicht versehentlich den Haken aus der Decke reißen?

Dann waren seine Hände wieder da, glitten ihre Arme entlang und schnitten die Schals durch. Sie war frei, auch wenn ihre Hände noch gefesselt waren, aber als er ihr die Augenbinde abnehmen wollte, wurde ihr schwindlig, ihre Knie sackten ein, und sie taumelte. Sie fiel so schnell um, dass er sie nicht mehr auffangen oder ihren Sturz zumindest aufhalten konnte. Noch immer blind, schlug sie mit der Stirn gegen etwas Hartes.

Der Schmerz schoss ihr durch den Kopf! und sie sah Sterne, dann saß sie auf dem Boden.

»Scheiße«, fluchte er. »Großer Gott!« Luke riss die Augenbinde herunter, zog den Schal heraus, den er als Knebel benutzt hatte, und löste die Fesseln um ihre Handgelenke. »Ist alles in Ordnung, Baby? Was habe ich mir nur dabei gedacht?« Er legte seine wunderbar kühlen Finger auf ihre Stirn, fuhr ihr durchs Haar und musterte sie. »Zum Glück blutet es nicht.«

Dann hob er sie auf, nahm sie in die Arme und trug sie aus dem Esszimmer in den Flur. Sein Hemd drückte sich gegen ihre Brust, ihre Brüste waren ebenso wie ihre Scham entblößt. Das Blut schoss in ihre Hände und Finger, die zu kribbeln begannen. Sie hatte einen trockenen Mund.

Es war wunderschön und perfekt gewesen, was er mit ihr gemacht hatte. Sie hatte den Schmerz kaum bemerkt, ihn eher genossen. Jetzt war es jedoch nicht mehr so.

Im Bad schaltete er das Licht ein, und sie schloss die Augen, weil es sie blendete. Er setzte sie auf den Toilettendeckel und zog ihr Shirt herunter, wobei er ihre Brüste sanft bedeckte. Sie hörte, wie er Türen und Schubladen öffnete. Als sie die Augen einen Spaltbreit öffnete und sich die Hand davorhielt, passten sich ihre Pupillen langsam an. Luke hockte mit einer Flasche Wasserstoffperoxid vor ihr, benetzte einen Wattebausch und tupfte ihre Stirn ab.

»Au!«

»Es tut mir so leid, Baby.« Er sah sie mit dunklen Augen an. »Du hast dir an der Kante des Sideboards ein wenig den

Kopf angeschlagen und eine Schramme abgekriegt, die ich säubern muss.« Er berührte die Wunde. »Ich hätte besser aufpassen müssen«, murmelte er schuldbewusst. »Mir hätte klar sein müssen, dass deine Beine nachgeben würden.«

»Es ist nicht deine Schuld.«

Er sah ihr nicht in die Augen. »Du musst ins Krankenhaus und das untersuchen lassen. Vielleicht hast du sogar eine Gehirnerschütterung.«

Sie schnaubte. »Ich habe keine Gehirnerschütterung, und ich fahre auch nicht in die Notaufnahme. Das ist doch lächerlich.« Die Wunde pochte ein wenig, aber sie hatte keine Kopfschmerzen. »Ich hab mich bloß gestoßen.«

Er schob ihr zärtlich das Haar aus der Stirn und tupfte die Wunde ab, als würde das irgendetwas ändern. »Es tut mir so leid«, flüsterte er. »Ich bin ein Idiot.«

Derek hatte sie weitaus schlimmer verletzt, und er hatte es mit Absicht getan. Ebenso wie andere Männer. Sie hatten sich nie entschuldigt. *Du hast mich dazu gebracht. Es ist deine Schuld. Du hast mich dazu gezwungen, dich zu bestrafen.* Das hatte Luke auch gesagt, und es hatte ihr gefallen. Doch diese anderen Männer hatten es gesagt, nachdem sie ihr schlimme Dinge angetan hatten, nachdem sie sie absichtlich verletzt hatten. Dinge, die sie akzeptiert hatte, weil ihr nichts anderes übrig geblieben war. Weil sie es verdient hatte.

Ich weiß nicht, was das zu bedeuten hat, hätte sie gern gesagt. *Ich weiß nicht, was mit mir nicht stimmt. Es gibt einen schrecklichen Grund für all das.* Warum musste sie den Sex auf diese Weise haben? Warum war der Höhepunkt nur dann in Ordnung, wenn sie bestraft wurde?

Sie wollte nicht darüber nachdenken, sie *konnte* sich nicht dazu überwinden. Denn wenn sie es tat … Dann würde *alles* um sie herum zusammenbrechen.

»Ich muss gehen«, sagte sie und schob ihn weg. Sie wollte nicht über all das nachdenken, nicht jetzt und nicht hier. Nicht bei ihm. Sonst würden schreckliche, furchtbare Dinge ans Tageslicht kommen und ihn vertreiben.

»Es tut mir leid.«

Hör auf, dich zu entschuldigen! Bree hätte ihn am liebsten angeschrien. Aber er hatte ja auch etwas falsch gemacht, und er würde ihr so lange zusetzen, bis sie etwas sagte, das sie später bereuen würde. Es fiel ihr schon schwer, weiterhin mit ruhiger Stimme zu sprechen. »Es war nicht deine Schuld. Ich bin gestolpert. Es ist alles in Ordnung. Das, was wir gemacht haben, hat mir sehr gefallen. Aber es ist spät, und meine Mom wird sich bald Sorgen machen.«

Er ging einen Schritt nach hinten, als sie aufstand, und es war ihr unangenehm, in dem viel zu hellen Licht halb nackt vor ihm zu stehen. »Wo ist mein Rock?«

»Der liegt im Esszimmer auf dem Boden. Ich hole ihn dir.«

Während er weg war, nutzte sie die Gelegenheit und sah in den Spiegel. Er hatte recht, ihre Stirn blutete nicht, aber da war ein dicker blutroter Streifen, der sich langsam verfärbte. Sie musste gegen den Rand des Sideboards gestoßen sein. Die Haut schwoll an den Rändern bereits an. Eigentlich hätte sie ihn um etwas Eis bitten und die Wunde kühlen sollen, aber sie wollte nicht noch länger hierbleiben.

Verschwinde, verschwinde! Der Abend war ruiniert. Dabei war es so gut gewesen. Geil und aufregend. Die Frau, der er einen Drink ausgegeben hatte. Frank, der mit ihr flirtete. Luke, der sie rausgezerrt und so gut bestraft hatte.

Doch sie hatte alles vermasselt, und jetzt wollte sie nur noch davonlaufen.

Sie wünschte, sie wäre in ihrem eigenen Wagen hergekommen.

»Bitte sehr!« Er hielt ihr den Rock so hin, als ob er ihr beim Anziehen behilflich sein wollte.

Sie nahm ihm den Rock aus der Hand. »Ich möchte kurz allein sein.« Bei diesen Worten schob sie ihn aus dem Bad und knallte ihm förmlich die Tür vor der Nase zu.

Warum musste sie immer alles ruinieren, was gut war?

Kapitel 28

Scheiße, Scheiße, Scheiße!

Er hatte sie Schlampe, Hure und Nutte genannt, sie gefesselt, ihr die Augen verbunden, sie gegen eine Wand gedrückt und gefickt und den besten Höhepunkt seines Lebens gehabt. Und dann hatte er sie fallen lassen. Als er sie beim Haus ihrer Mutter absetzte, sah die Schramme bereits sehr unansehnlich aus.

Was sie getan hatten, sollte Spaß machen. Er sollte ihr nicht wehtun, auch nicht unabsichtlich. In den letzten beiden Wochen war alles eskaliert, er hatte sie zu mehr gedrängt und ihr mehr und mehr angetan. Und es genossen. Während ihr Vater im Sterben lag oder gerade gestorben war. Ihre Beziehung war kaputt, und die Dinge gerieten außer Kontrolle. Und das war seine Schuld, denn er sollte es besser wissen.

»Bree.«

Sie hatte die Hand schon an der Tür und hielt inne. »Du musst dich nicht noch mal entschuldigen«, sagte sie und ließ das Haar in ihr Gesicht fallen, um die Wunde zu verbergen. »Es war ein Unfall.«

»Solche Unfälle sollten aber nicht passieren.« Die Grobheit, die Bestrafung, auch wenn sie es nur spielten, so konnte das nicht gut für sie sein, nicht, wenn sie nach dem Tod ihres Vaters noch so viele ungelöste Probleme mit sich herumschleppte.

Sie berührte seine Hand und lächelte ihn kurz an. »Es war nicht deine Schuld, sondern meine.«

In diesen Worten waren all ihre Probleme festhalten. *Sie* hatte es verdient, *sie* trug die Schuld.

Sie war schon ausgestiegen, bevor er noch etwas sagen konnte. Als er sah, wie sich die Haustür hinter ihr schloss, fragte er sich, wie lange das noch so weitergehen konnte, bevor sie zerbrach.

Es war nach zehn, und es war dunkel im Haus. Sie schlich auf Zehenspitzen durch den Flur.

»Bree?«

Scheiße! »Ja, Mom?« Sie ging in ihr dunkles Zimmer und schaltete das Licht nicht ein.

Doch ihre Mutter tat es, als sie hinter ihr das Zimmer betrat. »Oh mein Gott, Brianna, was ist passiert?«

Luke hat mich gefickt, und ich habe das Gleichgewicht verloren. Bei grobem Sex kann so was schon mal passieren, nicht wahr, Mom?

Oh nein, das würde sie nicht sagen! »Es hat geregnet, und ich habe mich gestoßen, als ich die Wagentür aufgerissen habe.« Es hatte den ganzen Abend nicht geregnet, und die Wagentür hätte wohl eher ihren Körper getroffen und nicht ihre Stirn.

»Du dummes Mädchen.« Ihre Mutter streckte die Hand aus, blieb aber vor Bree stehen. »Du solltest dich besser vorsehen.«

Ihre Mutter glaubte ihr. Ihre Mutter hatte schon immer geglaubt, was man ihr erzählte, schon als Bree noch klein war. Jetzt war sie zu alt, um die Wahrheit noch zu erkennen.

»Ich werde ein paar Erbsen aus dem Eisfach holen. Dann schwillt es nicht so an.«

Bree sagte ihrer Mutter nicht, dass es dafür bereits zu spät war. Die Wunden, die sie hatte, würden niemals heilen.

Später, als sie im Bett lag und ihre Mutter in ihrem eigenen, drückte Bree die Erbsen an ihre Stirn, bis sie zu schmelzen begannen und ihr das Eiswasser in die Haare lief, den Hals hinunterrann und auf das Kissen tropfte.

Vielleicht waren es aber auch ihre Tränen.

* * *

Luke rief sie an. Sie wusste, dass er nie wieder anrufen würde, wenn sie jetzt nicht ranging. Er wäre für immer verloren. Aber sie konnte sich nicht bewegen, konnte nichts sehen, nicht reden. Es war, als wäre sie noch immer an den Haken in seinem Esszimmer gefesselt.

Geh nicht! Verlass mich nicht! Was habe ich falsch gemacht? Warum liebst du mich nicht mehr?

»Bree, wach auf!«

Jemand schüttelte sie. Aber sie konnte nichts sehen. Wo war Luke?

»Bree, dein Handy klingelt. Wach auf!«

Vorsichtig öffnete Bree ein Auge. Die Sonne schien so hell auf ihr Bett, dass es wehtat. Es war nicht mehr Dienstagnacht, sondern Mittwoch früh. Ihre Mutter hielt ihr klingelndes Handy in der Hand. Bree hatte schon immer diesen nervigen Klingelton benutzt und nie Musik.

»Sie ruft schon das zweite Mal an, Bree. Es ist deine Chefin.«

»Oh!« Bree nahm das Handy, doch bei der plötzlichen Bewegung wurde ihr schwindlig. »Tut mir leid. Danke!« Sie drückte auf eine Taste. »Hallo?«

»Hi, Bree, hier ist Erin. Ich wollte mich nur mal erkundigen, wie es Ihnen heute geht.«

Vorsichtig befühlte Bree ihre Stirn. Sie pochte. »Mir geht es gut.« Dann fiel ihr ein, was sie noch hinzufügen sollte: »Danke!«

Ihre Mutter stand noch im Türrahmen, aber als Bree sich aufsetzte, verschwand sie im Flur.

»Soll ich heute zur Arbeit kommen?« Sie hatte den Wecker nicht gestellt, da sie davon ausgegangen war, dass Erin und Dominic heute nicht mit ihr rechneten.

»Nein, nein, wir kommen schon klar. Aber Dominic hat mir das mit Ihrem Dad erzählt, und ich wollte Ihnen mein Beileid aussprechen.«

»Danke! Jetzt muss er nicht mehr leiden.« Zumindest nicht auf der Erde, aber vielleicht sehr viel weiter unten, wo es sehr heiß war.

»Dominic und ich würden gern zum Gedenkgottesdienst kommen.«

Scheiße! Das war's. »Es wird keinen Gedenkgottesdienst geben.«

»Oh!« Mehr sagte Erin nicht.

»Wir haben kaum Verwandte in der Gegend, und meine Mom möchte das alles nicht durchstehen müssen. Wir lassen ihn einäschern.« Und seine Urne ist der Arsch von Dumbo, dem Elefanten. Sie konnten beim besten Willen keinen Gottesdienst abhalten lassen, bei dem Dumbo auf dem Altar stand.

»Das verstehe ich natürlich.« Man konnte Erin anhören,

dass sie es ganz und gar nicht verstand, aber sie war zu höflich, um etwas zu sagen. »Vielleicht können wir ja ein paar Blumen schicken.«

»Danke, aber das ist wirklich nicht nötig.« Ihr war die Sache so peinlich, dass sie rot wurde.

»Oh! Na dann.« Erin war an die Gebräuche normaler Familien gewöhnt, nicht an die einer dysfunktionalen wie Brees. »Wenn wir irgendetwas tun können …«

»Vielen Dank! Meine Mutter wird sich über Ihre Anteilnahme freuen.«

»Nehmen Sie sich so viel Zeit, wie Sie brauchen, um das mit Ihrer Mutter durchzustehen.«

Bree schnitt eine Grimasse und war froh, dass Erin das nicht sehen konnte. »Ich komme morgen zur Besprechung mit Mr Marbury.«

Erin keuchte. »Oh, Bree, das kann warten. Ich werde ihn anrufen und absagen.«

»Nein«, erwiderte sie gereizt, um dann sofort einen milderen Tonfall anzuschlagen. »Er hat nur ein paar Fragen bezüglich der Unterlagen für die Betriebsprüfung. Ich möchte nicht, dass es da Probleme gibt.«

»Wenn das so ist, dann können wir die Prüfung auch verschieben, damit Sie mehr Zeit haben, um sich darauf vorzubereiten.«

»Nein.« Dieses Mal klang sie recht freundlich. *Sie* war vorbereitet. Marbury jedoch nicht. Sie wollte nicht, dass er ihr in den Rücken fallen und die Schuld an allen Problemen geben konnte, nur weil sie ihm nicht alles richtig erklärt hatte. »Ich muss das erledigen, Erin. Mir geht es gut, ich komme damit klar.«

»Ich habe das Gefühl, dass Sie es überstürzen, Bree. Sie brauchen Zeit.«

Zeit wofür? Fast alle Beweise für die Existenz ihres Vaters im Haus waren beseitigt worden. Ihre Mutter hatte vor einigen Monaten seinen Wagen verkauft, weil sie wussten, dass er nie wieder fahren würde. Es gab nur noch eine Sache. Hinten im Garten. Das Puppenhaus.

»Bitte, Erin, ich werde das erledigen. Danach kann ich mir Zeit nehmen.« Sie merkte, dass ihre Stimme schriller wurde und ihr Herz schneller schlug. »Bitte rufen Sie Marbury nicht an!«

»In Ordnung. Es tut mir leid. Ich weiß, dass Sie es auf Ihre Weise machen wollen.« So wie es Erin nach Jays Tod getan hatte. »Um wie viel Uhr ist die Besprechung?«

»Um neun. Aber Sie müssen nicht daran teilnehmen.« Sie wollte das alleine klären, und sie wollte nicht, dass Erin Marbury in Aktion sah. Doch da sie sich bei DKG trafen, würde er sich vermutlich nicht so wie sonst wie ein Arschloch benehmen.

»Was immer Sie wollen, Bree.«

»Hat mit den Schecks alles geklappt?«

»Ja. Rachel und ich haben alles eingegeben, überprüft und ausgedruckt.«

Wenn Rachel jetzt nicht nur die Eingaben machte, sondern sich auch um die Schecks kümmerte, würden sie Bree bald nicht mehr brauchen. Das war noch ein Grund, warum sie wieder zur Arbeit wollte. Um ihren Wert zu beweisen.

»Dann bis morgen«, meinte Erin. »Es sei denn, Sie ändern Ihre Meinung noch und möchten, dass ich Marbury absage.«

»Das wird nicht passieren.«

Als sie sich verabschiedet hatten, merkte sie, dass ihre Hände zitterten.

»Du hast noch dieselben Sachen an, in denen du gestern Abend ausgegangen bist.« Ihre Mutter stand wieder in der Tür, als hätte sie die ganze Zeit heimlich gelauscht.

Himmel! Sie trug noch nicht mal einen BH. Der lag auf dem Rücksitz von Lukes Wagen. Da sie noch im Bett lag, zog sie einfach die Bettdecke hoch. »Ich war so müde.«

»Die Schramme sieht schlimm aus.«

Verdammt! Was würden ihre Kollegen denken? Sie musste sich eine bessere Geschichte ausdenken als die mit der Wagentür.

»Dann haben die Erbsen wohl nicht funktioniert.« Ihre Mutter starrte das Paket an, das auf dem Teppich lag.

»Ich werde sie mit Make-up überdecken«, sagte Bree zuversichtlich. »Könntest du mir bitte meinen Bademantel reichen?« Obwohl sie noch angezogen war, zog sie ihn über und ging an ihrer Mutter vorbei ins Bad. Sie schloss die Tür, weil sie duschen wollte, und sah in den Spiegel. Ihre Stirn zierten eine zehn Zentimeter lange Schramme, die in verschiedenen Purpurschattierungen schimmerte, sowie eine dunkelrote Kerbe in der Mitte, wo sie auf das Sideboard geprallt war.

Oh nein! Make-up würde da nicht viel bringen.

»Großer Gott!« Als Luke sie an diesem Abend sah, zuckte er zusammen. Selbst im Dämmerlicht in seinem Wagen konnte er die Wunde auf ihrer Stirn erkennen, die sich verfärbte. Er hatte ihr das angetan. »Du hast deiner Mutter erzählt, dass du gegen eine Tür gelaufen bist?«

»Sie war noch wach, als ich nach Hause gekommen bin, und auf die Schnelle ist mir nichts Besseres eingefallen.«

Ihm wurde flau im Magen. Diese Erklärung klang wie etwas, das eine missbrauchte Frau ihren Kollegen und Freunden auftischte. Aber Mrs Mason hatte nicht mit der Wimper gezuckt, Bree sogar als dummes Mädchen bezeichnet und den Mann, der für die Verletzung verantwortlich war, mit ihrer Tochter ziehen lassen.

Ja, ihm war richtig übel. Irgendetwas stimmte nicht. Ihre Mutter schien keinerlei Warnsignale zu bemerken. Vielleicht hatte sie die auch ignoriert, als Bree noch zu jung war, um ohne Hilfe klarzukommen.

»Wo fahren wir hin?«, erkundigte sich Bree, als ob sie spürte, dass sie einen Themawechsel brauchten.

»Zu mir. Ich werde uns was kochen.« So etwas hatte er noch nie gemacht, aber er wollte etwas tun, bei dem sie nicht in ihre üblichen Rollen zurückfielen. Er hob drohend den Finger. »Und wir werden hinterher nicht ficken. Wenn überhaupt, dann werden wir miteinander, schlafen.« Er konnte nicht riskieren, sie noch einmal zu verletzen.

»Ja, Meister.«

Mit diesen Worten waren sie sofort wieder in ihrem Dom-Sub-Spielchen. Sie fühlte sich damit wohl, trotz des Missgeschicks von letzter Nacht. Sie zog die Beine an, drehte sich und lehnte sich an ihn, sodass er ihren Atem spürte und ihre Haare auf die Mittelkonsole fielen. »Aber du musst mich ficken, Meister. Du weißt, dass ich frech und ungehorsam werde und du mich zurechtweisen musst.«

»Ich werde dir heute Abend nicht wehtun«, beharrte er.

»Du tust mir nie weh, Meister.« Sie streichelte seinen Arm.

»Bestrafung ist etwas anderes, weil ich es verdient habe.« Dann war ihre Stimme auf einmal nur noch ein Flüstern. »Ich will es so. Ich brauche es so. Und es gefällt dir doch auch.«

Scheiße! Die letzte Nacht hatte ihm sehr gefallen. Bis sie das Gleichgewicht verloren hatte. Auch er war getaumelt. Das sollte ihm nie wieder passieren. Er wollte die Frau, zu der sie beim Bowlen geworden war. Aber diese Frau war nicht Bree Mason, sie war nur ein Hirngespinst. Er wünschte sich beinahe, sich nie mehr Intimität von ihr erhofft zu haben, weil früher zwischen ihnen nichts als heißer Sex gewesen war. Das war unkompliziert, da er wusste, dass ihr nächster Anruf nur zu einem großartigen geilen Treffen führte, das sich später auch noch als Masturbationsvorlage eignete. Er war davon überzeugt, dass sie damals auch glücklicher gewesen war.

Als er in seine Auffahrt fuhr, brannte in seinem Haus Licht. Er konnte sich nicht erinnern, es an diesem Morgen angelassen zu haben, aber vielleicht war er auch zu benommen und übermüdet gewesen.

Bree war schon ausgestiegen und hing an seinem Arm, bevor er ihr die Tür öffnen konnte. »Lass uns heute Abend ausgehen, Meister. Ich trage kein Höschen. Du kannst mich überall ficken.«

Das Blut in seinen Adern wurde heißer, als er sich vorstellte, wie er sie vor fünfzehn Männern auf einen Tisch drückte, ihren Rock hochschob und sie nahm, während die anderen ihnen zusahen.

Das machte sie aus ihm. Sie brachte ihn dazu, sich nach verrückten Dingen zu sehnen, bis er nicht mehr klar denken konnte und sie einfach tat. Und es gefiel ihm. In der Hinsicht hatte sie Recht. Doch in ihren Worten lag ein Hauch von Verzweiflung. *Das* war es, was hier nicht stimmte. Sie sollte nicht verzweifelt sein. Es sollte Spaß machen, aber sie nutzte den geilen Sex, um die schlimmen Dinge in ihrem Leben zu vergessen.

»Ich werde dich heute Abend nicht ficken«, wiederholte er mit ernster Stimme. »Finde dich damit ab.« Aber würde es jetzt noch einen Unterschied machen, ob er sie fickte? Er steckte den Schlüssel ins Schlüsselloch, aber die Tür war nicht abgeschlossen. Was war hier los?

Die Tür wurde aufgerissen. »Dad, ich muss mit dir über Stephie und eine Rettungsaktion reden.« Keira hielt inne, als sie Bree entdeckte. Sie trug eine kurze Jacke in den Farben ihrer Universität und hatte ihr Haar, das so dunkel war wie seins, zu einem hohen Pferdeschwanz gebunden. Sie öffnete leicht den Mund und starrte Bree an oder vielmehr die Schramme auf ihrer Stirn.

Scheiße! Er kniff kurz die Augen zu. Hatte er die Pflanze wieder an die Decke gehängt, die zerfetzten Schals weggeschmissen und die Augenbinde wieder im Schlafzimmer verstaut? Scheiße, Scheiße! Er konnte sich nicht erinnern. »Du hast nicht gesagt, dass du nach Hause kommen würdest, Süße.«

»Tut mir leid, ich hätte dich wohl vorwarnen sollen«, erwiderte Keira geknickt. »Aber ich war so sauer wegen Stephie.«

»Lass uns reingehen, dann kannst du mir alles erzählen.« Er hielt noch immer Brees Arm, aber sie schien auf der Türschwelle erstarrt zu sein. »Bree, das ist meine Tochter Keira.«

Irgendwann musste es ja mal passieren, aber es wäre ihm lieber gewesen, wenn die erste Begegnung ohne diese Schramme stattgefunden hätte. Nach dem anfänglichen Schock erinnerte er sich daran, die Schals und die Augenbinde weggeräumt zu haben, aber die Pflanze stand noch immer auf dem Boden. Auch egal.

»Freut mich, dich kennenzulernen. Ich muss nach Hause«, sagte Bree mit leiser Stimme und so schnell, dass die beiden Sätze ineinander überzugehen schienen.

»Ach Quatsch! Ich will meinem Dad doch nicht den Abend verderben.« Keira hatte ihm immer gegönnt, dass er nach der Scheidung ein neues Leben begonnen hatte. Sie klammerte nicht und ging offen auf die Frauen zu, mit denen er sich traf. Allerdings hatte er noch nicht allzu viele mit nach Hause gebracht und ihr vorgestellt.

»Nein«, meinte Bree jetzt mit kräftigerer Stimme. »Ich muss wirklich nach Hause. Meiner Mutter geht es nicht gut.«

»Aber …« Keira wusste nicht, was sie sagen sollte. Offensichtlich hatte sich Brees Mutter gut genug gefühlt, dass sie hierherkommen konnte, daher war das nichts weiter als eine Ausrede.

Bree stand da und sah noch blasser aus als sonst, als hätte ihr Gesicht sämtliche Farbe verloren, sodass die Schramme noch mehr ins Auge stach.

Gut, sie wollte seine Tochter nicht kennenlernen. Das Timing war auch nicht gerade gut. Sie trug keine Unterwäsche, was ihr in Keiras Gegenwart bestimmt peinlich war. »Ich werde dich nach Hause bringen, Bree.«

»Du musst dich nicht beeilen, Dad. Wir können über Stephie reden, wenn du wieder da bist. Oder morgen früh.«

Stephie. Rettungsaktion. Ihm fiel wieder ein, was Keira beim Öffnen der Tür gesagt hatte. Er konnte auch hören, dass es wichtig war, auch wenn sie es nicht explizit gesagt hatte.

»Ich werde ihn nicht aufhalten«, entgegnete Bree leise. »Ich kann mir auch ein Taxi nehmen.«

»Du nimmst kein Taxi.« Er war innerlich völlig aufgewühlt. »Ich bin gleich wieder da«, meinte er an Keira gewandt. Dann nahm er Brees Hand und ging mit ihr zum Wagen zurück.

Sie versuchte, ihm ihre Hand zu entziehen. Im Allgemeinen nahm er ihre Hand nur, um in einem Klub seinen Besitzanspruch zu demonstrieren.

Vielleicht tat er es aus diesem Grund auch vor seiner Tochter. Als Show, als Statement. *Ich bin dein Vater, aber ich bin auch ein Mann, und diese Frau gehört mir. Das musst du akzeptieren.*

Bree würde es allerdings auch akzeptieren müssen.

Kapitel 29

Bree saß zusammengesunken auf dem Beifahrersitz, als Luke zurückfuhr, und sie schwiegen den Großteil des Weges. Seine Tochter. Sie wusste, dass seine Töchter studierten, daher hatte sie vermutlich geglaubt, ihnen nie begegnen zu müssen. Was für eine peinliche Situation! Seine Tochter hatte vielleicht sogar gehört, wie sie über Sex gesprochen hatten. Himmel noch mal!

Sie war so jung, so unschuldig, so hübsch. So normal. Bree glaubte nicht, dass dieses Mädchen je im Leben vor etwas Angst gehabt hatte.

Und die Art, wie sie Bree gemustert hatte, als würde sie einen Kaugummi oder etwas Schlimmeres am Schuh ihres Vaters betrachten.

»Ich habe kein Problem damit, dass ihr euch begegnet seid«, sagte Luke schließlich, als hätten sie nicht schon längere Zeit schweigend nebeneinandergesessen. »Wir hätten nicht sofort wieder fahren müssen.«

»Ich steh nicht so auf Vater-Tochter-Geschichten.« Sie klang zickig und gemein.

Luke verzog den Mund.

Warum störte sie das überhaupt so? Sie hätte die Höfliche spielen können. Das tat sie bei der Arbeit doch auch ständig. Sie spielte allen etwas vor.

»Was ich gemeint habe«, fuhr sie fort, um ihn etwas zu beschwichtigen, »war, dass man die Frau, die man fickt, seiner Tochter nicht vorstellt.«

Sein Kiefer verspannte sich. »Du bist nicht nur die Frau, die ich ficke.«

»Ich habe deinen Gesichtsausdruck gesehen, Luke. Du wärst am liebsten im Erdboden verschwunden, als sie uns gesehen hat.«

»Ich war überrascht und habe überlegt, ob ich nach gestern Abend auch alles weggeräumt habe. Dabei ging es nicht um dich.«

»Doch, genau darum ging es. Du hast gedacht: ›Heilige Scheiße, jetzt muss ich meiner Tochter meine Lustsklavin vorstellen!‹« Nicht, dass sie ihn wirklich je so eingeschätzt hätte. Er war … ihr Meister. »Und ich trage nicht mal Unterwäsche.«

Er zuckte zusammen, und sie wusste, dass er dasselbe gedacht hatte, aber seine Stimme klang ganz normal. »Ob du es nun zugibst oder nicht, fest steht: Wir haben eine Beziehung.«

»Ja, die haben wir«, stimmte sie ihm zu. »Ich bin die Sklavin, und du bist der Meister. Und Meister stellen ihre Subs nicht ihren Töchtern vor.«

Er warf ihr einen Blick zu. »Du bezeichnest dich immer nur als meine Sklavin, wenn es dir in den Kram passt. Ich hätte dir vielleicht befehlen sollen, ins Haus zu gehen und nett zu ihr zu sein.«

Vielleicht hätte sie sich dann besser gefühlt. Er war ein guter Vater. Das merkte sie schon daran, wie er über seine Töchter sprach, dass seine Stimme sanfter wurde, seine Augen zu strahlen begannen und ein Lächeln seine Lippen umspielte. Und wie Keira ihn angesprochen hatte: »Dad, ich brauche deine Hilfe.«

Er hatte »Süße« gesagt. Brees Vater hatte sie auch immer so genannt, wenn er sie aufgefordert hatte, im Puppenhaus zu spielen.

Verdammt, Luke war nicht wie ihr Vater. Sie fragte sich, wie ihr Leben mit einem Vater wie Luke ausgesehen hätte.

Bitte zwing mich nicht dazu, Daddy!

Sie hätte diese Worte niemals sagen müssen.

Sie schluckte schwer. »Es tut mir leid«, flüsterte sie, auch wenn sie nicht genau wusste, wofür sie sich eigentlich entschuldigte. Oder ob diese Worte an Luke gerichtet waren.

Während sie Augenblicke zuvor noch das Gefühl gehabt hatte, dass sie die Anspannung in den Sitz drückte, schien auf einmal eine große Zärtlichkeit von ihm auszugehen. »Das Timing war schlecht, aber ich werde dafür sorgen, dass du meine Töchter kennenlernst. Ich *möchte*, dass du sie kennenlernst.« Er griff nach ihrer Hand. »Zwing mich nicht dazu, es dir zu befehlen.«

Er bog in die Straße ein, in der ihre Mutter wohnte. Das Haus stand auf der linken Seite, und das Licht brannte. Ihre Mutter würde sich fragen, warum sie so früh schon nach Hause kam.

»Sieh mich an, Bree!«

Sie hatte gar nicht gemerkt, dass sie das Haus angestarrt hatte.

»Gib mir einen Gutenachtkuss«, forderte er sie auf.

»Was?« Sie schien ihn nicht zu verstehen.

»Küss mich! Und zwing mich nicht dazu, es dir zu befehlen!«

»Ich küsse dich doch ständig.«

»Ich will jetzt einen Kuss.«

»Okay. Klar.« Sie begriff nicht, was das unruhige Flackern in seinen Augen zu bedeuten hatte. Aber sie dachte an den Kuss in seinem Wagen nach dem Bowlen, daran, wie gut er gewesen war. Sie wollte so gern die Art Frau sein, die so einen Kuss verdient hatte.

Sie legte ihm eine Hand an die Wange und beugte sich langsam vor. Dann begann sie sanft seine Lippen zu berühren. Strich mit der Zunge darüber. Er öffnete für sie den Mund, und sie kostete ihn, schmeckte seinen Atem. Sie lehnte sich an seine Brust, öffnete den Mund und eroberte ihn mit ihrer Zunge. Er atmete schneller. Sie spürte seinen Herzschlag. Sie legte die Arme um ihn, drückte sich an ihn und legte alles in diesen Kuss. Wie in der Nacht nach dem Bowling. Wie in ihren Fantasien. So hatte sie noch nie zuvor geküsst. Niemanden.

Männer wollten von einer Frau wie ihr nicht geküsst werden. Sie wollten andere Dinge.

»Himmel!«, raunte er, als sie sich schließlich voneinander lösten. »Das habe ich gebraucht. Großer Gott!«

Sie hatte es ebenfalls gebraucht. Ihr war nie bewusst gewesen, wie sehr sie das brauchte.

Sie brauchte *ihn*. Oh Gott! Sie brauchte ihn so sehr.

Als Luke den Wagen in die Garage fuhr, hatte er noch Brees Geschmack auf den Lippen, und ihr Duft umwölkte seinen Verstand. Dieser Kuss. Er war elektrisierend. Darin hatte so viel mehr gelegen, als er von ihr erwartet hatte. Wenn er doch nur hätte bleiben können.

»Ich bin wieder da«, rief er, als er durch die Garagentür in die Küche kam.

Keira kam in eine Wolke aus Lavendelduft gehüllt ins Zimmer. Eigentlich roch das ganze Haus nach Lavendel. Sie hatte in der Zwischenzeit ein Bad genommen.

Er hatte den Duft von Frauen in seinem Haus vermisst. Dann dachte er an Bree, stellte sich vor, wie sie über Nacht blieb und in einem luxuriösen Schaumbad schwelgte.

»Sie ist sehr hübsch.« Keira öffnete den Kühlschrank. »Aber du solltest sie wirklich nicht an Stellen schlagen, an denen man die Schrammen sehen kann.«

In ihm brodelte es. Schuldgefühle. Er fuhr seine Tochter an: »Ich würde *niemals* eine Frau schlagen. So gut solltest du mich eigentlich kennen.«

Keira schloss die Kühlschranktür, ohne etwas herauszunehmen, und sah ihn betreten an. »Entschuldige, Dad! Das sollte ein Witz sein. Ich weiß, dass du so etwas nie tun würdest.«

Sofort fühlte er sich schlecht. Er hatte Keira angeraunzt, weil er Bree tatsächlich einiges antat, das viele Menschen nicht gutheißen würden. Und es machte ihm Spaß. Wenn er nur nicht ständig denken würde, dass das, was sie taten, schlecht für sie war. »Tut mir leid, dass ich dich angefahren habe. Aber das ist ein Thema, über das man keine Witze machen sollte.«

»Da hast du Recht.« Keira presste die Lippen aufeinander. »Und vor allem nicht, wenn ich aus einem ähnlichen Grund mit dir reden will.«

»Du hättest anrufen können, Süße.«

»Nein. Das müssen wir von Angesicht zu Angesicht besprechen.« Sie lächelte, und die angespannte Stimmung war vergessen. »Und wir brauchen einen Chai.«

»Dann wird es wohl ein längeres Gespräch.« Sie gingen oft in ein Café, um zu reden, Keira, Kyla und er. Beth war auf diese Unterhaltungen eifersüchtig gewesen, hatte aber dennoch nie versucht, eine eigene Tradition mit ihren Töchtern zu entwickeln.

Zehn Minuten später hockten sie im Café und hatten jeder ein heißes Getränk vor sich stehen. Es war voll, überall saßen Studenten mit Laptops, Paare und Teenager herum, und jeder hatte vorsichtshalber einen Mantel und einen Regenschirm dabei. Der Duft frisch gemahlenen Kaffees war in die Holzverkleidungen eingedrungen, der Boden vor dem Tresen abgewetzt, und das Geräusch der Kaffeemaschinen wie Musik, die die Stimmen und das Gelächter untermalte.

»Okay, was ist mit Stephie los?«, fragte er und nippte an seinem Tee.

»Ihr Freund schlägt sie, er hat sie abhängig gemacht, und er zwingt sie dazu, mit anderen Männern zu schlafen, um sich von dem Geld Drogen zu kaufen.« Das war Keira. Sie kam immer direkt zur Sache.

Und es war wie ein Schlag in seine Magengrube. »Großer Gott!« Okay, das hatte nicht er gemacht, sondern Derek. Aber es kam dem, was er erlebt hatte, trotzdem sehr nah.

»Weißt du jetzt, warum ich nach Hause kommen musste?« Ja, jetzt verstand er es. »Hast du mit ihren Eltern gesprochen?«

»Ich habe Nachrichten hinterlassen, aber sie rufen nie zurück.«

»Hast du ihnen *das* aufs Band gesprochen?«

Sie sah ihn irritiert an. »Ja klar. Selbst ich würde so etwas nie auf den Anrufbeantworter sprechen. Ich bin an ihrem Haus vorbeigefahren, aber es brannte kein Licht.« Dann berührte sie seine Hand. »Dad, ich weiß nicht, ob ich das alleine schaffe.«

»Das ist der eigentliche Grund, warum du nach Hause gekommen bist.« Er war sehr gerührt.

»Ja.« Sie sah ihn flehend an. So war das mit Kindern, sie wollten zu den merkwürdigsten Zeiten etwas von einem und schafften es, dass man sich gebraucht, wichtig und bedeutsam fühlte. »Du weißt, wie man mit so etwas umgehen muss, Dad.«

Genau. Wegen Bree hatte er Derek beinahe die Nase gebrochen. Für Keira oder Kyla würde er dasselbe tun, und auch für Stephie. »Natürlich helfe ich dir, Süße. Wo ist sie jetzt?«

»Ich wollte sie überreden mitzukommen, aber sie ist bei diesem *Freak* …« Sie verzog das Gesicht, als sie dieses Wort aussprach. »… und es ist fast so, als ob er irgendwie die Kontrolle über sie hätte. Ich möchte doch nur, dass ihre Eltern sie nach Hause holen oder etwas in der Art.«

Er hatte sie zu einer guten, mitfühlenden Frau erzogen und war sehr stolz auf sie.

Dann schnitt sie eine Grimasse und zupfte an ihrer Jacke herum. »Weißt du, wovor ich am meisten Angst habe, Dad?«, fragte sie mit fast schon kindlicher Stimme.

»Wovor?«

»Dass ihre Eltern gar nichts tun werden.«

Er legte seine Hand auf ihre. Er kannte Stephies Eltern, und sie waren in der Tat sehr desinteressiert. Damals hatte er sich gefragt, wieso sie überhaupt ein Kind bekommen hatten. Als sie dreizehn Jahre alt war, ließen sie Stephie sogar alleine, um in den Urlaub zu fahren. Oft hatte sie die Nacht bei Keira verbracht.

Er musste an Bree denken. Ihre Mom wirkte eigentlich ganz normal, vielleicht ein bisschen verrückt, aber nicht übermäßig. Doch unter der Oberfläche schien es ganz anders auszusehen, wenn er daran dachte, dass sie nichts wegen der Schramme gesagt hatte. Irgendetwas war in diesem Haus geschehen, etwas war schiefgelaufen und hatte aus Bree die Frau gemacht, die sie jetzt war. Eine Frau, die für ein eingebildetes Verbrechen, das sie vor langer Zeit begangen hatte, bestraft werden wollte.

»Mit ihren Eltern beschäftigen wir uns, wenn es so weit ist, Süße, falls es überhaupt jemals so weit kommt. Vielleicht überraschen sie dich ja, daher solltest du nicht so negativ an die Sache rangehen.« Er nahm seine Tasse in die Hand. »Dann mal los.«

Sie drückte seine Hand. »Danke, Dad! Du bist der Beste.«

Für sie war er das vielleicht. Er war sich aber nicht mehr sicher, ob er der Beste für Bree war.

Wenn sie als Kind mit ihren Eltern in ein Restaurant gegangen war, hatte Bree ihre Bestellung immer flüsternd aufgegeben. So, als würde ihre Stimme nicht funktionieren. Sie konnte sich nicht mehr erinnern, wovor sie Angst gehabt hatte und warum sie flüstern musste. Vielleicht hatte sie sich davor gefürchtet, etwas zu bestellen, das zu teuer war, weil ihr Vater dann wütend geworden wäre. Oder dass sie ihre

Milch verschüttete oder ein Glas zerbrach. Was immer es war, sie hatte solche Angst gehabt, dass sie gerade noch ein Flüstern herausbrachte. Die Kellnerin musste sie immer bitten, alles zu wiederholen, und natürlich wurde ihr Vater wütend. Und je wütender er wurde, desto leiser sprach Bree, und diesen Kreislauf hatte sie nie durchbrechen können. Irgendwann hatte ihre Mutter angefangen, für sie zu bestellen. Aber es gab noch andere Dinge, vor denen sie Angst hatte.

Marbury gehörte dazu. Sie konnte Mittwochabend nicht einschlafen, nachdem Luke sie abgesetzt hatte. Am Donnerstagmorgen hatte ihre Haut die Farbe von Haferschleim, der zu oft in der Mikrowelle aufgewärmt worden war, und die Ringe unter ihren Augen waren so dunkel, dass sie beinahe aussah wie ein Footballspieler.

Auf dem Weg zur Arbeit hätte sie an einer Ampel beinahe einen anderen Wagen gerammt. Als sie das Büro betrat, konnte sie kaum noch atmen und hatte das Gefühl, der komplette Sauerstoff wäre aus dem Raum verschwunden und die Wände würden immer näher kommen.

Dann kam Rachel, um ihr ihr Beileid auszusprechen, aber Bree legte nur den Finger an die Lippen und schüttelte den Kopf. Das war das Schöne an Rachel, dass sie genau wusste, wann sie sie in Ruhe lassen musste.

Ich schaffe das. Ich stehe das durch.

Denton Marbury würde sich in Gegenwart anderer Leute beherrschen müssen. Sie kannte ihre Zahlen in- und auswendig. Sie war fünfunddreißig Jahre alt und nicht acht, und das war ihr Büro und kein Puppenhaus. Sie würde es schaffen.

Erin steckte den Kopf aus ihrer Bürotür und sah um die Ecke. »Ist alles okay?«

Bree hob den Daumen in die Höhe. Sie hatte Angst, dass sie nur noch flüstern konnte, wenn sie versuchen würde zu sprechen.

Erin starrte sie an. »Was ist mit Ihrer Stirn passiert?«

Verdammt, das hatte sie ganz vergessen! Bree legte eine Fingerspitze auf die Schramme. Offensichtlich verbarg das Make-up sie nicht gut genug. Es war ein Wunder, dass Rachel nichts gesagt hatte. »Ich hatte es eilig, meine Mutter hat die Küchentür aufgerissen, und ich bin direkt dagegen gerannt.« Zum Glück waren die Worte nicht als peinliches Flüstern aus ihrem Mund gekommen. Und es klang besser, die Schramme einem Unfall mit ihrer Mutter zuzuschreiben, als zu behaupten, sie wäre von alleine gegen die Tür gelaufen.

»Oh Gott!« Erin schnaufte. »Das hat Ihnen jetzt gerade noch gefehlt.«

»Mir geht es gut«, sagte Bree. »Es ist geröntgt worden.« Noch eine Lüge.

»Wollen Sie die Besprechung mit Marbury wirklich nicht absagen?«

»Das schaffe ich schon.« Ja klar.

»Okay.« Erin ging einige Schritte zurück, als ob sie unsicher wäre. »Rufen Sie mich, wenn Sie irgendetwas brauchen. Ich bin gleich nebenan.«

Bree lächelte sie breit an und nahm sich dann zurück, weil sie Angst hatte, ihr Gesicht könnte sie verraten. »Vielen Dank!«

Fünf vor neun. Sie konnte die Wanduhr in ihrem Büro ticken hören. Das Warten zog sich hin.

Bree fuhr ihren Computer hoch und öffnete die Dateien, die sie brauchte. Dann drehte sie den Monitor so, dass man ihn auch vom Stuhl auf der anderen Seite des Schreibtischs sehen konnte, falls Marbury ihre Berechnungen tatsächlich überprüfen wollte. Sie breitete die Ausdrucke in den Aktenordnern auf dem Schreibtisch aus, sodass alles sortiert war und sie es jederzeit vorzeigen konnte.

Dann betrat Denton Marbury die Lobby.

Kapitel 30

Denton Marbury stürmte in seinem seltsamen Watschelgang durch die Eingangstür. Ihr Herz raste. Er war nur ein Mann, sagte sich Bree. Er war nicht einmal besonders klug. Sie begriff die Dinge deutlich schneller als er.

Er blieb vor Erins Büro stehen und sagte mit einer so lauten Stimme, als würde er sich an ein Stadion wenden: »Erin, wie schön, Sie zu sehen!«

»Freut mich auch, Denton«, hörte sie Erins Stimme durch die Wand, die ihre Büros voneinander trennte. »Danke, dass Sie hergekommen sind! Das macht die Sache für Bree einfacher.«

»Ja, ja«, erwiderte er laut. »Und wir wollen es Bree doch einfacher machen.« Bei diesen Worten warf er Bree einen Blick zu.

»Ich bin gleich nebenan, falls Sie mich brauchen sollten.«

Er winkte ihr mit seinen Wurstfingern zu und betrat dann Brees Büro.

»Guten Morgen«, sagte sie. »Ich habe schon alles vorbereitet.« Sie war stolz darauf, dass sie nicht flüsterte und dass ihre Stimme ruhig klang. Auf dem College hatte sie einen Kurs zum freien Sprechen belegen müssen, und dabei hatten ihre Beine so gezittert, dass man es ihrer Stimme anhören konnte. Heute war das anders.

»Sie sind so tüchtig, Bree.«

Vermutlich sollte Erin hören, wie höflich er zu ihr war.

Dann schloss er die Bürotür. Auf einmal wurde ihr schlecht. *Bitte zwing mich nicht dazu!*

»Es macht Ihnen doch nichts aus, dass ich die Tür schließe, oder, Bree?« Er lächelte sie mit seinen fleischigen Lippen an. »Wir wollen doch nicht gestört werden oder andere durch unsere Diskussionen stören.«

»Das ist in Ordnung.« Aber sie leckte sich die trockenen Lippen.

Er musterte ihre Stirn, erwähnte die Schramme aber nicht, als wollte er nicht in ihre Dramen mit hineingezogen werden. Dann zog er den Stuhl um den Tisch herum und setzte sich neben sie. »So, das ist doch viel besser. Ich kann mich nicht ständig über den Tisch beugen, um auf den Bildschirm zu sehen.«

Er war ein dicker Mann und quoll aus dem Stuhl wie ein Soufflé, das im Backofen über den Rand der Auflaufform tritt. Sein zerknitterter brauner Anzug roch nach Zwiebeln, und sein Atem war süßlich, weil er offenbar Halsbonbons mit Kirschgeschmack gelutscht hatte.

Aber sie *konnte* das schaffen. »Womit sollen wir anfangen?«, fragte sie und freute sich wieder darüber, wie ruhig ihre Stimme klang.

Er hatte weder einen Aktenkoffer noch einen Laptop oder auch nur den Brief der Steuerbehörde dabei. Dennoch sagte er: »Mir sind bei den Ausgaben einige zweifelhafte Posten aufgefallen.«

Sie holte tief Luft. Es gab da nichts Zweifelhaftes. Aber er würde sie zwingen, es ihm zu beweisen. Sie schlug den Aktenordner auf, anstatt die Datei auf dem Computer zu öffnen, weil sie nicht wollte, dass er sich zu ihr herüberbeugen musste, um auf den Bildschirm zu sehen. »Welche Posten meinen Sie?«, erkundigte sie sich.

»Fangen wir mit dem Laptop an. Er sollte abgeschrieben und nicht komplett abgesetzt werden.«

Sie schürzte die Lippen. »Das ist ein geringwertiges Wirtschaftsgut, was bedeutet, dass wir ihn auch ganz absetzen können, anstatt ihn abzuschreiben.« Was er eigentlich wissen sollte. »Da sich die Technologie derart schnell ändert, müssen wir häufig neue Computer kaufen, deshalb ist es sinnvoller, sie gleich ganz abzuschreiben.«

Er lächelte sie ohne jede Freundlichkeit an. »Ich wollte nur überprüfen, ob Sie darüber Bescheid wissen, Bree.«

Er war der Wirtschaftsprüfer. Sie *musste* so etwas nicht wissen. Das war *sein* Job. Aber da sie ein braves Mädchen war, sagte sie nichts. »Der nächste Posten?«

Sie gingen eine halbe Stunde lang die Ausgaben durch, und sie bekam langsam Kopfschmerzen, da sie seine laute Stimme aus der Nähe ertragen musste. Er musste wirklich alles kommentieren oder infrage stellen.

Letzten Endes änderte sie nicht einen einzigen Eintrag.

»Gut, belassen wir es dabei«, schnaubte Marbury, als sie ihn erneut korrigierte, indem sie das Steuerrecht im Internet nachschlug.

Sie war erfreut, auch wenn sie es drei Minuten lang ertragen musste, dass sich Marbury über sie beugte, um drei Sätze nachzulesen, die ihr Recht gaben und ihn richtigstellten. Eine ganze Minute für jeden Satz, eine gefühlte Ewigkeit. »Sind wir mit den Ausgaben durch?«, fragte sie mit zuckersüßer Stimme.

»Ja. Gehen wir zur Inventarbewertung über.«

Er ließ sich die Materialrechnungen zeigen und das System erklären, mit dem sie die Arbeit für die Herstellung der Produkte berechneten. Erin und sie hatten es ihm demonstriert, nachdem sie das System vor einigen Jahren gekauft hatten, daher wusste sie, dass das nur eine weitere seiner Einschüchterungstaktiken war, mit denen er sie zu Fehlern verleiten wollte.

Er knurrte. »Gut, gehen wir zu den Kostensätzen über.«

Dafür musste sie allerdings einige Dateien aufrufen, damit er ihre Berechnungen in jeder Zelle sehen konnte. Sie hatte sich natürlich Notizen gemacht, aber die eigentlichen Berechnungen würden ihr die Sache erleichtern. Sie rutschte mit dem Stuhl so weit nach rechts, wie sie nur konnte, damit er auf den Bildschirm sehen konnte, ohne ihr halb auf den Schoß zu rutschen.

»Ich verwende den Durchschnittsstundensatz für die Techniker und die Sachleistungen«, erklärte sie. »Und dann ist da noch Steve in der Qualitätssicherung.«

»Der gehört nicht zur Kostenstelle«, meinte Marbury abwertend. »Er ist Gemeinkosten.«

»Ja, aber seine Kosten können genau auf die Laboreinheiten umgerechnet werden. Für jede Stunde, die die Techniker für den Zusammenbau brauchen, benötigt er zehn Minuten zum Testen.«

Er lehnte sich in seinem Stuhl zurück, der unter seinem Gewicht bedenklich knarrte, verschränkte die Arme vor der Brust und starrte sie an. »Das lässt sich unmöglich auf diese Weise aufschlüsseln.«

»Ich habe das genau analysiert«, beharrte sie.

Sie stritten sich fünf Minuten lang, bis Bree schließlich sagte: »Wir machen das schon seit fünf Jahren so.« Es war das erste Mal, dass Marbury nach der genauen Berechnung gefragt hatte. »Wenn wir das jetzt ändern«, sagte sie entschieden, auch wenn ihre Handflächen unter dem Schreibtisch schwitzten, »würde es nur zu Inkonsistenzen kommen.«

»Wie dem auch sei«, fauchte er. »Weiter!«

Ihr Magen zog sich zusammen, und die Luft im Büro schien durch sein schweres Atmen immer dicker und muffiger zu werden. *Wie lange denn noch?*, hätte sie ihn am liebsten angeschrien.

Sie rief die nächste Datei auf und erklärte ihm jedes Detail, bis sie langsam heiser wurde. Aber er schien es einfach nicht zu begreifen. »Ich werde es Ihnen noch einmal erklären, damit Sie es verstehen«, sagte sie so höflich, wie es ihr möglich war.

Er sah sie an, und sein Blick wurde auf einmal giftig. »Ich verstehe das durchaus.« Dann deutete er mit dem Finger auf den Bildschirm und streifte dabei ihren Busen mit dem Arm.

Sie hätte beinahe aufgeschrien.

»Das ist die wohl lächerlichste Berechnung, die ich je gesehen habe«, sagte er, wobei er bei jedem Wort auf den Bildschirm deutete und immer lauter wurde.

»Das ist doch ganz einfach«, setzte sie an.

»Unterbrechen Sie mich …« Dieses Mal deutete er auf ihr Gesicht und verfehlte nur knapp ihre Nase. »… nie wieder, wenn ich rede!«

Ihre Beine begannen unkontrollierbar zu zittern, obwohl sie doch auf dem Stuhl saß.

»Ihr Tonfall war schon während der ganzen Diskussion äußerst herablassend.« Seine Spucke spritzte auf ihre Wange.

Ihr war nicht klar, wodurch sie ihn so verärgert hatte. Sie war nicht schnippisch, gemein oder gar herablassend gewesen. »Das stimmt doch gar nicht«, erwiderte sie sehr leise.

»Du kleine Schlampe.«

Sie zuckte zusammen, packte die Armlehnen ihres Stuhls und wollte weiter nach hinten rollen, aber sie saß bereits direkt an der Wand.

»Sie versuchen doch bloß, mich schlecht dastehen zu lassen.« Ihm sprangen beinahe die Augen aus dem Kopf.

»Das ist nicht wahr«, erwiderte sie, aber dieses Mal war sie fast gar nicht mehr zu hören. Man konnte nie vorausahnen, was sie verärgerte. Und wenn sie erst mal wütend waren, dann konnte sie nichts mehr aufhalten, die Bestrafung folgte unausweichlich. Sie versuchte, stark zu sein …

Auf einmal ging die Bürotür auf, und Erin kam mit wallendem rotem Haar herein.

Sofort rollte Marbury seinen Stuhl von Bree weg. Er lächelte, und der einzige Hinweis auf seine Erregung war sein gerötetes Gesicht. »Erin.« Dann schwieg er, als ob er nicht wüsste, was er noch sagen sollte.

Nach dem abrupten Eintreten schlenderte Erin ins Büro, grinste breit, doch nicht gerade amüsiert. Sie setzte sich auf den Rand des Schreibtischs und blätterte in den Papieren herum, die darauf lagen, ohne sich irgendwas genauer anzusehen. »Wir haben hier bei DKG sehr dünne Wände«, sagte sie, hob einen dünnen Ordner auf und schlug sich damit auf die Handfläche.

Marbury räusperte sich. »Es tut mir leid, Erin. Bree und

ich werden jetzt leiser sein. Wir haben gerade angeregt über die Kostenanalyse diskutiert, nicht wahr, Bree?« Er sah sie nicht einmal an, weil er sich so sicher war, dass sie ihm Rückendeckung geben würde.

Oh nein, er würde doch nichts Schlimmes tun!

»Lebhaft zu diskutieren ist eine Sache«, meinte Erin mit spitzer Stimme. Dann beugte sie sich vor, sodass sie mit Marbury auf Augenhöhe war, und ihre Stimme wurde schneidend. »Aber Sie werden meine Angestellten *nie wieder* als ›Schlampe‹ bezeichnen!«

Er wurde rot und stammelte schließlich: »Nun ja … Das war bloß ein Versprecher.«

Erin stand auf und ignorierte seinen »Versprecher«. »Sie haben alle Antworten und Dokumente, die Sie für die Betriebsprüfung brauchen. Das ist *Ihr* Job und nicht Brees.« Sie verschränkte die Arme vor der Brust. »Allein die Tatsache, dass Sie jetzt noch Fragen haben, lässt mich daran zweifeln, ob Sie sich mit unseren Steuern überhaupt so gut auskennen.«

Sie stand wie eine Naturgewalt vor ihm. Marburys fleischige Wangen wabbelten. »Ich wollte mich nur auf den neuesten Stand bringen lassen.« Er stand auf, und der Stuhl rollte gegen den Aktenschrank. »Aber wir sind fertig, und ich werde jetzt gehen.« Er sah sich um, als würde er seinen Aktenkoffer vermissen. »Vielen Dank für Ihre Zeit und Ihre Mühe, Bree!« Dann zog er den Bauch ein und ging an Erin vorbei.

»Das tut mir sehr leid«, sagte Erin, als sich die Tür hinter ihm geschlossen hatte, und drehte sich zu Bree um. »Sie müssen sich diesen Scheiß von ihm nicht bieten lassen.«

»Es tut mir leid.«

»Was soll *Ihnen* denn leidtun?« Erin zog den Stuhl heran, auf dem Marbury eben noch gesessen hatte, und setzte sich. Sie schlug die Beine übereinander, verschränkte die Finger und stützte einen Unterarm auf dem Oberschenkel ab, als sie sich vorbeugte.

»Dass Sie in mein Büro kommen mussten.« Bree wurde ganz flau im Magen, und sie war gänzlich demoralisiert, dass ihre Chefin sie hatte verteidigen müssen.

Erin berührte ihre Hand. »Ich weiß, dass Sie im Moment eine schwere Zeit durchmachen, aber Sie müssen sich derartige Beschimpfungen von niemandem gefallen lassen, Bree.« Sie lehnte sich wieder an. »Vielleicht habe ich überreagiert, indem ich hier reingestürmt bin, aber ich habe mir um Sie Sorgen gemacht. Und wir beide werden uns ab sofort nach einem neuen Wirtschaftsprüfer umsehen.«

»Wir brauchen ihn noch für die Betriebsprüfung. Es würde der Steuerbehörde nicht gefallen, wenn wir mittendrin den Wirtschaftsprüfer wechseln.«

Erin sah sie lange an. »Wie Sie es für richtig halten, Bree. Sie sind meine Buchhalterin, und ich vertraue darauf, dass Sie die richtige Entscheidung treffen.«

Auf einmal brannten ihre Augen, als ob sie gleich weinen müsste. Sie hätte alleine mit der Situation fertig werden müssen. Sie hätte Marbury sagen müssen, dass er damit aufhören musste. Stattdessen hatte sie einfach nur dagesessen und es ertragen.

»Bree«, sagte Erin leise. »Sagen Sie mir, was ich für Sie tun kann. Ich würde Ihnen gern helfen.«

Himmel, gleich würde sie wirklich anfangen zu weinen! Sie wischte sich die Augen und holte ein Taschentuch aus ihrer Schreibtischschublade. »Ich möchte einfach arbeiten. Ich kann nicht zu Hause bleiben.« Der einzige andere Ort, an dem sie sein wollte, war Lukes Büro, aber da war sie am Dienstag schon aufgetaucht. Sie konnte nicht ständig zu ihm rennen. Auch zu niemand anderes.

Himmel, sie war so *erbärmlich*! Nur Feiglinge weinten vor ihrer Chefin. Und ein *Mann* hätte so etwas nie getan.

»In Ordnung«, sagte Erin, während in Brees Kopf die Gedanken verrücktspielten. »Sie können arbeiten, solange Sie wollen. Ich werde Sie nicht mehr nach Hause schicken. Und vergessen Sie Marbury. Wenn er die Betriebsprüfung vermasselt, werde ich ihn verklagen.«

»Danke, Erin!« Mehr brachte Bree nicht heraus. Dann begann sie die Ordner einzusortieren.

Ihr war bewusst, dass Erin noch einige Sekunden lang dastand und sie beobachtete, aber sie tat so, als wäre sie beschäftigt, bis sie schließlich ging. Doch sie verschwand nicht in ihrem Büro, sondern lief in den Ingenieursbereich, in dem Dominic sein Büro hatte. Sie würden über sie reden, da war sich Bree ganz sicher. Vielleicht glaubten sie sogar, dass sie einen Nervenzusammenbruch hätte.

»Aber den habe ich nicht«, flüsterte sie und kniff die Augen zusammen. Am liebsten hätte sie auf der Stelle Luke angerufen. Aber seine Tochter war ja da. Vermutlich blieb sie das ganze Wochenende. Natürlich würde sie das tun. Es ergab keinen Sinn, vor Montag wieder zurückzufahren.

Du kleine Schlampe.

Wenn Luke so etwas sagte, wurde sie feucht. Aus Marburys Mund jagten ihr diese Worte Angst ein, da sie bedeuteten, dass gleich etwas Schlimmes passieren würde.

Oh Gott! Bree war einige Minuten lang kurz vor dem Verzweifeln. Sie konnte Luke nicht anrufen und ihn nicht sehen. Ihre Handflächen schwitzten, und auch auf ihrer Oberlippe sammelte sich der Schweiß. Was sollte sie nur tun? Sie würde durchdrehen, wenn sie den Morgen mit Marbury nicht irgendwie ausblenden konnte. Bei der Arbeit war das noch kein Problem, aber heute Abend, Himmel, was war mit heute Abend? Sie hatte sich so daran gewöhnt, dass Luke für sie da war, dass sie ihn sehen konnte, wenn sie nach Hause kam, dass sie sich am Tisch gegenübersaßen, zusammen aßen, sich unterhielten.

Und dass er sie danach irgendwohin brachte und sie alles vergessen und nur noch ihn fühlen konnte.

Okay, beruhige dich! Es wird alles wieder gut.

Sie dachte an Luke, seine Berührung, seine Stimme. Und versuchte, sich zu entspannen. Sie streckte die Finger und dehnte sie wie eine Katze. Dann tat sie das, was sie immer tat, was sie so gut konnte. Sie tat so, als wäre alles in Ordnung und als wäre sie ganz normal. Das hatte sie schon oft getan und konnte es auch jetzt wieder tun.

Kapitel 31

Stephies Eltern folgten Keira an diesem Morgen in ihrem Wagen, als sie wieder zur Schule fuhr. Luke konnte es nicht fassen, dass sie so lange gewartet hatten und ihr nicht sofort zu Hilfe geeilt waren, aber zumindest hatten sie sich überhaupt auf den Weg zur Universität gemacht.

Nach ihrem Gespräch beim Chai Latte hatte sich Keira letzte Nacht mit Stephies Eltern unterhalten und ihnen so lange zugesetzt, bis sie den Ernst der Lage erkannten. Luke war nur zur moralischen Unterstützung mitgekommen.

Keira hatte ihn nachmittags angerufen und berichtet, dass Stephie mit ihren Eltern nach Hause fuhr. »Sie hat sich nicht mal gewehrt«, berichtete sie.

Himmel, er war so stolz auf seine Tochter, dass ihm das Herz anschwoll.

Doch jetzt wollte Luke nur noch nach Hause zu Bree. Er war an so vielen Abenden nacheinander ins Haus ihrer Mutter gekommen, dass es ihm langsam schon völlig normal vorkam.

Er war später dran als üblich, und es war schon halb sieben, doch es stand kein Wagen in der Auffahrt. Bree war noch nicht von der Arbeit zurück. Er erinnerte sich daran, dass sie ihm am Vorabend von einem wichtigen Meeting erzählt hatte. Vielleicht dauerte es ja länger als erwartet. Er klingelte.

Mrs Mason hatte eine Schürze vor ihr geblümtes Kleid

gebunden, als sie die Tür öffnete. »Oh, Luke. Bree sagte, Sie wären heute Abend mit Ihrer Tochter beschäftigt und würden nicht vorbeikommen.«

»Sie ist heute Morgen wieder zurückgefahren.« Er ließ den Grund für ihren Besuch unerwähnt.

»Ach, wie schön! Kommen Sie doch rein! Ich koche nichts Besonderes zum Abendessen, da ich nicht mit Ihnen gerechnet habe.«

»Sie müssen für mich auch sonst nichts Besonderes kochen.«

Sie wedelte mit einer Hand. »Ich freue mich immer, wenn ich für einen Mann kochen kann.« Ihr Lächeln war das einer zufriedenen, sorglosen Frau. Er verstand sie einfach nicht. Manchmal kam es ihm vor, als ob sie ihren Ehemann völlig vergessen hätte. Es war, als hätte er nie existiert. Sie erwähnte ihn nur selten. Sie wollte keinen Gedenkgottesdienst. Sie schien nicht um ihn zu trauern. Das war alles verdammt merkwürdig.

Es sei denn, sie war froh, dass er tot war.

»Was immer Sie kochen, es wird mir schmecken«, sagte er in einem Tonfall, dem man seine Gedankengänge nicht anmerken konnte.

»Ich mache Käse-Schinken-Sandwiches. Die habe ich schon ewig nicht mehr gegessen.«

»Klingt lecker. Insbesondere, da ich mich selbst einlade.« Vielleicht konnte er endlich einiges erfahren, wenn er nur mit Brees Mutter zu Abend aß. Er hatte nicht vor, ihr direkte Fragen zu stellen, die in der Praxis eines Psychotherapeuten besser aufgehoben wären, aber vielleicht fand er *irgendetwas* heraus, um zu erkennen, was Bree wirklich brauchte.

Mrs Mason ging vor ihm in die Küche und erwiderte: »Ach was! Sie sind doch immer eingeladen.«

Im Haus war alles veraltet, die Flächen mit Resopal überzogen, die Elektrogeräte braun und das Linoleum im Ziegelsteindesign. Es war, als würde in diesem Haus nichts mehr vorwärtsgehen, als wäre es in der Vergangenheit gefangen.

Während er sich genauer umsah, unterhielt er sich mit ihr. »Sie haben Kekse gebacken.« Ein Blech voller Haferflocken-Rosinen-Kekse stand auf der Arbeitsplatte, und in der Spüle stapelten sich Rührschüsseln, Messbecher und zwei Schneebesen.

»Ich muss meine Keksdosen füllen«, erklärte sie und holte eine Bratpfanne unter dem Herd hervor.

Als er die Ansammlung der verschiedenen Dosen musterte, stellte er fest, dass sie dafür ganz schön viele Kekse backen musste. »Die riechen köstlich.«

»Die gibt's zum Nachtisch«, sagte sie. »Milch und Kekse. Sie können sich ja schon mal die Hände waschen, während ich den Käse grille.«

Er fühlte sich wie ein kleiner Junge, als sie ihn so durch die Gegend scheuchte. Sie war eine seltsame Frau, und er kam schnell zu dem Schluss, dass Bree Recht damit hatte, sich Sorgen um sie zu machen.

Im kleinen Gästebad stand eine weitere Keksdose hinter der Toilette, die wie Dumbo aussah.

Kekse in der Toilette? Das wurde ja immer merkwürdiger. Er ging auf die Toilette und wusch sich die Hände. Als er die Tür schon wieder öffnen wollte, stellte er fest, dass er nicht widerstehen konnte. Er ging zur Toilette und hob Dumbos Schwanz hoch.

Und erstarrte. Das war nicht möglich. Der Inhalt sah aus wie … Asche. Großer Gott!

Vorsichtig legte er den Deckel wieder zurück. Okay, das hatte er *nicht* wirklich gesehen. Die Asche von Brees Vater konnte nicht in einer Keksdose hinter der Toilette aufbewahrt werden. Das war unmöglich. Vielleicht war es Badesalz. Ja, genau. Badesalz, das wie Asche aussah.

Als er in die Küche zurückkehrte, stand Mrs Mason summend am Herd und briet zwei Sandwiches in der Pfanne.

»Wann kommt Bree nach Hause?«, erkundigte er sich. »Wir können auf sie warten, wenn es Ihnen nichts ausmacht.«

»Oh, sie wollte in der Stadt etwas essen.«

Er verspannte sich. »Was?«

Sie sah auf, als sie seinen Tonfall bemerkte. »Ich hatte eigentlich gedacht, dass sie mit Ihnen essen gehen würde. Aber dann sind Sie ja hier aufgetaucht.«

»Warum haben Sie das nicht gleich gesagt?«

»Ich dachte, es wäre nett, wenn wir mal unter uns wären.« Dann widersprach sie sich sogleich. »Sie wollte mit Freundinnen von der Arbeit essen gehen. Sie wollten sie nach all den unangenehmen Ereignissen der letzten Zeit auf andere Gedanken bringen.«

Unangenehme Ereignisse? Das war die Untertreibung des Jahres. Aber nachdem er Dumbo im Bad entdeckt hatte, musste er einfach etwas sagen. »Das ist eine merkwürdige Ausdrucksweise. Ihr Vater ist vor Kurzem gestorben. Das ist wohl mehr als nur ein *unangenehmes Ereignis.*«

Sie wendete die Sandwiches in der Pfanne. »Ich weiß nicht, was die Leute von mir wollen. Soll ich etwa trauern und traurig sein? Er war über eineinhalb Jahre lang krank.« Sie zuckte mit den Achseln. »Ich bin eher erleichtert. Und ich werde nicht so tun, als ob es anders wäre.« Sie drückte mit dem Pfannenwender auf das Brot, bis der Käse an den Seiten herausquoll.

Auf gewisse Weise verstand er sie. Nach einer langen Krankheit musste man erleichtert sein, dass das Leiden ein Ende hatte. Aber als er sie ansah, wurde ihm klar, dass da noch mehr, viel mehr, dahinterstecken musste.

»Können Sie mir das verzeihen, Luke?« Obwohl ihr Haar weiß war, hatte sie noch dunkle Augenbrauen, aus denen kleine Härchen abstanden. Als sie eine Braue hochzog, kamen sie noch besser zur Geltung.

Er versuchte, tröstende Worte zu finden. »Jeder geht mit dem Tod und der Trauer anders um.« Aber vor seinem inneren Auge sah er wieder Dumbo hinter der Toilette. Gefüllt mit *Asche.*

»Ja, das stimmt«, meinte Mrs Mason. »Ich habe nach dem Tod meiner Mutter monatelang geweint. Damals war ich achtzehn und noch nicht mit meinem Mann verheiratet. Sie musste ins Krankenhaus, um sich die Gebärmutter entfernen zu lassen, und ist bei der Operation gestorben. Das kam so unerwartet. Mein Vater hat sich nie davon erholt.«

»Das tut mir sehr leid.«

»Aber bei meinem Mann war es anders.«

»Ja. Er war auch sehr lange krank, und Sie mussten mit ansehen, wie sich sein Zustand verschlimmerte.« Aber die Asche im Badezimmer. Das ließ sich nicht einfach so erklären. »Und Dumbo?«

Sie lachte, wedelte mit den Händen in der Luft, und das

Fett tropfte vom Pfannenwender. »Ach, das meinen Sie. Das ist eine lustige Geschichte. Mein Mann hat immer gesagt, er wäre gern einer der Kekse in meiner Keksdose, damit ich ihn ganz aufknabbern könnte. Ich weiß, dass es morbide klingt, aber …« Sie zuckte die Achseln.

»Jedem das Seine«, beendete er den Satz für sie. Aber es fühlte sich … *falsch* an. Sie war nicht stabil.

Sie legte die gegrillten Sandwiches auf zwei Teller, schnitt sie in zwei Hälften und stellte die Teller auf den Esstisch, auf dem bereits zwei Gläser mit Milch standen.

»Mit welchen Freundinnen wollte Bree denn ausgehen?« Der erste Bissen des Sandwiches lag ihm wie ein Stein im Magen, aber jetzt musste er weiteressen, weil er herausfinden wollte, wohin Bree gegangen war, und diese Frau die Antworten kannte.

»Das hat sie nicht gesagt.« Klang das zugeknöpft?

Bree hatte keine Freundinnen. Das war es, was ihm Sorgen machte. Selbst wenn ihre Kolleginnen aus dem Büro, die sie nie als Freundinnen erwähnt hatte, beschlossen hatten, sie aufzumuntern, dann wären sie nicht bis in die Stadt gefahren. Einen Abend in San Francisco musste man planen, und dorthin fuhr man nur am Wochenende.

Es sei denn, man wollte in einen Klub. Und wenn sie das vorhatte, dann bestimmt nicht mit irgendwelchen Freundinnen.

»Stimmt mit dem Käse was nicht, Luke?«

»Nein, es schmeckt lecker«, antwortete er automatisch, aber er war ins Grübeln gekommen. Das würde Bree nicht tun. Sie würde nicht ohne ihn in einen Sexklub gehen. Nicht alleine. Das war dumm und passte nicht zu ihr. Oder? Er zog sein Handy aus der Jackentasche. »Ich werde sie mal anrufen und fragen, wie es ihr geht.«

»Das ist eine gute Idee. Ich mache mir Sorgen um sie. Sie ist heute Morgen so schlecht aus dem Bett gekommen.«

Das Telefon klingelte und klingelte, und so wusste er wenigstens, dass sie es nicht ausgeschaltet hatte. Aber dann ging ihre Mailbox dran. Er hinterließ keine Nachricht, da sie auch so sehen würde, dass er angerufen hatte. »Sind Sie sicher, dass sie in die Stadt wollte?«

»Ja.« Allerdings klang sie jetzt gar nicht mehr so sicher und legte die Stirn in Falten.

»Was genau hat sie gesagt?« Sein Innerstes zog sich zusammen.

Mrs Mason legte eine Fingerspitze an die Schläfe. »Ich kann mich nicht an ihre genauen Worte erinnern, aber sie hat irgendetwas von einem Klub gesagt, in den sie gehen wollte.«

Verdammt noch mal! Auf einmal raste sein Herz, und er spürte einen Druck hinter den Augen. »Um wie viel Uhr hat sie angerufen?«

»Kurz bevor Sie hergekommen sind.« Sie sah ihn mit großen Augen an.

Er nahm ihr diese Unschuld keine Sekunde länger ab. »Und es ist Ihnen nicht in den Sinn gekommen, mir das zu erzählen?«

»Ich wollte, wie gesagt, dass wir uns ein bisschen besser kennenlernen. Sie kommt bestimmt bald nach Hause.«

»Mrs Mason, ihr Dad – *Ihr* Ehemann – ist vor Kurzem gestorben. Sie ist momentan sehr verletzlich und sollte nicht alleine in die Stadt fahren, wo sie keiner von uns beschützen kann.«

Auf einmal lächelte sie ihn an, und es lief ihm kalt den Rücken herunter. »Sie haben Recht«, sagte sie. »Sie sollten sie lieber suchen gehen. Darauf hätte ich auch selbst kommen können.«

Sie suchen? Es war kurz nach sieben. Der Klub machte erst um neun auf. Wohin konnte sie in der Zwischenzeit gegangen sein?

Natürlich nach Hause. Um sich etwas Heißes anzuziehen.

Als ihr Vater gestorben war, hatte sie ihm eine Geschichte von zwei Doms im Klub aufgetischt, um ihn dazu zu bringen, sie zu bestrafen. Wollte sie das jetzt in die Realität umsetzen? Sie glaubte ihn bei seiner Tochter und wollte auf einmal dahin zurück?

Verdammt! Er hatte keine Ahnung, was sie vorhatte. Aber er würde es schon herausfinden.

* * *

Sie zitterte, der Tag war immer schlimmer geworden. Es war eigentlich nichts Besonderes mehr passiert, aber die zunehmende Anspannung hatte sie ganz nervös gemacht, sodass sie gegen Abend ganz durcheinander war.

Bree konnte ihrer Mutter nicht gegenübertreten. Sie konnte nicht zu dem Haus fahren, in dem ihr Vater gestorben war. Sie konnte nicht vor das Fenster treten, durch das man ihr altes Puppenhaus sehen konnte. Vielleicht wenn es draußen ganz dunkel war, sodass man nicht einmal seinen Schatten erkennen konnte. Vielleicht konnte sie dann zurückkehren. Ganz spät. Wenn ihre Mom schon schlief.

Also fuhr sie nach der Arbeit nach Hause. In ihr eigenes Zuhause. Sie rief ihre Mutter an und erzählte ihr, dass sie noch ausgehen würde, in Klubs in San Francisco. War es nicht das, was normale Single-Frauen ab und zu taten, in die Stadt fahren und sich amüsieren? Es *klang* normal. Und sie wollte so gern normal sein.

Aber in ihrer Wohnung war es kalt. Ungemütlich. Natürlich konnte sie Luke nicht anrufen, nicht solange seine Tochter da war. Außerdem wusste sie nicht, was sie ihm sagen sollte. Dass sie durchdrehte, weil Marbury sie angeschrien hatte? Das war viel zu peinlich. Dann stand sie vor der offenen Schranktür. Die schwarze und purpurne Spitze schien sie zu rufen. Ein Kleid mit einem engen Bustier an einem schmalen schwarzen Rock. Sie hatte es noch nie getragen, aber als sie es vor über einem Jahr im Geschäft anprobiert hatte, hatte das Bustier ihre Brüste schön angehoben, die Schnürung hatte ihre Taille betont, und sie hatte auf einmal die perfekte Figur gehabt.

Sie hielt es vor sich und sah sich im Ganzkörperspiegel an. Mit schwarzen Netzstrümpfen und hohen Absätzen würde sie begehrenswert, fickenswert aussehen.

Also zog sie das Kleid an und bewunderte ihr Spiegelbild. Nachdem sie auch die Strümpfe und die Schuhe angezogen hatte, sah sie aus wie eine heiße, verführerische Dame der Nacht. Nicht wie Bree, die langweilige Buchhalterin. Nicht wie die weinerliche Frau, der Marbury Angst eingejagt hatte. Mit diesen Schuhen hätte ihn die Frau im Spiegel in den Boden gerammt. Und dabei Narben hinterlassen.

Sie setzte sich hinter das Lenkrad ihres Wagens, obwohl ihr eine Stimme in ihrem Kopf sagte, dass sie bescheuert sei, wenn sie auch nur darüber nachdachte, alleine in die Stadt zu fahren. Aber die Frau aus dem Spiegel stellte ihr Handy auf lautlos und steckte es zusammen mit ihrem Führerschein, vierzig Dollar und einem Lippenstift in ihre Handtasche.

Luke war beschäftigt. Luke war bei seiner Tochter. Er hatte eine Familie, ein ganzes Leben, das Bree nicht mit einschloss, und es war nur eine Frage der Zeit, bis er erkannte, dass er eine Frau wie sie, eine Schlampe, nicht in der Nähe seiner Kinder haben wollte. Warum gab sie es nicht einfach zu? Sie *wollte* nicht zu Luke gehen. Sie wollte nicht von ihm abhängig sein, und es würde nur umso schlimmer werden, je weiter sie sich mit ihm einließ. Nur heute Nacht wollte sie ihre Wunden auf die alte Art und Weise lecken und in einen Klub gehen, in dem sie niemand kannte. Und es war ihr egal, ob das eine saublöde Idee war.

Es war viel Verkehr, und sie brauchte mehr als eine Stunde, bis sie die Bay Bridge überquert und die Stadt erreicht hatte.

Ihr Herz schlug schnell, ihre Haut kribbelte. Vor langer Zeit hatte sie das hin und wieder gemacht, nur ein paarmal, wenn sie es im Gefängnis ihrer Wohnung nicht mehr ausgehalten hatte. Sie hatte sich rausgeschlichen wie ein Serienmörder, dessen Blutdurst auf einmal außer Kontrolle geraten war. An verschiedenen Orten hatte sie Männer aufgegabelt, die sich einige Wochen oder Monate lang um sie gekümmert hatten.

Und was konnte ihr heute Abend schon Schlimmes passieren, was sie nicht schon vor langer Zeit erlebt hatte?

Ihr gefiel der Gedanke sogar, dass sie einfach verschwand, dass ihr Wagen eine Woche später mit einem Knöllchen am

Scheibenwischer gefunden wurde und niemand wusste, was aus ihr geworden war. Nicht, dass sie sich den Tod wünschte. Aber manchmal war es eine Wohltat, sich so eine Geschichte auszudenken.

Das Parkhaus, in dem Luke und sie beim letzten Mal geparkt hatten, war zu weit weg, daher fuhr sie mehrmals um den Block und biss sich auf die Lippe, bis es wehtat. Endlich fand sie einige Blocks vom Klub entfernt einen Parkplatz. Sie war zu früh dran, und so saß sie mit verriegelten Türen im Auto, hörte Radio und trommelte mit den Fingern auf die Oberschenkel, bis die Uhr im Armaturenbrett endlich einundzwanzig Uhr fünfzehn anzeigte. Erneut drehte sie eine Runde um den Block. Nach fünfzehn Minuten fand sie einen freien Parkplatz nur wenige Meter vom Eingang des Klubs entfernt. Sie hatte sich ihren Lippenstift von den Lippen gekaut, aber dadurch waren diese knallrot, wie sie sich im Spiegel vergewisserte.

Sie war bereit. Ihr Körper schien zu vibrieren.

Und trotzdem hatte sie den entmutigenden Gedanken, dass sie ohne Luke nicht die Erfüllung finden würde, die sie brauchte.

Kapitel 32

Bree plünderte das Kleingeldfach im Wagen und fütterte die Parkuhr damit. An diesem Januarabend war es kalt in der Stadt, aber sie ließ ihre Jacke auf dem Beifahrersitz liegen. Sie wollte, dass man ihr Kleid bewundern konnte. Da es für die Klubszene noch sehr früh war, trafen nur sehr wenige Klubgäste ein. Sie wartete einige Minuten unten an der Treppe des Gebäudes mit viktorianischer Fassade und folgte dann einem Paar ins Haus. Als Single-Frau musste sie keinen Eintritt zahlen, aber es war sicherer, wenn man nicht alleine hineinging.

Während das Paar bezahlte, wartete Bree in der Lobby. Ohne Luke war es nicht dasselbe, aber ohne ihn war alles irgendwie anders.

Dann öffnete der Mann die Tür ins Innere des Klubs und hielt sie für seine Partnerin und Bree auf. Von oben war Musik zu hören, und sie folgte der Frau auf die Treppe.

»Sie sollten nicht alleine hineingehen«, sagte sie zu Bree. Sie war älter, vermutlich in Lukes Alter, so um die fünfundvierzig, aber ihre Haut war so weich und faltenfrei wie die einer Frau, die sich regelmäßig eincremte und nie in die Sonne ging.

»Ich bin mit jemandem verabredet«, log Bree und wünschte sich, dass es stimmen würde.

»Sie können bei uns bleiben, bis Sie ihn gefunden haben«, bot die Frau an.

Bree begriff, dass das klug war. »Vielen Dank!«

»Ihr Kleid ist wunderschön. Ich wünschte, ich könnte so etwas tragen.«

»Liebling, du würdest in diesem Kleid toll aussehen«, sagte der Mann, der den Damen bedeutete, mit ihnen die Treppe hinaufzugehen.

»Du bist so süß, Schatz«, erwiderte die Frau und berührte ihn an der Schulter.

Bree sah die zueinanderpassenden Eheringe. Verheiratet. Wow! Natürlich wusste sie, dass auch verheiratete Paare in die Klubs gingen zum Partnertausch und ähnlichen Dingen. Sie hatte nur nie gehört, dass sie dabei so nett zueinander waren.

Die beiden waren nicht besonders attraktiv. Die Frau hatte einige Pfunde zu viel auf den Hüften und ein Pferdegesicht, und ihren Ehemann konnte man kaum noch als korpulent bezeichnen. Und doch sahen sie einander liebevoll und zärtlich an. Menschen, die einander so ansahen, gingen normalerweise nicht in Sexklubs. Vielleicht waren sie Voyeure.

Dann überlegte sie, wie Luke und sie auf andere wirken mochten.

Oben an der Treppe angekommen, hielt ihnen der Mann erneut wie ein Kavalier die Tür auf.

»Vielen Dank«, sagte sie und ging hinein. Sie waren in dem Stockwerk, in dem sie sich beim letzten Mal mit Luke aufgehalten hatte.

»Margie und Ron«, stellte die Frau sie vor.

So normale Namen. »Bree.«

»Wollten Sie einen bestimmten Raum aufsuchen?«, wollte Margie wissen.

»Ich werde mich einfach ein wenig in den gemäßigten Räumen umsehen, bis mein Freund auftaucht.«

Der Eingang führte auf eine große Tanzfläche, an der einige Tische standen. Am anderen Ende befand sich eine Bar. Die Tanzfläche war leer, obwohl Discomusik gespielt wurde, und an den Tischen saßen nur wenige Leute. Nach links, nach rechts und neben der Bar führten Gänge weiter hinein ins Gebäude. Auf dieser Etage gab es eine Vielzahl von Unterhaltungsmöglichkeiten: Themenräume, ein Kino mit Sitzsäcken und Großbildfernseher, auf denen alle möglichen Pornos liefen. Bree hatte nie begriffen, warum jemand hierherkommen sollte, um sich einen Porno anzusehen, denn das konnte man auch zu Hause machen, und außerdem sah man das alles live, wenn es hier etwas betriebsamer zuging. Im nächsten Stockwerk fanden gleichgeschlechtliche Aktivitäten statt, aber heterosexuelle Beobachter waren willkommen, und die Etage darüber war für Hardcore-BDSM reserviert. Was jedoch nicht bedeutete, dass es auf diesem Stockwerk nicht zu bisexuellen und Bondage-Aktivitäten kam, wie sich neulich erst wieder bestätigt hatte, als der Meister seine Sub weggegeben und der Frau erlaubt hatte, sie zu nehmen.

»Warum sehen wir uns nicht gemeinsam um?«, schlug Margie vor. Als Bree nickte, nahm Margie ihren Arm, und sie gingen wie Freundinnen weiter. »Da ich davon ausgehe, dass Sie schon mal hier gewesen sind, würde ich gern wissen, welcher Raum Ihnen am besten gefällt.« Margie steuerte einen der Gänge an, die um diese Uhrzeit noch recht leer waren. Ron folgte ihnen mit einigen Schritten Abstand.

»Ich sehe einfach gern zu«, antwortete Bree.

Margie lachte lüstern. »Das tun wir alle, Schätzchen. Die

Frage ist vielmehr, *was* wir uns gern ansehen. Ich muss zugeben, dass mich zwei Männer sehr anmachen, aber Ron ist leider ein wenig homophob.«

»Das bin ich nicht«, warf er ein.

Zwei Punkrocker in schwarzer Kleidung, mit schwarzen Fingernägeln, schwarzem Augen-Make-up und abstehenden Haaren kamen ihnen entgegen. Bree konnte nur anhand der kleinen Brüste unter dem schwarzen T-Shirt erkennen, dass es sich bei einem davon um eine Frau handelte.

»Haben Sie je zwei Männern zugesehen?«, erkundigte sich Margie, als sie sich dem DVD-Raum näherten.

Bree glaubte, schon alles gesehen zu haben, aber das Beste hatte sie in der Nacht erlebt, als sie mit Luke hier gewesen war. »Ja, das habe ich. Aber ich bevorzuge doch eher Fesselspiele.«

Margie schlug ihr spielerisch auf den Arm. »Böses Mädchen.«

Sie blieben vor dem Kino stehen und sahen hinein. An allen vier Wänden befanden sich große Leinwände, auf denen sich verschiedene Paare vergnügten, aber die Sitze waren leer.

»Schatz«, sagte Margie über ihre Schulter hinweg, »wir sind zu früh. Es gibt noch nichts zu sehen.«

»Das habe ich dir doch gleich gesagt«, erwiderte Ron, ganz der typische Ehemann.

»Ich habe morgen ganz früh ein Meeting, aber ich wollte heute Abend unbedingt noch etwas Heißes erleben«, gestand Margie. »Ihnen ist es vermutlich genauso gegangen.« Sie führte Bree zur nächsten Tür.

»Ja.« Sie hätten sich auch beim Kaffee oder während eines

Einkaufsbummels unterhalten können. Nur dass sich in diesem Raum mit den aufgemalten Palmen, Farnen und Affen, die zwischen den Ästen hin und her sprangen, eine Frau mit einem Mann vergnügte, der den längsten Penis besaß, den Bree je gesehen hatte.

Margie stieß ein lautes Pfeifen aus. »Großer Gott, den würde ich gern mal in den Mund nehmen.«

Auf einmal stand Ron dicht hinter ihnen. »Soll ich ihn fragen, ob du mal kosten darfst?«

»Ich muss ihn mir erst mal ansehen, Schnuckelchen.«

Schnuckelchen?

»Sie sieht sich gern erst mal alles an, bevor sie sich entscheidet«, erklärte Ron.

Mit Margie am Arm und Ron auf den Fersen ließ Brees Anspannung langsam nach. Das Zittern in ihrem Körper wurde schwächer. Margies lockere Haltung hatte etwas Beruhigendes an sich. Sie war so aufgeschlossen, so normal. Selbst als sie gesagt hatte, dass sie den großen Schwanz lutschen wollte.

Vielleicht war Bree doch nicht so unglaublich unnormal. Vielleicht war sie nur *anders* und hatte andere Bedürfnisse. *Anders* war gar kein so schlimmes Wort.

Sie sahen sich noch weitere Räume an, und so langsam wurde es voller. Sie lachten und kicherten wie alte Freundinnen und gaben freche Kommentare ab. Es machte richtig Spaß.

»Ich würde gern zusehen, wie Ron dich vögelt, meine Liebe. Was hältst du davon?«

Bree hätte beinahe gelacht, weil Margie das in einem außerordentlich lockeren Tonfall sagte. »Lieber nicht.«

»Tut mir leid, Schatz, aber das war wohl nichts«, meinte Ron amüsiert.

»Es war den Versuch wert«, erwiderte Margie und flüsterte Bree dann zu: »Du bist wirklich sehr attraktiv.«

Es schien sich nichts zu verändern, aber als sie weitergingen, spürte sie auf einmal Rons Atem im Nacken, und Margies Hand schien sich wie eine Klaue um ihren Arm zu legen. Plötzlich war sie zwischen ihnen gefangen, während immer mehr Menschen durch die Räume schlenderten und es langsam voller wurde. Würden sie sie in einen Raum schleifen und sich an ihr vergehen? An einem Ort, an dem Vergewaltigungsfantasien an der Tagesordnung waren, würden ihre Schreie keine Aufmerksamkeit erregen.

Ist das nicht das, was du gewollt hast?, flüsterte eine Stimme in ihrem Kopf. *Erniedrigung, Demütigung, Bestrafung. Bist du nicht aus diesem Grund hier?*

Sie wusste nicht, warum sie hier war, nur, dass sie sich nach der Begegnung mit Marbury eingeschüchtert und verloren gefühlt hatte. Und schlechter Sex bewirkte, dass sie … dass sie was? Dass ihr schlechtes Benehmen gesühnt war?

Dann hatte sie weiß Gott schon mehr als genug gebüßt. Und sie hasste sich dafür, dass sie das brauchte.

»Ich sollte jetzt gehen«, sagte sie leise. Es war eine dumme Idee gewesen, alleine hierherzukommen. Es war die Reaktion auf Marbury gewesen, darauf, Luke mit seiner Tochter gesehen zu haben, weil sie wusste, dass es nur eine Frage der Zeit war, bis er sie verließ, und weil sie das Gefühl hatte, dass sie nirgendwo anders hinkonnte. Der Spaß, den sie mit Margie hatte, war nur eine Tarnung für schlimmere Dinge. Dieser Ort und diese Leute machten nichts besser. Nur Luke hatte etwas verbessert in der Nacht, in der er sie vor Derek gerettet hatte.

Margies Hand hielt ihren Arm fest umklammert. »Noch nicht, meine Liebe.«

»Nein, nein, ich muss wirklich gehen.« Sie brauchte Luke. Sie war so gut darin, sich etwas vorzumachen, dass sie sich einfach einbilden konnte, er würde für immer bei ihr bleiben. Bis er dann doch ging. Warum nicht? Sie versuchte, sich Margies Arm zu entziehen.

»Sieh einer an, wenn das nicht meine Lieblings-Sub ist.«

Sie kannte diese Stimme. Auf einmal waren all diese schlimmeren Dinge in Sichtweite. Der Meister von Montagabend stand mitten im Gang, und andere Klubbesucher gingen um ihn herum. Wo kamen all die Menschen auf einmal her? Wie lange waren sie hier schon herumgeschlendert?

Er streckte einen langen Finger aus und strich über die Schramme auf ihrer Stirn. Die hatte sie ganz vergessen. Margie und Ron hatten sie mit keinem Wort erwähnt.

Als er sie berührte, lief ihr ein Schauer über den Rücken. »Ich bin gegen eine Tür gelaufen«, sagte sie, weil die Lüge das Einzige war, woran sie sich erinnern konnte.

Er sah sie mit seinen dunklen, durchdringenden Augen lange an. »Ich würde dich nie markieren.«

»Es war ein Unfall«, rechtfertigte sie sich, fast schon verzweifelt. Sie entriss Margie ihren Arm und wollte einen Schritt nach hinten machen, aber da stand schon Ron.

»Das sagen sie alle«, flüsterte der Meister.

Ron packte eine ihrer Pobacken und drückte zu.

»Ich möchte, dass du sie fickst«, sagte Margie, und Bree fragte sich, ob sie Ron oder den Meister meinte.

Musik, Stimmen und Gelächter, die Geräusche von Sex, das Klatschen eines Paddles, das Aufeinanderprallen von Fleisch, der Geruch von Sperma, Menschenschweiß. Sie bekam keine Luft mehr. »Ich will Luke«, flüsterte sie, aber niemand hörte sie, niemand achtete auf sie.

Ron stand hinter ihr und knetete ihre Taille, zerrte am dünnen Stoff ihres Kleides und drückte seinen Penis gegen ihren Hintern.

Der Meister sah ihr in die Augen und schien ihr bis in die Seele zu blicken. »Ich werde dich ficken. Du wirst es lieben. Du hattest noch nie besseren Sex. Du wirst *ihn* vergessen und allein mir gehören.«

»Ich …«, setzte sie an.

Er legte ihr einen Finger auf die Lippen. »Du wirst tun, was ich dir sage. Weil du es tun musst. Weil du auf der Suche nach mir hierhergekommen bist. Er ist nicht gut für dich. Er wird dich verlassen, wenn du ihn am dringendsten brauchst. Nur ich kann dir geben, was du verdienst.«

Woher wusste er das alles? Es war, als hätte er ihre Gedanken gelesen.

»Du dreckige kleine schwanzlutschende Hure. Ich werde dich so bestrafen, wie du es verdienst.« Er sprach, als ob er sie vollkommen durchschaute, aber seine Worte bewirkten bei ihr nichts. Er war nicht Luke, und allein durch Lukes Stimme wirkten diese Worte bei ihr.

Während Ron an ihr herumzupfte, war einer ihrer Nippel aus dem Bustier gerutscht, und der Meister kniff fest hinein.

Sie hätte am liebsten geschrien. Doch in ihrem Inneren war nichts als Schwäche, also legte sie den Kopf in den Nacken, sah zu der schmutzigen Decke hinauf und ließ ihn gewähren. So wie sie es schon immer getan hatte, seit sie ein kleines Mädchen war. Vielleicht würde es immer so bleiben.

Zuerst war Luke zu ihrer Wohnung gefahren. Sie war dunkel, abgeschlossen und leer. Also blieb nur noch der Klub übrig. Während der Fahrt veränderte sich seine Stimmung von verärgert zu verängstigt. Sie war alleine. Ohne seinen Schutz konnte ihr alles Mögliche zustoßen. Sie konnte vergewaltigt werden, entführt oder Schlimmeres. Vor seinem inneren Auge sah er, wie die Polizei ihre Leiche in einem verlassenen Lagerhaus fand.

Als er in die Stadt kam, parkte er einige Blocks vom Klub entfernt. Er bestach den Kassierer, damit er ihn auch als Single-Mann hineinließ. Wenn man genug Geld hatte, bekam man immer, was man wollte.

Mit einem Knoten im Bauch war Luke durch die Räume gegangen. Irgendwann um kurz vor zehn entdeckte er sie. Bei einem Paar. Instinktiv wollte er zu ihr hingehen und sie da rausholen. Doch stattdessen beschloss er jetzt, da er wieder durchatmen konnte und seine größte Angst besänftigt war, sie erst einmal zu beobachten. Sie lächelte, lachte, schien sich zu amüsieren.

Er begriff es einfach nicht. Sie verwirrte ihn immer wieder aufs Neue. Nach allem, was sie getan hatten, allem, was sie einander bedeuteten, als Meister und Sklavin, als Liebende, wie immer man es auch nennen wollte, warum warf sie auf einmal alles weg und ging alleine in einen Klub? Nur um ihn wütend zu machen? Oder wegen Keira, weil er Bree nicht ins Haus gebeten, sondern nach Hause gebracht hatte, als würde er sich für sie schämen.

Er hatte ihrer Mutter gesagt, dass Bree verletzlich wäre, aber das erklärte nicht alles. Nicht nach dem Kuss, den sie ihm am Abend zuvor gegeben hatte. Das war eine verdammte Vereinigung. Er hätte sie heute anrufen sollen. Aber er war wegen Keira schon spät dran gewesen. Und mit *dem hier* hatte er überhaupt nicht gerechnet.

Also hielt er sich im Hintergrund und sah zu. Es setzte ihm zu, wie unglaublich heiß sie in diesem Kleid aussah. Einem Kleid, das sie für ihn noch nie getragen hatte.

Das Paar – mittleres Alter, unprätentiös, von durchschnittlichem Aussehen und eher übergewichtig – wirkte harmlos, als es mit Bree von Raum zu Raum ging, wo sie gelegentlich stehen blieben und zusahen, dann wieder nur einen kurzen Blick hineinwarfen und weitergingen. Ihm war nicht klar, ob sie irgendwelche Absichten bei ihr verfolgten.

Als immer mehr Menschen durch die Gänge strömten, drängten sich zu viele Menschen zwischen ihn und die kleine Gruppe. Die Frau blieb stehen, und der Mann drängte sich auf einmal viel zu dicht an Bree.

Luke wich einem Paar aus, das plötzlich beschlossen hatte, sie könne ihm mitten im Gang einen blasen.

Dann erstarrte er und sein Blut raste durch Adern, die unvermittelt enger geworden zu sein schienen. Der verdammte Dom. Er berührte Brees Stirn. Sie bewegte sich nicht. Sie nahm es hin, sie akzeptierte es. Sie ließ sogar zu, dass der dicke Mann ihre Hüften packte und seinen Schwanz gegen ihren Hintern drückte, während der Dom ihre Haut streichelte und die Frau sie mit leuchtenden, gierigen Augen beobachtete.

Dann kniff das Schwein sie in die Brustwarze, und Bree

legte den Kopf in den Nacken, sodass ihr Haar wie Seide über ihre Schultern fiel.

Scheiße, Scheiße, Scheiße! Lukes Gehirn schien explodieren zu wollen. Der Betrug schien ihn körperlich zu treffen, und er biss die Zähne zusammen, als sich sein Herz zusammenzog. Seine Füße schienen am Boden festgewachsen zu sein, obwohl er sich am liebsten umgedreht und sie ihren Ausschweifungen überlassen hätte.

Scheiß auf sie!

Er konnte hören, wie er die Luft durch die Nase einsog, und er wusste, dass er sie nicht hierlassen konnte. Er hasste sie für das, was sie da tat, aber er würde sie niemals schutzlos zurücklassen.

Kapitel 33

»Nimm deine dreckigen Finger von ihr!« Luke hatte nicht mal bemerkt, dass er sich in Bewegung gesetzt hatte, aber er stand da, direkt neben Bree, deren Duft ihm in die Nase stieg.

»Ah, und schon taucht der Ritter in seiner schimmernden Rüstung auf«, spottete der schwarzhaarige Dom.

»Genau«, sagte er. »Sie gehört mir. Das weißt du. Verschwinde!«

Der Mann sah ihn arrogant an. »Sie soll entscheiden, was sie will.«

Das Paar war einen Schritt zurückgetreten und schien sich nicht einmischen zu wollen. Bree stand einfach nur da, hielt einen Arm so, als stünde die andere Frau noch neben ihr, und ihre Nippel lugten aus dem Bustier. Sie starrte auf den Boden, als ob das Muster im Holz sie faszinieren würde.

Dass sie ihn nicht zur Kenntnis nahm, machte ihn noch wütender. »Sie hat keine Wahl. Ich bin ihr Meister.«

»Ach was«, höhnte der andere, und die anderen Gäste in ihrer Nähe blieben stehen, um sich das Spektakel anzusehen. Dann deutete der Dom theatralisch auf Brees Stirn. »Darum musst du sie auch schlagen, damit sie dir gehorcht.« Bei den Worten des Mannes zuckte Luke innerlich zusammen. »Weil du *so* ein guter Meister bist.«

Oh ja, der Mann stand gern im Mittelpunkt. Sein Blick

schweifte über die Zuschauer, an die er sich jetzt mit seiner resonanten Stimme wandte, die nicht laut war, die man aber trotzdem gut verstehen konnte. »Ist es nicht so, Leute? Ein guter Meister muss seine Sub mit Prügel zum Gehorsam zwingen.«

Es erhob sich ein Gemurmel, und einige der Anwesenden schienen wütend zu werden. Luke widerstand dem Drang, alles erklären zu wollen, sondern ging einen Schritt auf den anderen zu, und seine Stimme klang fast wie ein Knurren. »Sie gehört mir. Mach, dass du verschwindest!«

»Sollen wir uns um die Ehre der Dame schlagen? Uns duellieren?« Der Dom tat so, als würde er ein Schwert ziehen.

Luke wurde bewusst, dass er sich jetzt am anderen Ende des Spektrums befand, an Dereks Ende, dort, wo der Schurke zu finden war, der Mann, der seine Sub missbraucht hatte. *Dieser* Dom war jetzt ihr Verteidiger, so wie es Luke einst gewesen war.

Es gab nur einen Weg, wie er wieder die Oberhand gewinnen konnte. Er wusste, dass er sich später dafür hassen würde, aber er drehte sich dennoch um und sah Bree an. »Du hast deinen neuen Freunden einen falschen Eindruck vermittelt.«

Sie hob den Kopf und sah ihm in die Augen. »Ich habe ihnen die Wahrheit gesagt, Meister, aber sie wollten mir nicht glauben.«

»Wie willst du das bei mir wiedergutmachen?«

Ihr Blick wanderte über sein Gesicht und versuchte, seine Gedanken zu lesen, herauszufinden, was er wollte, wie sie ihm geben konnte, was er begehrte, wie sie ihn besänftigen konnte. »Indem ich deinen Schwanz lutsche?«

Die Menge johlte. Die Frau, die eben noch an Brees Arm gehangen hatte, applaudierte.

»Das reicht nicht«, erwiderte Luke. »Du musst ihnen zeigen, dass du alles für mich tun würdest.«

Sie sah ihm ins Gesicht, konnte die Antwort dort aber nicht finden. In ihm tobten die verschiedensten Emotionen, Wut, Schuld, Verwirrung, Scham und vor allem Verlangen. Ein tiefes Verlangen, sie hier und jetzt zu nehmen, um ihnen zu beweisen, dass er der Einzige war, den sie wollte.

Doch im tiefsten Kern seiner Seele hätte er am liebsten ihre Hand genommen und sie nach draußen gebracht, an einen Ort, an dem sie alleine waren.

Sag dem Penner, dass er sich verpissen soll!

»Sag ihm, dass du lieber einen richtigen Mann vor *seinen* Augen ficken willst«, forderte sie der Dom auf. »Einen Mann, der dich nicht schlagen muss, um zu bekommen, was er will.« Die Menge johlte erneut und skandierte: »Fick ihn, fick ihn!«

Wenn sie den Kerl berührte, würde Luke ausrasten. Er stand mit geballten Fäusten da, und sein Kiefer war angespannt, während er auf ihre Antwort wartete. Das Publikum wartete ebenso gespannt, und einige Sekunden lang war es so still, dass er glaubte, ihren Herzschlag von den Wänden widerhallen zu hören.

Schließlich sagte sie etwas, aber so leise, dass er sich anstrengen musste, um sie überhaupt zu verstehen. »Fick mich, während er zusieht.«

Verdammt! Er hatte gehofft, dass sie ihn bitten würde, sie von hier wegzubringen.

»Ha!«, rief der Dom und lachte, und Luke hätte ihn am

liebsten geschlagen. »Wir sollten dich beide ficken, danach kannst du dich für einen von uns entscheiden.« Das Arschloch täuschte einige Schläge an. »Wir wissen doch alle, wer gewonnen hätte, nicht wahr, Leute?« Das Publikum jubelte ihm zu.

Luke trat so nah an sie heran, dass ihr Duft ihm zu Kopf stieg. Sie war erregt. Eben hatte er noch ihre Angst riechen können, aber jetzt war da nur noch reiner Sex. »Ich werde dich für sie ficken«, raunte er ihr zu. »Ich werde dich zum Orgasmus bringen. Ich werde dich zum Schreien bringen.« Er wartete eine Sekunde. »Danach gehe ich. Mit dir oder ohne dich.«

Bree erschauerte, als sie merkte, wie ernst ihm das war. Seine Augen waren so dunkel, so wütend, so furchteinflößend, so schrecklich, dass sie kaum noch atmen konnte.

Und doch war er ihr gefolgt, und ihr Körper schien für ihn zu brennen.

Sie hatte keinen Zweifel daran, dass er gehen würde und damit rechnete, dass sie ihm folgte. Oder sie zurücklassen würde. Das war ihre Bestrafung. Sie wollte wissen, warum er hier war, wie er sie gefunden hatte, warum er sein schönes Heim verlassen hatte. Aber all das war nicht so wichtig. Es zählte nur, dass er ihr nahe war. Es zählte die Hitze seines Körpers, sein steifer Schwanz und das wütende Zucken seines Kiefers.

Er war hier. Er hatte alles zu Hause zurückgelassen, um sie zu retten, hatte *gewusst*, dass sie gerettet werden musste. Woher, war jetzt nicht wichtig, nur, dass er hier war.

»Was immer du willst, Meister.«

Bei diesen Worten nahm er ihre Hand und zerrte sie von den anderen weg, von Margie, Ron, dem dunklen Meister. Die Menge teilte sich wie bei John Wayne, der Maureen O'Hara in *Der Sieger* mit sich schleifte. Er war an seine Grenze gestoßen, seine Geduld war zu Ende, jetzt blieb ihm nur noch rohe Gewalt. Sie war kurz vor einem Orgasmus.

Aber Luke fing gerade erst an. Er zerrte sie durch die erste Tür, an der sie vorbeikamen, wo sie der Anblick eines nackten Männerhinterns begrüßte, der eine auf einer Schaukel sitzende Frau nahm. Hinter ihnen an der Wand befand sich ein riesiger Bildschirm mit einem Mohnfeld, um einem das Gefühl zu geben, Sex im Freien zu haben. Luke drückte einen Schalter an der Wand, und nun war eine Luftaufnahme zu sehen, als würde das Paar Fallschirmspringen.

»Raus«, befahl Luke. Bei diesem Tonfall zog der Mann seinen Penis aus der Frau, verschloss seine Hose, und die beiden verschwanden.

»Scheiß auf die Schaukel«, meinte sein dunkelhaariger Herausforderer und drückte einen anderen Knopf an der Wand. Die Schaukel wurde nach oben gezogen, der Projektor ausgeschaltet, und auf einmal war der Raum hell erleuchtet. »Ihr braucht keine Hilfsmittel. Nimm sie einfach auf dem Boden.«

Luke grinste giftig und drückte einen anderen Knopf an der Wand, woraufhin ein Bett ausgefahren wurde. »Nicht auf dem Boden. Das ist nicht gut für ihren Rücken.«

Sie kämpften um sie. Es war ein seltsamer Kampf, aber es war trotz allem ein Kampf. Ein sexuelles Duell. Und sie war der Hauptgewinn.

Darm hob Luke sie hoch und warf sie aufs Bett. Er setzte

sich rittlings auf sie und begann ihr Bustier vorn zu öffnen. Über seine Schulter hinweg konnte sie sehen, wie sich der Raum langsam füllte. Margie und Ron standen in der ersten Reihe.

Als ihre Brüste zu sehen waren, kniff ihr Luke in den Nippel. Sie schrie nicht. Sie konnte nur noch stöhnen.

»Das gefällt dir, nicht wahr? Schmerz. Schnell und hart.« Er drehte den anderen Nippel um.

Sie spürte, wie ihre Feuchtigkeit die Innenseite ihrer Oberschenkel benetzte. »Ja, Meister.«

Dann rutschte er weiter nach unten und schob ihr Kleid bis über die Hüfte.

Er stieß die Luft aus. »Du kleine Schlampe. Du trägst ja nicht mal ein Höschen.«

Du kleine Schlampe. Oh ja, es war völlig anders, wenn Luke es sagte! Nicht so wie bei Marbury.

Ihr Herz raste vor Verlangen. »Du hast gesagt, dass ich nur Kleider und nie ein Höschen tragen soll, Meister.«

Er ragte über ihr auf, packte ihre Kehle mit einer Hand und hielt sie fest, während er ihr in die Augen sah. »Nur für *mich,* Schlampe. Nicht für die geifernde Menge und ein dreistes Arschloch, das sich für einen Mann hält.« Sie zitterte, als sie den Zorn in seiner Stimme hörte. »Du musst bestraft werden. Nicht nur heute Nacht. Wieder und wieder.«

Die Zuschauer jubelten, aber sie wusste nicht, wie sie seine sanfte und tödliche Stimme überhaupt hatten hören können.

Er legte ihr die Hand zwischen die Beine. »Wie feucht du bist, meine dreckige kleine Hure!«

Er streichelte sie, tauchte mit den Fingern zwischen ihre

Schamlippen und fuhr über ihre Klit, bis sie keuchte und kurz vor dem Höhepunkt war.

»Ich will sie kosten«, rief jemand. Sie glaubte, Rons Stimme erkannt zu haben.

»Verpiss dich!« Er drehte nicht einmal den Kopf, sondern drückte weiter die Finger in sie und sah sie an. Sie hob das Becken, um ihn in sich aufzunehmen, ihn anzuflehen, tiefer in sie einzudringen.

»Brauchst du vielleicht Hilfe? Anscheinend hast du Probleme, ihn hochzukriegen«, rief der Dom.

Luke ignorierte ihn, als wäre er eine Schmeißfliege und die Anstrengung nicht wert, und stützte sich mit einem Arm neben ihrem Kopf ab, während er an ihrer Klit herumspielte. »Das magst du, nicht wahr, all die Aufmerksamkeit, dass dich die Männer begehren?«

Sie öffnete den Mund, brachte aber kein Wort heraus.

Er bearbeitete sie schneller, und seine Finger waren von ihrem Saft benetzt. »Du liebst es, mich dazu zu bringen, verrückte Dinge zu tun. Du magst die Macht.« Dann schob er einen Finger in sie und fand ihren G-Punkt.

»Meister«, keuchte sie.

»Du machst mich wütend, um dich dann zurückzulehnen und darauf zu warten, dass ich dich bestrafe.«

»Nein, Meister.« Sie konnte ihm nicht erklären, was sie an diesem Abend gebraucht hatte, konnte ihm nicht von Marbury erzählen und dass dieser schreckliche Mann all diese Dinge zu ihr gesagt hatte, nur um herauszufinden, dass sie genau *das* gewollt hatte, dass Luke sie fänd und sie bestrafte, so wie er es gesagt hatte. »Ich habe dich gebraucht.« Sie schrie. Es war kein Höhepunkt, es war mehr, eine Gier, so groß, dass sie niemals gestillt werden konnte. »Aber du warst nicht da.«

»Jetzt bin ich da«, sagte er mit angespannter Stimme.

Ihr Herz schien zu schweben. Er *war* hier. Wegen ihr. »Fick mich, Meister! Fick mich für sie! Zeig ihnen, dass du mich willst! Bitte!«

Sie wollte, dass er es ihr bewies. Jedes Mal musste er es ihr aufs Neue beweisen.

»Wenn ich dich ficke, muss ich kurz eine Pause machen, um mir das Kondom überzuziehen.« Er würde aufhören müssen, sie zu berühren, sie zu streicheln, sie in den Wahnsinn zu treiben. »Du wirst dich selbst streicheln müssen, bis ich so weit bin.«

Er zog ihre Hand nach unten und legte sie ihr zwischen die Beine. »Masturbier für ihn«, flüsterte er ihr ins Ohr. »Das hast du doch gewollt. Zeig ihm was! Lass ihn sehen, wie heiß du bist. Zeig es ihnen allen!«

Wie in seiner Fantasie. »Nein, das mache ich nur für dich.«

»Lügnerin«, murmelte er mit rauer Stimme. »Streichel dich für sie.«

Er zog sich zurück und ließ sie mit gespreizten Beinen und entblößter Muschi auf dem Bett liegen.

»Tu es!«, befahl er.

Sie fing an, sich mit den Fingern zu streicheln, berührte ihre Klit, dann schloss sie die Augen und legte den Kopf auf das Kissen.

Er packte ihr Kinn. »Sieh sie an! Du sollst sehen, dass sie dich beobachten.«

Der Dom stand mit verschränkten Armen neben dem

Bett, und seine Hose beulte sich gewaltig aus. Margie streichelte Ron durch den offenen Hosenschlitz hindurch. Männer. Frauen. Gierig. Es war erschreckend. Aufregend. Sie wollte, dass sie sie beobachteten, sie begehrten, sich nach ihr verzehrten. Sie war so feucht, so gierig danach. *Wollt mich, begehrt mich!*

Luke kniete zwischen ihren Beinen, holte ein Kondom aus seiner Tasche, zog seinen steifen Schwanz aus der Hose und streichelte sich, während er sie so begierig und lüstern ansah wie alle anderen.

»Das ist es doch, was du willst. Dass ich für dich hart werde. Dass du weißt, dass ich dich will, dass ich derjenige bin, der alles tun würde, um dich zu ficken, um dich zu haben. Dass ich verrückt nach dir bin.«

»Ja, Meister, ja.« Dank seiner Worte, seines Schwanzes, seiner Berührung, all der Blicke auf ihr war sie so kurz davor, dass sie es kaum noch ertragen konnte.

Dann saß das Kondom, und er legte sich auf sie, verbarg sie vor den anderen, während sich seine Eichel gegen sie drückte. »Schieb mich in dich rein«, flüsterte er und sah sie mit loderndem Blick an.

Sie benetzte ihn mit ihrem Saft, bereitete ihn vor und schob ihn dann ein Stück in sich hinein.

Er stützte sich ab, bedachte sie mit einem wütenden Blick und stieß sich in sie hinein. So tief, so gut. Die Menge tobte, und sie hatte das Gefühl, das Geräusch käme aus ihrem Innersten. Er drehte die Hüften und liebkoste bei jeder Bewegung ihre Klit.

Einen Augenblick später änderte er die Position und hob ihre Beine auf seine Oberschenkel. Jetzt konnten alle sehen, wie er seinen Schwanz in sie hineinschob, konnten die tiefe Penetration bezeugen.

»Jemand muss ihr ein Kissen unter den Hintern legen.«

Lukes Rivale reagierte, holte ein Kissen vom Kopfende des Bettes und schob es unter sie, als sie die Hüften anhob.

»Perfekt«, befand Luke. »Ich kann deinen G-Punkt spüren.« Er pumpte langsamer. »Spürst du mich?«

»Ja, Meister, und es ist wunderbar.« Es war eine maßvolle, grausame Folter, die sie bis kurz vor den Höhepunkt brachte.

»Berühr deine Klit! Streichel dich!« Er behielt einen langsamen Rhythmus bei. »Dreckige Hure«, murmelte er. »Das ist es doch, was du die ganze Zeit gewollt hast. Du hast mich verärgert, damit ich dich bestrafe. Damit ich dir wehtue.«

Sie hörte die Menschen um sich herum nicht mehr. Die Gesichter verblassten und verschwanden. Schließlich war da nur noch Luke, ihr Meister. Sein Körper nahm sie, bezwang sie, seine Worte spülten über sie hinweg.

»Du bist, was ich schon immer gewollt habe«, sagte sie zu ihm, um dann in einer langen, weißen, grellen Explosion zu vergehen. Er stieß fester zu. Sie schrie lautlos, öffnete den Mund und kniff die Augen zusammen. Da war nur noch sein Schwanz in ihr, sein Körper, der sich gegen sie drückte, seine Berührung, sein Geruch, seine Stimme, das Pulsieren ihres Höhepunkts in ihrem Inneren.

Schließlich fand sie in seinen Armen die Erlösung, die sie gesucht hatte.

Kapitel 34

Bree döste, und Luke hätte sich demselben Luxus hingeben, in ihren Armen liegen und ihre Wärme genießen sollen. Danach sehnte er sich. Diese süßen Momente nach dem Sex, in denen sein Körper entspannt war, sein Kopf erfüllt von ihrem Duft und ihre Haut die seine liebkoste. Aber er hatte sich eben dazu hinreißen lassen, sie zu ficken, um seine Macht über sie zu beweisen.

Um sie herum standen die vielen Menschen, aufgeladen wie unter Strom. Und dieser verdammte Dom. Luke zog sich aus ihr heraus, warf das Kondom beiseite, ohne sich dafür zu interessieren, wo es landete, und zog den Reißverschluss hoch. Dann zog er Brees Rock herunter. Sie konnte ihm kaum dabei helfen.

»Das war ja eine Show!«, rief sein Widersacher. »Aber wir müssen noch immer feststellen, wer der Bessere ist.«

In seinem jetzigen Zustand konnte Luke ihr Bustier nur notdürftig verschließen. Er half ihr auf. »Sie wird dich nicht ficken«, sagte er. »Sie will es nicht, und sie braucht es nicht.«

Als er mit Bree zum Ausgang gehen wollte, stellte sich ihm der Dom in den Weg. »Sie hat noch nichts dazu gesagt.« Er stand breitbeinig da und stemmte die Hände in die Hüften.

»Lässt du deine Sub reden?«, fuhr ihn Luke an und zog Bree an sich, damit sie nicht umfallen konnte.

Der Mann lächelte. »Touch.«

»Du hast sie anderen Männern überlassen. Und einer Frau. Und direkt vor ihren Augen hast du darum gebettelt, eine andere Frau berühren zu dürfen.«

»Das stimmt. Es ist mein Recht, sie zu bestrafen. Aber ich erhebe nicht die Hand gegen sie.« Seine Augen flackerten. Luke vermutete, dass sein Gegenüber tatsächlich glaubte, er würde für Bree kämpfen, damit sie nicht geschlagen wurde, dass er trotz seines Auftretens nicht mochte, wenn eine Frau misshandelt wurde.

Allein diese Einsicht bewirkte, dass er sich ihm erklärte. »Sie ist gestürzt«, sagte er mit ruhiger Stimme. »Ich schlage weder Frauen noch Kinder.« Dann lächelte er ihn an und bleckte die Zähne. »Und jetzt verpiss dich!«

Der Mann starrte ihn volle dreißig Sekunden lang an. Luke wandte den Blick nicht ab.

Schließlich machte der Mann einen Schritt zur Seite. »Ich glaube dir.« Dann drehte er sich um, wedelte mit den Händen, und die Menge teilte sich.

Luke wollte nichts weiter, als mit ihr von hier verschwinden.

»Du weißt, wo du hin gehen kannst, wenn er anfängt, dich zu misshandeln«, rief ihnen der Dom als Abschiedsgruß hinterher. Luke gestattete es Bree nicht, sich umzudrehen oder ihm zu antworten.

»Mein Wagen«, sagte sie einige Minuten später, als er sie über den Gehweg führte. »Er steht da vorne.«

Er drückte sie fester an sich. »Ich lasse dich nicht alleine nach Hause fahren. Wer weiß, wo du dann landest.«

»Aber ich brauche meinen Wagen.«

»Wir werden ihn morgen zusammen abholen.« Er würde

sie zum Bahnhof fahren, und dann konnten sie gemeinsam mit dem Zug herkommen.

»Aber was ist, wenn er abgeschleppt wird? Und wie soll ich morgen zur Arbeit kommen?«

Er blieb stehen und sah sie so eindringlich an, dass sie zu zerfließen glaubte. »Dann steig in deinen Wagen, und ich fahre hinter dir her zum Haus deiner Mutter. Wenn du nicht auf dem direkten Weg hinfährst, dränge ich dich von der Straße ab.«

Sie schluckte schwer.

»Hast du verstanden?«

»Vielleicht sollten wir lieber zu mir fahren«, flüsterte sie und starrte auf den Boden.

Einige Paare kamen die Treppen des Klubs herunter, lachten, die Frauen kicherten. Er starrte ihnen einen Moment lang nach. Was wollte sie? Was brauchte sie? Konnte er ihr wirklich etwas geben? Oder würde sie auf ewig davonlaufen, ihm Angst einjagen, nur damit er wütend wurde und sie bestrafte?

»*Nicht* zu dir«, erwiderte er. »Und nicht zu mir. Du hast nach dem, was du getan hast, nicht verdient, mit mir alleine zu sein.«

Sie hob den Kopf. »Habe ich nicht genau das getan, was du wolltest, Meister?« Sie sah ihn verwirrt und benommen an. Anscheinend begriff sie es wirklich nicht.

»Was ist, wenn ich dich nicht retten kann?«

»Ich musste nicht gerettet werden, Meister.«

Er packte ihr Kinn und hielt es so fest, dass sie den Blick nicht abwenden konnte. »Dir hätte alles Mögliche zustoßen können.« Mehr, als ihr bereits angetan worden war, aber das schien sie nicht begreifen zu wollen. »Und jetzt mach mich nicht noch wütender, als ich ohnehin schon bin. Steig in deinen Wagen und fahr zu deiner Mutter!«

»Oder was?«, sagte sie so leise, dass er es ihr von den Lippen ablesen musste, weil gerade lautes Gelächter durch die Nacht hallte.

Er wusste, was sie damit versuchte. Sie wollte ihn provozieren, damit er sie mit nach Hause nahm und bestrafte. Wenn sie ihn gebeten hätte, sie zu lieben, dann hätte er es sofort getan. Er fragte sie nicht, warum sie an diesem Abend in den Klub gefahren war. Er fragte sie nicht, was sie brauchte, das er ihr nicht geben konnte. Das ließ sich nicht erklären. Er vermutete, dass sie es selbst nicht wusste.

»Du willst dich jetzt nicht wirklich mit mir anlegen, Sklavin«, sagte er leise.

Sie schüttelte langsam den Kopf.

»Dann steig in deinen verdammten Wagen und fahr zu deiner Mutter!«

Als sie in ihrem heißen Kleid die Straße hinunterging, schlug sein Herz fest und schnell in seiner Brust. Er war *so* kurz davor gewesen, sie vor ein Ultimatum zu stellen. Aber wenn er das tat, konnte er nie wieder zurück.

Er wollte, dass sie ihm ihren Körper und ihre Seele ohne Hintergedanken anbot, ohne ihn zu etwas zwingen zu wollen. Er empfand Mitgefühl wegen der Dinge, die ihr in der Vergangenheit angetan worden waren, aber er konnte für sie nicht immer den bösen Mann spielen.

Er hatte sie so erbeben lassen. Es war großartig gewesen, wie er mit dem Dom gesprochen, wie er sie wütend angesehen hatte. Sie konnte die Scheinwerfer seines Wagens im Rückspiegel sehen. Er war in vielerlei Hinsicht *da*.

Er hatte Recht, er hatte sie gerettet. Er hatte sie nicht gefragt, warum sie in den Klub gegangen war. Sie wollte nicht über Marbury reden und Luke auch nicht sagen, dass sie eifersüchtig auf seine Tochter war. Sie wollte nicht zugeben, dass sie sich vor Margie, Ron und dem Dom gefürchtet hatte. Sie war es nicht gewohnt, Angst zu haben. Vielmehr war die Angst ein Teil des Vorspiels. Sie genoss sie. Aber irgendwie war sie vorhin, als sie zwischen den dreien gestanden hatte, unruhig geworden. Und auf einmal war Luke da gewesen. Genau dann, als sie ihn gebraucht hatte. Sie wollte nicht wie ein ungezogenes Kind zu ihrer Mutter geschickt werden. Und sie würde ihm schon zeigen, dass es auch nicht das war, was er wollte.

Als sie beim Haus ihrer Mutter ankamen, taten ihr vom ständigen Licht im Rückspiegel die Augen weh. Es war kalt, als sie aus dem Wagen stieg, und sie nahm ihre Jacke vom Beifahrersitz und zog sie an.

Er wendete am Ende der Sackgasse und hielt dann vor dem Haus an, stieg aber nicht aus. Wenn sie mit ihm reden wollte, musste sie zu ihm gehen.

Die Nacht war ruhig, nur in der Ferne war das Geräusch des Verkehrs zu hören. Er ließ sein Fenster herunter. »Geh rein, es ist kalt.«

»Lass mich zu dir ins Auto.«

»Ich habe dich heute schon gefickt.«

Es reichte nicht. Sie brauchte mehr. »Warum bist du nicht bei deiner Tochter?«

»Sie ist heute Morgen zurückgefahren.«

Himmel! Sie hätte ihn anrufen können. Sie hätte einfach zu ihm gehen können. Aber hätte sie es auch getan? Ungewollt seufzte sie.

Er runzelte die Stirn. »Warst du sauer, weil meine Tochter uns gestern gestört hat?«

»Nein, sauer war ich nicht.«

»Was dann?«

Ich habe einen schlimmen Tag hinter mir, ich habe dich gebraucht, und du warst nicht da. Ich habe Angst, dass du eines Tages gar nicht mehr da sein wirst. Ihre Ängste waren erbärmlich. »Ich dachte, du wärst beschäftigt.«

»Darum bist du in einen Klub gegangen?« Seine Stimme blieb ruhig, aber sie hörte, wie er mit den Zähnen knirschte.

»Ich wollte nur …« *Sag ihm die Wahrheit!* Das Flüstern in ihrem Kopf bedrängte sie. *Erzähl ihm von Marbury!*

Als Marbury sie in ihrem Büro angeschrien hatte, hätte sie am liebsten geweint. Auch als Erin sie gerettet hatte, wäre sie beinahe in Tränen ausgebrochen. Sie war fünfunddreißig Jahre alt und fing bei der Arbeit beinahe an zu weinen, weil ein Mann, ein *Arschloch*, sie anschrie und beschimpfte. Konnte irgendjemand nachempfinden, wie erniedrigend das war?

Luke würde es nicht verstehen. Sie flehte ihn an, sie zu beschimpfen. Sie genoss seine Wut. Wie sollte sie ihm das mit Marbury erklären? Wie konnte sie erklären, dass es wunderbar war, wenn ihr Meister solche Dinge sagte und tat, es ihr bei Marbury jedoch nicht so ging?

Er öffnete die Tür und stieg langsam aus. »Du wolltest was?«

Mit ihren High Heels war sie größer als er, und doch schien er viel größer zu sein und sie zu überragen.

»Ich habe etwas gebraucht«, flüsterte sie und schämte sich, dass sie ihm nicht die Wahrheit sagen konnte.

»Du hast etwas gebraucht und beschlossen, es dir anderswo zu holen. Ein Abend, und du konntest nicht auf mich warten.«

»Es tut mir leid.« Was sie getan hatte, war ungezogen. Doch wenn sie ihm von Marbury erzählte, würde er es nicht verstehen. Männer weinten nicht bei der Arbeit. Sie wurden wütend. Sie verwandelten sich nicht in ein zitterndes Häufchen Elend.

Er würde nie verstehen, dass sie Angst hatte, er könnte sie verlassen. Also hatte sie ihn verlassen.

Als das Licht der Straßenlampe auf sein dunkles Haar fiel, lagen seine Augen im Schatten, und er starrte sie lange, quälende Sekunden an, bevor er sprach. »Als ich da hingefahren bin, hatte ich Angst, dass dir etwas Schreckliches zugestoßen sein könnte.«

Sie schluckte schwer. Daran hätte sie denken müssen. »Tut mir leid«, flüsterte sie.

Sie spürte seinen Blick auf sich, während er sie schweigend ansah. »Ich kann dir nicht geben, was du brauchst«, sagte er schließlich.

Etwas in ihrem Inneren schrie auf. *Nein, bitte geh nicht!*

»Einige der Dinge, die ich heute tun musste, haben mir nicht gefallen.« Er machte eine Pause. Die Stille schien in ihren Ohren zu dröhnen. »Das, was wir tun, ist auch nicht gut für dich. Das musst du begreifen.«

Sie hätte sich am liebsten an seine Brust geworfen, ihn

festgehalten und nie mehr losgelassen. »Du darfst mich nicht verlassen«, flüsterte sie so leise, dass er es von ihren Lippen ablesen musste.

»Wir können so nicht weitermachen. Es frisst uns auf.«

»Aber ich war nur da, weil ich einen harten Tag hatte. Dieses Meeting mit diesem Mann ist nicht gut gelaufen, und ich konnte dich nicht anrufen und musste einfach irgendetwas tun.«

Er umfing ihr Gesicht mit den Händen und brachte sie zum Schweigen. »Das ist das Problem. Du *hättest* mich anrufen können. Du solltest wissen, dass es egal ist, bei wem ich gerade bin oder was ich tue.«

Er hatte ihre Lügen durchschaut, aber sie versuchte es weiter. »Deine Tochter …«

Doch er ließ sie nicht ausreden. »Du vertraust mir nicht. Für dich bin ich wie jeder andere Mann. Du hättest dich von diesem Mann im Klub ficken lassen, um zu bekommen, was immer du brauchst, anstatt zu mir zu kommen.«

Er hatte Recht. Sie hatte es nicht so gewollt wie bei Luke, aber sie hätte den Dom nicht aufgehalten. Sie würde sie nie aufhalten. Sie wehrte sich nie und sagte, dass sie das nicht mit ihr machen konnten. Sie sagte ihnen nie, dass sie es nicht wollte, selbst wenn es so war. Das hatte sie noch nie getan.

»Du kannst es nicht einmal leugnen«, sagte er so leise, dass sie wusste, es war vorbei.

»Nein«, flüsterte sie.

»Ich bin nicht mehr gut für dich. Ich werde genauso wie all die anderen.«

»Du bist gut.« Sie hatte so viele Männer gehabt, und er war der Einzige gute gewesen. Doch selbst für ihn konnte sie nicht damit aufhören, bestimmte Dinge auf ihre Weise haben zu wollen. Sie konnte nicht zu einer anderen Frau werden. Sie war einfach schon zu lange so. Aber sie konnte ihn auch nicht dazu zwingen, Dinge zu tun, die er nicht tun wollte. »Es tut mir leid, dass ich mich nicht ändern kann.«

Letzten Endes war das genau das, was sie verdiente, was sie immer verdient hatte, schon als Kind.

Bree machte einen Schritt nach hinten. Lukes Hand rutschte von ihrer Wange, und ihr war kalt, so furchtbar kalt. Als hätte man sie in das Grab gelegt, in dem eigentlich ihr Vater liegen sollte.

Bree drehte sich nicht um, als sie die Tür ihres Elternhauses schloss. Sie kämpfte nicht um ihn. Er kannte sie gut genug, um zu wissen, dass sie das auch gar nicht konnte. Sie war keine Kämpferin.

Das Loch in seiner Brust war riesig, der Schmerz immens, das Gefühl des Verlusts grenzenlos. Doch er konnte nicht länger Dinge tun, die ihr schadeten. Sie bestrafen, sie beschimpfen, sie spanken, das war alles Teil ihres Rituals, ihrer Symptome. Wenn sie weiterhin zu ihm kommen konnte, dann musste sie sich ihren Problemen nicht stellen, sich nicht helfen lassen.

Er hatte ganz kurz geglaubt, sie hätte etwas begriffen und würde ihm etwas anvertrauen, durch das auf einmal alles klar wurde, das den Schlüssel in sich barg, mit dem man reparieren konnte, was mit ihr nicht stimmte. Mit ihrem Vater. Ihrem Leben. Etwas, das er verdammt noch mal in Ordnung bringen konnte.

Doch dann war es nur ein harter Tag gewesen, ein schwieriges Meeting. Und sie war in den Klub gegangen. Er wusste, dass weitaus mehr dahintersteckte, als sie ihm anvertraut hatte. Aber sie konnte es ihm nicht sagen. Er konnte nicht damit leben, dass sie ihm nicht vertraute. Sie würde ihm *nie* vertrauen können.

Kapitel 35

Die grellroten Zahlen auf der Uhr neben ihrem Bett sagten ihr, dass es acht Uhr dreiundvierzig war. Sie hatte Erin nicht Bescheid gesagt, dass sie nicht zur Arbeit kommen würde, aber sie konnte jetzt anrufen, und Erin würde es verstehen. Erin war immer sehr verständnisvoll.

Sie und Dominic waren so verdammt verständnisvoll.

Bree schwang die Beine aus dem Bett und setzte sich langsam auf. Ihr Kopf tat weh, als ob sie einen Kater hätte. Sie war nackt, das Kleid, die Strümpfe und die hochhackigen Schuhe lagen in einem Haufen neben dem Bett.

Ihre Mutter klopfte leise an die geschlossene Tür, »Bree, ich habe dir Frühstück gemacht.«

Sie begriff, dass sie vom Kaffeeduft geweckt worden war.

»Ich bin gleich da, Mom.« Sie zog ihren Bademantel über und schob ihre Füße in die alten Hausschuhe, die sie sich von ihrer Mutter geborgt hatte, um wie eine alte Frau zur Tür zu schlurfen. Der Flur war leer, aber der Duft des Kaffees lockte sie in die Küche.

»Du hast aber lange geschlafen, Schatz«, sagte ihre Mutter fröhlich. Selbst ihre Schürze, die mit hellroten Rosen bestickt war, wirkte fröhlich.

»Arg!« Das war alles, was Bree sagte.

»Ich habe Eier und gebratene Tomaten gemacht.«

Bree liebte gebratene Tomaten. Ihr Magen knurrte. Sie

hatte nicht zu Abend gegessen, und vor lauter Hunger war ihr ein wenig schwindlig.

»Hat Luke dich gestern Abend gefunden?«

Bree setzte sich an den Tisch. »Ja.« Himmel, sie wollte unbedingt hier weg, nach Hause und tagelang im Bett bleiben! Aber sie saß in der Falle.

»Hattet ihr einen schönen Abend?«

»Kommt darauf an, was man unter schön versteht«, antwortete Bree leise. Wenn sie nicht ohne ihn in den Klub gegangen wäre, hätte er sie dann trotzdem verlassen? Vielleicht nicht. Möglicherweise wäre er noch einige Wochen oder Monate bei ihr geblieben. Aber mehr war sie nicht wert. Da war es doch besser, den Schmerz hinzunehmen und darüber hinwegzukommen.

»Du weißt, was ich meine, Schatz. Luke vergöttert dich.«

»Genau.« Bree seufzte und konnte die Tomaten und die Eier auf ihrem Teller auf einmal nicht anrühren. Himmel, wann würde ihre Mutter endlich aufhören, Luke als Gottesgeschenk anzupreisen? »Darum hat er mich gestern Abend auch verlassen.«

»Schatz, er hat dich nicht verlassen«, protestierte ihre Mutter. »Er war hier. Er dachte, dass *du* hier bist. Er wusste nicht, dass du alleine in die Stadt gefahren bist.«

Sie musterte ihre Mutter, die fröhliche Schürze, das strahlende Lächeln. »Dann hast du ihm erzählt, wo ich hingefahren bin?«

»Natürlich habe ich das.« Ihre Mutter breitete ihre Serviette aus und legte sie sich auf den Schoß. »Er ist ein guter Mann. Er wird für dich sorgen.«

Etwas wallte in ihr auf. Sie hätte es nicht als Zorn bezeichnet. Aber es war schwarz und brannte in ihr, und auf gewisse Weise war es besser als die Verzweiflung, mit der sie aufgewacht war. »Er wird nicht für mich sorgen, Mom. Er hat mich verlassen. Für immer. Er ist weg. Er kommt nicht zurück. Er will mich nicht mehr.« Anstelle des Schmerzes, mit dem sie gerechnet hatte, als sie die Worte laut aussprach, spürte sie Zufriedenheit, als sie das erschreckte Gesicht ihrer Mutter sah.

Sie starrte sie mit offenem Mund an. »Wie konntest du ihn gehen lassen?«

»Ich hatte keine Wahl.« Sie war sich nicht sicher, ob das stimmte. Er hatte *irgendetwas* von ihr erwartet, als er aus dem Wagen gestiegen war. Doch sie hatte nicht herausfinden können, was es war. Jetzt allerdings ging es um die Einstellung ihrer Mutter und nicht um das, was vergangene Nacht passiert war. »Er hat mich nicht nach meiner Meinung gefragt.«

Das Gesicht ihrer Mutter wurde auf einmal gemein. Anders ließ es sich nicht beschreiben. »Was hast du getan, Brianna?«, fauchte sie.

Brianna zuckte zurück und ließ Messer und Gabel auf den Teller fallen. »Ich?« Sie zeigte mit dem Finger auf ihre Brust. »*Ich* habe überhaupt nichts getan. *Er* ist gegangen.«

Ihre Mutter stand auf und warf ihre Stoffserviette auf ihren vollen Teller. »Du lügst.«

»Ich lüge nicht.«

Aber ihre Mutter hörte ihr nicht zu. »Ich hatte alles so gut geplant, wie er sich um dich kümmern kann, damit du gut versorgt bist.«

»Das brauche ich nicht, Mom.« Aber eine kleine Stimme sagte ihr, dass sie das doch brauchte. Das hatte die letzte

Nacht bewiesen. Was hätten diese Leute ihr angetan, wenn Luke nicht gekommen wäre?

»Du kannst nicht auf dich selbst aufpassen. Das hast du noch nie gekonnt.« Ihre Mutter stemmte die Hände in die Hüften. »Schon allein dein Job. Du bist bloß Buchhalterin, obwohl dein Vater so viel Geld fürs College bezahlt hat. Er musste dir sogar das Geld für die Anzahlung auf deine Wohnung leihen. Und glaube bloß nicht, dass ich nicht von all diesen Männern weiß. Luke war der Einzige, der dich da hätte rausholen können.«

Bree spürte, wie es in ihrem Inneren brodelte. »Du willst damit sagen, dass Luke der Einzige war, der mich dir abnehmen könnte, damit du dich nicht mehr schuldig fühlen musst.«

»Ich fühle mich nicht schuldig. Ich habe mich immer um dich gekümmert.«

Sag es nicht, sag es nicht!

Sie ignorierte das nervige Flüstern. Ständig hörte sie ein Flüstern im Kopf, das ihr sagte, sie sei schlecht und würde an allem die Schuld tragen. Sie stand auf und baute sich vor ihrer Mutter auf. Bree war größer und jünger.

Und sie war sehr viel wütender. »Hast du die Nacht vergessen, in der dein *Ehemann* gestorben ist? Wie du gesagt hast, dass es dir leidtut, dass du mich im Stich gelassen hast?«

Ihre Mutter machte einen Schritt nach hinten. »In der Nacht waren wir beide sehr aufgewühlt und haben Dinge gesagt, die wir nicht so gemeint haben.«

»Wir haben die *Wahrheit* gesagt.« Ihre Augen brannten. »Und ich trage *keine* Schuld. *Du* hättest auf mich aufpassen müssen.«

Sag es nicht, sag es nicht! Sag es niemals, sprich es nicht aus!

Aber sie würde es sagen. »Du hast nie auf mich gehört. Du wolltest es nie hören.«

Jetzt wich ihre Mutter bis an die Wand zurück. »Brianna.«

»Du wolltest es auch nicht sehen.« Ihre Augen brannten, und ihr Blut schien in Flammen zu stehen. »Warum bist du nie rausgekommen und hast hingesehen?« Die Worte schienen ihre Kehle zu verbrennen. Sie konnte kaum noch atmen.

»Ich weiß nicht, was du meinst.« Ihre Mutter legte eine Hand auf ihren Mund.

»Du bist so eine gute Lügnerin. Du hast jahrelang gelogen. Du hast es nicht mal abgerissen, nachdem er tot war. Du hast es einfach da stehen lassen.«

»Was habe ich stehen lassen?« Die Stimme ihrer Mutter war auf einmal so leise, so scheu. Sie wusste genau, *was* sie meinte.

»Das verdammte Puppenhaus.« Brees Lippen zitterten, und ihre Zähne schmerzten, weil sie sie so fest zusammenbiss, um nicht weinen zu müssen. Sie würde nicht weinen.

»Das Puppenhaus?«

»Erzähl mir nicht, du wüsstest nicht, was ich meine«, brüllte sie. Dann packte sie die Hand ihrer Mutter und zerrte sie zur Hintertür. »Wage es nicht, es zu leugnen!«

»Ich weiß nicht, wovon du redest, Brianna.«

Aber Bree hörte die Wahrheit an der unsicheren Art, wie ihre Mutter ihren Namen aussprach.

Sie riss die Tür auf, und sie gingen gemeinsam die Treppe hinunter und hinter das Haus, wobei Bree ihre Mutter hinter sich her zog. Die Sonne schien auf die pinkfarbenen Schindeln, die hübschen gelben Seitenwände, die Gitterfenster mit den hübschen Seidenvorhängen, die ihre Mutter genäht hatte, und die bunten Blumen, denen all die Jahre im Freien nichts hatten anhaben können.

»Warum hat er es gebaut? Warum war es hoch genug für ihn?« Sie riss die Tür auf. »Warum hat er diesen Sessel reingestellt?« Sein alter Polstersessel stand darin, dessen Polster noch immer den Abdruck seines Hinterns zeigten. »Warum hat er ihn nicht weggeschmissen, als er den neuen gekauft hat, der noch immer in *deinem* Haus steht?«

Ihre Mutter hatte die Hände vor ihrem Körper verschränkt. »Du warst noch ein kleines Mädchen und hast das, was er getan hat, falsch verstanden.«

»Ich habe nichts von dem, was er mit mir gemacht hat, falsch verstanden. Und ich habe dir gesagt, dass ich den Mann im Puppenhaus nicht mag. Ich habe dir *gesagt*, dass ich ihn nicht mag.«

Dann schrie sie und konnte gar nicht mehr aufhören. Sie schrie ihre Mutter an, die weinend vor ihr stand. Sie konnte ihre eigenen Worte nicht einmal hören und wusste nicht, was sie eigentlich sagte.

Bis sie den Holzhaufen sah. Und die Axt, die noch immer im Hackklotz steckte und vor sich hin rostete, nachdem sie mehrere Winter dem Regen ausgesetzt gewesen war.

Ihre Mutter zuckte zusammen, als Bree die Axt herausriss, als ob sie glaubte, ihre Tochter würde sie tatsächlich damit angreifen. Doch Bree warf sie mit aller Kraft gegen die Wand des Puppenhauses. Das Glas zersplitterte und flog durch die Luft, und die Schindeln polterten zu Boden. Sie hieb immer wieder darauf ein, bis das verdammte Haus einem Stapel Brennholz glich. Das Einzige, was noch stand, war der Sessel, in dem er immer wie ein König gethront hatte. Während sie vor ihm auf den Knien lag.

Sie lag auch jetzt auf den Knien, atmete schwer, ihre Wangen waren feucht, und aus ihren Augen strömten noch mehr Tränen.

»Es tut mir leid«, sagte ihre Mutter wie aus weiter Ferne.

Bree blinzelte. Einen Augenblick lang konnte sie das Gesicht der Frau, die sie in ihrem Bauch getragen hatte und sie hätte beschützen sollen, einfach nur anstarren.

»Du hast mir nicht alles erzählt. Ich habe es nicht verstanden.« Ihre Mutter hielt inne. »Sieh mich nicht so an«, flüsterte sie.

Bree sagte nichts. Aber sie sah sie weiterhin ernst an.

Ihre Mutter bewegte sich unruhig, und das Sonnenlicht schien durch Büschel ihres Haars. »Ich wollte es nicht wahrhaben.«

Und Bree starrte diese Frau noch immer an, die für sie wie eine Mutter hätte sein sollen. Umgeben vom Sonnenlicht, fielen die Schatten so in ihr Gesicht, dass sie um Jahre gealtert zu sein schien. Vielleicht waren die Falten aber auch real.

»Er hat mir gesagt, er hätte dich nie unsittlich berührt«, sagte ihre Mutter.

Bree schloss die Augen. Dann hatte ihre Mutter ihn also gefragt. »Und du hast ihm mehr geglaubt als mir«, meinte sie schließlich, und ihr tat der Hals vom vielen Schreien weh.

»Ich *musste* ihm glauben.«

»Wir beide haben ihm alles geglaubt.« Bree war überrascht,

dass sie noch keine Sirenen hören konnte, dass ihre Nachbarn wegen des Geschreis und des Lärms noch nicht die Polizei gerufen hatten. Sie starrte die Überreste ihres alten Puppenhauses an, des Gefängnisses ihrer Kindheit. Sie hatte ihm geglaubt, als er ihr sagte, sie sei böse gewesen und müsse für all ihre Fehler bestraft werden. Dass er ihr diese Dinge antat und sie zu diesen Handlungen zwang, weil er sie liebte, weil sie etwas Besonderes war, weil es seine Pflicht sei, sie zu einem braven Mädchen zu erziehen. »Und brav war ich, Mom, ich war immer verdammt brav.«

»Hast du mich immer gehasst?«

Bree sah auf, blinzelte und wischte die Tränen weg. Ihre Mutter sollte die Gesündere ihrer Eltern sein. Ihr Vater war krank gewesen, weiß der Geier, was einem solchen Mann fehlte. Trug sie dann nicht die größere Schuld?

Ihre Mutter schüttelte langsam den Kopf. »Ich weiß, dass ich es verdient habe, von dir verachtet zu werden. Aber ich habe dich immer geliebt.«

Das glaubte ihr Bree. »Du warst so schwach, da war es unwichtig, ob du mich geliebt hast oder nicht.«

Mit geschlossenen Augen nahm ihre Mutter diese Worte wie Schläge hin und hielt sich vor Schmerzen den Bauch. »Das habe ich verdient«, flüsterte sie.

Doch Bree hatte das nicht gesagt, um ihr wehzutun. Sie war nicht mehr wütend, nicht so wie in dem Moment, in dem sie die Axt aufgehoben hatte, sie fühlte sich einfach nur noch aller Gefühle beraubt. »Es tut mir leid, aber jetzt gerade fühle ich gar nichts. Du bist es nicht einmal wert, gehasst zu werden.«

Sie sehnte sich nach Luke, hätte sich zu gern in seine

warme Jacke gekuschelt und sich in seinem Geruch verloren. Aber das hatte sie vermasselt. Sie hatte ihn verloren.

Und wenn sie nicht zur Arbeit ging, wäre sie ihren Job auch noch los. Auf jeden Fall konnte sie nicht hierbleiben. Sie rappelte sich auf, warf die Axt auf den Holzhaufen und stand mit zitternden Knien da.

»Wirst du mir jemals vergeben?«

Sie wickelte den alten Bademantel enger um ihren Körper, drehte sich zu ihrer Mutter um und sagte das Einzige, von dem sie wusste, dass es die Wahrheit war: »Ich habe keine Ahnung. Aber ich weiß, dass ich dich niemals lieben werde.«

***

»Ist alles in Ordnung?«, erkundigte sich Rachel, als Bree durch die Tür kam.

»Es geht mir gut.« Es ging ihr immer gut. Sagte sie das nicht immer allen?

Rachel kam an die Tür ihres Büros. »Ich meine, nach der Sache mit Denton Marbury?«

»Warum hast du mich nicht gestern danach gefragt?« Bree hatte den restlichen Tag in ihrem Büro gearbeitet, aber Rachel war nicht zu ihr gekommen. Normalerweise tat sie das immer. Bree hatte die Frage auch nicht als Anschuldigung gemeint, sie wollte es bloß wissen.

»Ich dachte, du brauchst erst mal Zeit, um das zu verarbeiten. Ich weiß, dass du nicht gern so viel redest.«

Rachel war so nett. Wie eine Fischmutter, die immer um die kleinen Fische herumhuschte und dafür sorgte, dass sie in Sicherheit waren, dass es ihnen gut ging.

Sie war die geborene Mutter. Niemand würde Rachels Kindern jemals wehtun. Vor allem nicht ihr Vater.

»Ach so«, meinte Bree. »Es geht mir gut. Danke der Nachfrage!« Das war ihre Standardantwort. Sie ging in ihr Büro und erinnerte sich an einen Tag im letzten Jahr, kurz vor Weihnachten, als Rachel in ihr Büro gekommen war und sie beim Weinen erwischt hatte. Damals hatte Bree auch versucht, ihr zu versichern, dass alles in Ordnung sei, aber Rachel hatte nicht lockergelassen. Auf einmal war alles über ihren Vater, der im Sterben lag, und ihre Mutter, die wollte, dass sie wieder nach Hause kam, aus ihr herausgesprudelt. All die Dinge, die sie in sich verschlossen hatte. Genauso, wie es an diesem Morgen bei ihrer Mutter gewesen war.

Sie verschloss alles in sich, bis es irgendwann rausmusste. Bis sie nicht mehr kontrollieren konnte, welche Worte aus ihrem Mund kamen. Weil *nichts* je in Ordnung gewesen war und sie *immer* gelogen hatte.

Was würde passieren, wenn sie darüber sprach?

Was wäre geschehen, wenn sie es Luke letzte Nacht erzählt hätte? Wenn sie ihm von Marbury erzählt hätte, wie er sie angeschrien hatte und sie auf einmal wieder das kleine Mädchen gewesen war, das sich nicht verteidigen konnte, das es nicht aufhalten konnte, so wie sie sich damals im Puppenhaus mit ihrem Vater gefühlt hatte? Was wäre, wenn sie Luke erzählte, dass ihr Vater irgendwann beschlossen hatte, sie sei zu alt, um weiterhin bestraft zu werden, und dass sie sich dann tatsächlich verloren, abgelehnt, nicht länger gewollt, nicht mehr wie jemand Besonderes gefühlt hatte? Dass sie später Männer gesucht hatte, die sie genauso behandelten und bei denen sie sich wie jemand Besonderes gefühlt hatte, selbst wenn sie ihr wehtaten? *Ganz besonders*, wenn sie ihr wehtaten.

Was wäre, wenn sie ihm alles erzählt hätte? Wäre er dann geblieben? Oder hätte ihn das für immer verscheucht?

Bree schaffte es bis in ihr Büro, bevor ihre Beine nachgaben. Voller Verzweiflung griff sie nach ihrer Gießkanne, damit sie nicht nachdenken musste. Es war noch ein wenig Wasser darin. Sie benetzte die Erde des Philodendrons, er brauchte nicht viel Wasser. Sie zupfte einige gelbe Blätter ab, warf sie in den Müll und wischte den Staub von den glänzenden neuen Blättern. Es hatte sie immer beruhigt, sich um die Pflanze zu kümmern. Es war so gesund. Sie konnte für sie sorgen, sie umsorgen. Wie für ein Kind.

»Wie geht es Ihnen, Bree?«

Erin stand in der Bürotür und lächelte ein wenig zu breit, als ob sie ebenfalls Angst vor dem hätte, was aus Brees Mund kommen mochte.

»Mir geht es gut«, antwortete Bree. *Ich habe nur gerade meiner Mutter erzählt, dass mich mein Vater als Kind missbraucht hat und dass ich sie dafür hasse, dass sie ihn nicht aufgehalten hat. Aber ansonsten ist alles bestens.* Sie ballte die Fäuste, damit die Worte nicht aus ihr herausströmten.

Aber Bree fragte sich, wie ihr Leben ausgesehen hätte, wenn sich ihre Mutter so um ihre Tochter gekümmert hätte wie Bree um ihren Philodendron.

Dann sagte Bree sehr rational und sehr nachdenklich, ohne dass etwas aus ihr heraussprudelte: »Wissen Sie, eigentlich ist doch nicht alles in Ordnung.«

Die Welt brach nicht auseinander. Erin schrie sie nicht an, beschimpfte sie nicht als dumm oder rief die Männer mit den weißen Kitteln. Sie fragte nur: »Wollen Sie darüber reden?«

Bree war niemals ehrlich. Sie sagte anderen nie, was sie dachte. Sie gab nie ihre Geheimnisse oder ihre Ängste preis. Bei niemandem. Nicht einmal bei Luke.

Himmel noch mal, vergiss die mütterliche Pflege, Bree kümmerte sich ja nicht einmal so gut um sich selbst wie um ihre Pflanze. Sie nahm einfach alles hin, wie es war. Als ob sie es verdient hätte. Hatte sie Marbury verdient?

Vielleicht wurde es Zeit, mal ehrlich zu sein. Eine Grenze zu ziehen. Sie würde nie reifer werden, wenn sie es nicht tat. »In Marburys Gegenwart fühle ich mich nicht wohl.«

Erin schloss die Tür und setzte sich auf die gegenüberliegende Seite des Schreibtischs. »Es tut mir leid, wie das gestern aus dem Ruder gelaufen ist. Setzen Sie sich! Reden wir darüber.«

Bree setzte sich wie befohlen, als ob es nicht ihr Büro wäre. »Es war nicht nur gestern. Ich habe mich schon immer so gefühlt.« Sie kam sich komisch vor, als hätte sie ihren Körper verlassen, als würde ihre Seele an der Decke schweben und auf die beiden Frauen herabblicken.

»Das hätten Sie mir sagen sollen, Bree. Sie können mir immer alles sagen. Wir hätten uns schon vor langer Zeit nach einem neuen Wirtschaftsprüfer umsehen können.«

Bree wollte den Mund aufmachen und all die Dinge aussprechen, die ihr durch den Kopf gingen, seitdem sie bei DKG arbeitete. Aber sie hatte Angst. Sie hatte *immer* Angst. Ohne diese Angst hätte sie schon längst Karriere machen können.

Stattdessen war sie Buchhalterin und hatte sich die Anzahlung für ihre Wohnung von ihren Eltern leihen müssen. Sie würde immer Buchhalterin bleiben. Sie würde immer in einen Klub rennen, wenn sie sich schlecht fühlte, und den ersten Mann nehmen, der sie begehrte, ihn tun lassen, was immer er wollte, und sich am nächsten Morgen dennoch schlecht fühlen.

Luke war der Einzige, der nicht versucht hatte, so mit ihr umzugehen.

»Es ist okay, Bree, Sie können mir alles sagen. Es bleibt unter uns.« Erin klang fast wie eine Therapeutin.

»Ich würde bessere Arbeit leisten als Marbury«, sagte Bree und wartete darauf, dass der Himmel über ihr einstürzte.

Doch das geschah nicht.

Erin fragte sie nicht, ob sie verrückt geworden war, oder schnaubte sarkastisch oder ungläubig. Sie lachte nicht einmal. »Das glaube ich ihnen. Sollen wir es versuchen?«

Nein, nein, nein. Sie hatte Angst. Was war, wenn sie versagte? Was wäre, wenn sie Mist baute und sie Abertausende von Dollar an Nachzahlungen und Strafen zahlen mussten? All diese Formulare. All diese Regierungsbehörden.

Aber verdammt noch mal, sie musste erwachsen werden! »Ich könnte mich weiterbilden und mich online informieren.«

Erin beugte sich vor. »Sagen Sie mir ganz ehrlich, wie viel von dem, was Sie jetzt machen, trägt Marbury nur noch in die Formulare ein?«

»Alles.« Das war die Wahrheit. Bree war unglaublich erleichtert, dass sie es endlich ausgesprochen hatte. »Ich hätte früher etwas sagen sollen, denn hätten Sie das Geld für Marburys Dienste gespart.«

»Vielleicht ist Ihnen erst in diesem Moment klar geworden, dass Sie das schaffen können«, erwiderte Erin.

Bree erkannte, wie klug Erin war. Denn Bree war sich immer noch nicht sicher, dass sie es schaffen konnte. Sie wusste einfach, dass sie vom Rest ihres Lebens mehr erwartete. Sie wollte nicht länger wie ein verängstigtes Mäuschen leben. Sie war einige Risiken eingegangen, aber niemals die richtigen. Sie hatte immer nur mit ihren Ängsten gelebt und nie gegen sie angekämpft.

Sie hatte sich fünfunddreißig Jahre lang im Schatten ihres Vaters bewegt, immer voller Angst, immer mit dem Wunsch, etwas Besonderes zu sein, gleichzeitig aber auch in dem Wissen, dass sie das nicht war.

Jetzt war er tot. Sie hatte die Hand ihrer Mutter gehalten und ihn sterben sehen. Es war Zeit zu vergessen. Es war Zeit zu vergeben. Es war Zeit, als Wirtschaftsprüferin von DKG und nicht länger als Buchhalterin zu arbeiten.

»Ich glaube, Sie können auch die Betriebsprüfung übernehmen, und zwar besser, als es Marbury je könnte.« Erin lächelte. »Wie wäre es, wenn ich ihn anrufe und ihm mitteile, dass wir ihn ersetzt haben?«

»Nein«, entgegnete Bree und holte tief Luft. »Das werde ich ihm sagen.«

Es war Zeit, stark zu sein. Es war Zeit, ihre Ängste zu überwinden.

Kapitel 36

Sie saß auf seiner Veranda, und das Licht, das er angelassen hatte, schimmerte auf ihrem dunklen Haar und schien einen Glorienschein um sie zu legen.

Luke konnte die Gefühle nicht benennen, die durch seinen Körper jagten. Erleichterung, Freude, Angst, Hoffnung, Bedauern, all das und noch mehr. Aber das Einzige, was zählte, war, dass sie hier war.

Normalerweise parkte er seinen Wagen in der Garage, aber er ließ ihn in der Auffahrt stehen und ging zu ihr herüber. Er blieb wenige Schritte von ihr entfernt stehen.

»Du bist immer so um mich besorgt«, sagte sie sanft.

»Ja.« Sein Herz zog sich in seiner Brust zusammen. Es hatte ihm zugesetzt, dass er nicht wusste, wie er ihr helfen konnte, aber er hatte auch an all die Jahre gedacht, die noch vor ihm lagen und die er ohne sie verbringen musste, an die Leere. »Sag mir, was ich tun kann, damit wir beide bekommen, was wir brauchen. Denn ich will dich nicht verlieren.«

Sie stand auf und überragte ihn, da sie hohe Schuhe anhatte und auf der Treppe stand. »Vielleicht sollten wir reingehen, und du solltest mich so lieben, wie du es willst. So, wie du es immer gewollt hast, was ich jedoch nicht zugelassen habe.«

Er umfing ihr Gesicht mit den Händen. »Es war nicht

die Art, wie wir Sex hatten, sondern es ging um die anderen Dinge. Die Dinge, die wir einander nicht sagen konnten.«

Sie drückte seine Hand an ihre Wange. »Du meinst, die Dinge, die *ich* nicht sagen konnte. Gibst du mir noch eine Chance, es zu versuchen?«

»Ja«, flüsterte er. »Wir verdienen beide eine zweite Chance, um es richtig zu machen.« Dann nahm Luke sie mit ins Haus und ließ seine Seele von ihr berauschen.

In seinem Schlafzimmer entkleidete er sie so zärtlich, wie sie es bisher nie zugelassen hatte, und knöpfte ganz langsam ihre Bluse auf. »Gott, du bist wunderschön!«

»Sprich weiter«, flüsterte sie. Nachdem er die Bluse über ihre Schulter geschoben und ihren BH geöffnet hatte, legte sie die Hände auf die Brüste und bedeckte sie. »Sind sie zu klein?«

»Sie sind perfekt.« Er kniff in ihre Brustwarze. »Fühlt sich das gut an?«

Sie schnurrte zufrieden. »Ich mag die Lust und den Schmerz. Kneif fester zu!«

Das tat er. Sie legte den Kopf in den Nacken und stöhnte. Der Geruch ihrer Erregung durchdrang die Luft.

»Sag mir, wie sich das anfühlt«, bat er sie.

Sie sah ihm in die Augen. »Meine Haut fängt an zu brennen, und ich werde feucht.«

Ihre Haut hatte im Licht der Nachttischlampe einen rosa Schimmer. Er strich mit einem Finger über den Bund ihres Rockes und bemerkte, dass sie sich an seinen Befehl gehalten und einen Rock anstelle einer Hose angezogen hatte.

Er nahm den Stoff zwischen die Finger und zog ihn langsam höher, sodass erst ihre Oberschenkel, dann der Rand ihrer Strümpfe und schließlich ihr ordentlich gestutztes Schamhaar zu sehen waren. »Kein Höschen.« Er lächelte.

»Ich hatte gehofft, dass du mich bei der Arbeit anrufst, mir befiehlst, auf die Toilette zu gehen und zu masturbieren. Du hast gesagt, dass du das eines Tages tun würdest.«

Und das würde er auch. Er wollte es, sie anrufen, ihr auftragen, auf die Toilette zu gehen und sich zu streicheln, während er sie hören konnte.

Sie verführte ihn mit dem erotischen Unterton in ihrer Stimme. »Wenn ich daran denke, werde ich ganz feucht und fühle mich sexy, erst recht dann, wenn jemand mein Büro betritt. Es ist, als würde ich ein ganz besonderes Geheimnis kennen.«

Es gefiel ihm, dass sie noch eine Barriere fallen gelassen hatte und ihm sagte, was sie wollte und wie sie sich dabei fühlte. »Leg meine Hand auf deine Haut«, forderte er sie auf.

Sie führte ihn nach unten zu ihrer warmen, feuchten Mitte. Er rieb sie mit dem Handballen.

»Ich möchte für dich masturbieren«, sagte sie dicht an seinem Ohr. »Das hat mir schon immer sehr gefallen.«

Himmel, es machte ihn wild, wenn sie die Beine spreizte und er ihr zusehen konnte! »Zieh zuerst alles aus!«

»Die Strümpfe nicht«, entgegnete sie. »Ich mag die Strümpfe. Die sind schamlos.«

Er genoss ihr Verlangen, so etwas für ihn zu tun. Während er sich auszog, ließ sie den Rock auf den Boden fallen, krabbelte aufs Bett und legte sich mit dem Rücken in die Kissen. Der glatte schwarze Stoff der Strümpfe auf ihrer blassen Haut war für sich schon ein erregender Anblick. Sein Penis wurde steif, und eine Vene darauf pochte schnell.

Er stellte sich vor sie, streichelte sich, und sein Verlangen wuchs in seinen Hodensäcken. »Tu es für mich!« Es gefiel ihm, sie darum zu bitten wie ein Mann, der sich nach einer Frau verzehrte.

Sie strich mit den Fingern über ihre Oberschenkel, zog dabei die Beine an und bot ihm einen atemberaubenden Anblick.

»Deine Muschi ist wunderschön«, stellte er staunend fest, weil er sich jedes Mal, wenn sie in seinem Bett lag, so fühlte wie beim ersten Mal, als er sie nackt gesehen und diese üppige Süße erblickt hatte.

Sie streichelte sich, hielt dann die Finger an die Lippen und leckte den Saft ab. »Magst du es, wie ich schmecke?«

»Ich würde dafür sterben, deinen Geschmack auf meiner Zunge haben zu können.« Seine Eichel färbte sich vor Erregung lila. »Ich möchte dir dabei in einem Zimmer voller Männer zusehen.«

»Wirklich?«, fragte sie, verlor aber nicht ihren Rhythmus.

»Ja. Ich möchte, dass sie alle sehen können, wie wunderbar du bist. Und dass sie wissen, dass du mir gehörst.« Er wollte die geilen Sachen nicht aufgeben, die sie getan oder sich ausgemalt hatte. Er wollte nur, dass ihre Emotionen diesbezüglich anders waren. »Würde dir das gefallen?«

Sie hob die Hüften an und rieb sich die Klit. »Es hat mir gefallen, wie du mich im Klub gefickt hast. Ich mag es, wenn man uns dabei zusieht. All das gefällt mir. Aber nur, wenn du mich berührst.« Dann lachte sie. »Oder ich dich.«

Er stieg auf das Bett, hockte sich hin und streichelte sich weiter. »Ich möchte dich vor Publikum mit dem Mund zum Orgasmus bringen.« Schließlich beugte er sich über sie, hockte zwischen ihren Beinen, war ihr nah, berührte sie aber nicht. »Meine süße dreckige kleine Hure, ich werde dich vor ihnen ficken, bis du meinen Namen schreist.«

Sie sah ihn an. »Du kannst mich auch spanken und fesseln.«

»Und das werde ich auch.« Er würde sie sogar wieder an den Haken in seinem Esszimmer binden, dieses Mal allerdings aufpassen, dass sie nicht wieder hinfiel. Auf einmal war alles anders. *Sie* war anders. Sie hatte sich seit letzter Nacht verändert.

»Es fühlt sich gut an, wenn du mir auf den Hintern schlägst und dann meine Muschi streichelst. Du machst das so perfekt.«

Seine Hoden drohten zu platzen, als er die Aufregung in ihren Augen sah und die Lust in ihrer Stimme hörte. Er liebte es, wie sie stöhnte, wenn er das mit ihr machte.

»Und ich mag es, wenn du mich spätabends anrufst und mit Worten zum Orgasmus bringst.« Sie berührte seine Wange. »Wir können so unglaublich viel Spaß haben.«

Irgendetwas veränderte sich in ihm. »Warum macht es auf einmal Spaß? So war es doch vorher nicht.«

Ihre Augen wurden noch dunkler. »Ich möchte, dass es dir Spaß macht. Ich möchte mich ändern«, flüsterte sie. »Für dich.«

Er hockte noch immer vor ihr. »Du kannst es nicht nur für mich tun.«

Sie legte ihm eine Hand auf die Wange. »Du hast mir gezeigt, was ich will. Ich habe erkannt, dass ich dich nicht verlieren will.« Sie stützte sich auf einem Ellenbogen ab und küsste ihn. »Ich möchte mich für mich selbst verändern«, flüsterte sie, »und auch für dich. Es kann passieren, dass ich Angst bekomme und erneut falle. Ich könnte dir wehtun, obwohl ich das gar nicht will. Aber lieber gehe ich das Risiko ein, als auf dich zu verzichten.« Sie ließ sich auf das Kissen zurückfallen. »Du musst mir helfen, Luke. Ich brauche deine Hilfe. Ich habe immer um deine Hilfe gebeten, auch wenn ich es nie ausgesprochen habe.«

Einen Augenblick lang fragte er sich, ob sie einfach seine Gedanken las. Aber im nächsten Moment spürte er, dass es die Wahrheit war. Sie vertraute ihm. Er wusste, dass sie ihm im Laufe der Nacht alles sagen würde.

Er legte eine Hand auf ihre Muschi, das süße, feuchte Fleisch. »Ich werde dir immer helfen, Baby.« Er stieß einen Finger in sie hinein und massierte ihren G-Punkt, bis sie sich unter ihm wand. »Gefällt dir das?« Er kannte ihre Antwort bereits, aber er wollte, dass sie es aussprach.

»Das ist so gut, Luke.« Sie bewegte sich in seinem Rhythmus und keuchte. »Bring mich mit dem Mund zum Orgasmus!«

Das musste sie ihm nicht zweimal sagen. Es war immer um das gegangen, was er wollte. *Meister, willst du dies? Meister, willst du das? Meister, zwing mich dazu! Was immer du sagst, Meister.* »Sag mir, wie sehr du es willst!«

Sie legte ihm die Hand an die Wange, schloss die Augen und biss sich kurz auf die Lippe, als sie eine Woge der Lust überrollte. »Ich liebe es, deine Zunge auf mir zu spüren«, flüsterte sie dann. »Wie du die richtige Stelle findest und nicht aufhörst, bis ich am liebsten schreien würde. Du findest sie immer, als würdest du dich anhand des Geruchs und Geschmacks zurechtfinden. Als würdest du *mich* kennen.«

Nach all den Monaten sagte sie endlich, was er schon immer hören wollte. Es ging nicht um seine Potenz oder darum, wie gut er ihren Körper stimulierte, sondern dass er sie in- und auswendig kannte.

»Ich brenne darauf, dich zu schmecken.« Er kroch über ihren Körper, bedeckte ihre Brüste mit Küssen, dann ihren Bauch, ihren Venushügel und schließlich ihre süßen, feuchten Schamlippen. »Das ist die schönste Muschi, die ich je gesehen habe.«

Sie lachte. »Ja, das ist sie.«

Das Fleisch war vor Erregung angeschwollen und rosa. Er zog die Schamlippen auseinander und blies warme Luft auf ihre hervorstehende Klit. Sie zitterte und murmelte unverständliche Worte. Er kostete sie mit der Zungenspitze und schenkte ihr einen Vorgeschmack auf das, worum sie gebeten hatte, indem er sie leckte.

»Fester«, flüsterte sie. »Leck mich und saug mich hart!«

Sie würde es immer hart wollen, das Kneifen, das Lecken, das Ficken. Das würde immer ein Teil ihrer Lust sein. Aber jetzt fehlte die Verzweiflung, sie wollte damit nicht mehr die Vergangenheit ausblenden oder es ritualisieren.

Er umkreiste ihre Klit mit der Zunge, dann saugte er daran. Sie wurde noch feuchter, und er schmeckte den süßen, heißen Geschmack ihrer Erregung.

»Oh, oh, oh«, stöhnte sie und ließ sich auf eine Weise gehen, wie sie es noch nie getan hatte, ohne vorher bestraft worden zu sein.

Sie grub die Finger in sein Haar und zog ihn näher an sich heran. »Ja, bitte, ja.« Sie drückte sich gegen seinen Mund und zwang ihn, härter zu werden. Ihr Körper bebte unter ihm, dann presste sie mit einem leisen Aufschrei die Beine zusammen und kam.

So eine Macht hatte er noch nie gespürt, nicht einmal, wenn sie gefesselt war, er ihr die Augen verbunden hatte, er sie spankte, sie beschimpfte oder vor Publikum fickte.

Sie kam, bis er seinen Namen aus ihrem Mund hörte und ihre Stimme tränenerstickt war. »Luke, Luke.«

Sie hatte noch nie so süß geschmeckt. Er legte sich auf sie und nahm ihr Gesicht in die Hände. »Küss mich!«, flehte er.

Sie gab ihm alles, ihre Lippen, ihre Zunge, ihre Seele. Sie zog ihn eng an sich, und er schmeckte das Salz ihrer Tränen in ihrem Mund.

»Fick mich, Baby!« Er wollte es nicht anders ausdrücken. *Ficken* war heißer, geiler, sinnlicher als jedes andere Wort. Doch ohne Liebe war alles wertlos.

»Fick mich«, flüsterte sie, und er spürte all die Liebe, die er brauchte. Sie legte die Arme um ihn und spreizte die Beine, um ihn in sich aufzunehmen.

»Nein«, protestierte Luke. »Nicht so. Ich will, dass du oben liegst.«

Er hatte immer oben gelegen, die Kontrolle gehabt, die Macht besessen.

Männer hatten ihr die Kontrolle genommen, ihr gesagt, was sie tun sollte, sie zu Dingen gezwungen. Er gab ihr all die Macht zurück, die ihr je genommen worden war.

Kapitel 37

Luke rollte sich herum, bis er auf dem Rücken lag und Bree auf ihm hockte. Sie küsste ihn erneut, und ihr Haar fiel wie ein Vorhang um sie herum. Sie schmeckte sich, aber diese Süße war stärker, kraftvoller. Sie hatte all die richtigen Worte gesagt, war für ihn gekommen. Das alles hatte sie auch früher schon für ihn getan, doch jetzt fühlte es sich anders an. Jetzt schmeckte es nach Freiheit.

Sie hatte noch nie einen Mann geritten. Die Männer, die sie gekannt hatte, wollten Frauen nicht so haben.

»Ich gehöre dir. Nimm mich, wie du willst«, murmelte er, und seine Augen sahen im Licht der Nachttischlampe ganz dunkel aus. Sein Penis war hart und drückte gegen ihren Bauch.

»Du bist der einzige Mann, mit dem ich in den letzten sechs Monaten geschlafen habe«, sagte sie.

»Das weiß ich.«

»Ich nehme die Pille und habe beim letzten Arztbesuch einen Test machen lassen, der negativ war.« Sie ließ sich immer testen. Sie streichelte seinen Penis und konzentrierte sich dann auf seine Brustwarzen. »Ich möchte dich in mir spüren.«

Sie hatte seit Jahren nicht mehr ohne Kondom mit einem Mann geschlafen. Sie hatten immer welche dabei. Als ob sie schon vorher wüssten, dass sie unrein war. Als ob es ihr ins Gesicht oder auf den Körper geschrieben wäre.

Luke hatte sie wieder rein werden lassen.

»Es hat nur dich gegeben.« Er streichelte ihr mit einem Finger über die Wange. »Aber ich wollte dich immer beschützen. Das war wichtiger als alles andere. Jetzt möchte ich, dass nichts mehr zwischen uns ist. Haut auf Haut.«

Es war wie ein Schwur.

Sie beugte sich hinab und liebkoste seinen Schwanz mit der Zunge, leckte ihn ab, genoss ihn. Er schmeckte jedes Mal salzig-süß. Das hatte sie schon immer gerne gemacht, bei ihm, für ihn, trotz all der Dinge, die ihr die anderen Männer angetan hatten. Sie hatte es geliebt, weil sie seine Macht spürte, auch wenn sie ihr Angst einjagte. Jetzt konnte sie es einfach genießen, seinen Geschmack, sein Stöhnen, als sie ihn tief in den Mund nahm und an ihm saugte.

Als sie sich wieder aufrichtete, glänzte ihr Speichel an seinem Schwanz. Sie konnte es tun. Sie konnte normal sein. Sie konnte alles haben. »Ich will dich.« Da war keine Scham, keine Angst. Auch wenn diese Gefühle irgendwann wiederkommen würden, in diesem Moment waren sie verschwunden. Und wenn sie wiederkamen, würde er da sein.

Sie kniete sich hin, nahm seinen Penis in ihre Mitte, rieb sich an ihm, markierte ihn mit der Hitze ihres Fleisches als ihr Eigentum. Für immer. Dann senkte sie langsam ihren Körper, nahm ihn in sich auf, ließ sich von ihm aufspießen, bis zu ihrem Herzen. Sie schloss die Augen und legte den Kopf in den Nacken, um das Gefühl zu genießen, das so anders war, als wenn sie unter ihm lag. Jetzt musste sie den Rhythmus vorgeben, alles bestimmen.

Er umfing ihre Brüste und rieb ihre Nippel. »Du bist so wunderschön.«

Ja. Das war sie. Sie war nicht das hässliche Ding, das vor ihrem Vater gekniet und um Vergebung gebettelt hatte. Sie würde diese Gedanken und Erinnerungen immer haben, immer bekämpfen müssen. Aber es war alles in Ordnung. Luke würde ihr helfen. Für ihn war sie wunderschön.

»Fick mich! Nimm mich! Besitz mich!«, flehte er.

Sie bewegte sich auf und ab, fand einen stetigen Rhythmus, der sie anstachelte und ihren G-Punkt streichelte. Er legte ihr die Hände auf die Hüften, ließ sie aber selbst bestimmen. Sie sollte es so machen, wie sie es für richtig hielt.

Und es war so verdammt gut. Seine Hüften unter ihren Oberschenkeln waren fest, die Haare an seinen Beinen rieben sanft auf ihrer Haut. Dann legte er seinen Daumen auf ihre Klit und rieb sie, während sie ihn ritt.

»Oh mein Gott!« Seine Berührung katapultierte sie in den Himmel. Sie ritt ihn schneller und hielt sich mit den Händen am Bettrand fest, um seinen Schwanz besser in sich aufnehmen zu können. »Ja, ja, ja«, stöhnte sie.

Dann kniff er ihr in den Nippel. Bree schrie laut auf. Sie mochte den Schmerz, und es schien eine direkte Verbindung zwischen ihrem Nippel und ihrer Klit zu geben. Als er in beide kniff, merkte sie, wie sich alles in einem Hitzeschwall auflöste, der durch ihren Körper schoss, sie vereinnahmte und in Scherben aus Licht zu explodieren schien. Sie spürte sein Aufbäumen, als er ebenfalls kam. Er drückte sie an sich und stieß sich tief in sie hinein, als sie sein heißer Samen auszufüllen schien, perfekt und rein, da sie nichts voneinander trennte.

»Großer Gott«, murmelte er in ihr Haar.

Sie legte die Beine auf seinen Körper und rollte sich zur Seite, sodass sein Penis in ihr bleiben konnte.

Sie wollte ihn nie mehr loslassen. »Das war gut«, sagte sie und drückte die Lippen gegen seine Brust. Auf einmal überkam sie eine merkwürdige Schüchternheit.

»Ja.«

Sie legte den Kopf in den Nacken und sah ihn an. Er musterte sie und schien ihr direkt in den Kopf sehen zu können. »Hat es sich so angefühlt, als hätte ich mich verändert?«

Er legte ihr einen Finger unter das Kinn. »Das war perfekt. Und die einzige Veränderung, die ich wollte, war, dass du mich reinlässt.«

»Das werde ich tun.«

»Ich werde nicht sauer sein, wenn du dich mal zurückziehst.« Ihm war klar, dass das irgendwann geschehen würde.

Natürlich musste das passieren. Sie würde Angst bekommen, nach einem schlechten Tag oder bei einem Mann wie Marbury, der sie zu stark an ihren Vater erinnerte. »Aber ich werde es dir sagen, versprochen.«

»Erzähl es mir jetzt«, murmelte er. »Erzähl mir, was am Donnerstag passiert ist. Sag mir, warum du wirklich in den Klub gegangen bist.«

Sie konnte versuchen, ihm zu erklären, warum ihr Marbury Angst eingejagt hatte. Aber Luke würde es nicht verstehen, ohne auch alles andere zu wissen, und sie hatte noch niemandem alle Einzelheiten erzählt, es noch nie laut ausgesprochen. Nicht einmal an diesem Morgen bei ihrer Mutter. Selbst da hatte sie noch nicht *alles* gesagt. Ihre Mutter hatte es nicht hören müssen. Da sie mit der Lüge lebte, hatte sie die Wahrheit tief im Herzen sowieso gekannt.

Ihre Mutter. Manchmal musste man alles andere hinter

sich zurücklassen, wenn man vorwärtswollte. Man musste vergeben, damit man vergessen konnte, was in Vergessenheit geraten musste.

»Morgen muss ich mich mit meiner Mutter unterhalten, und ich möchte, dass du dabei bist.« Sie spielte an seinen Brusthaaren herum. »Und am Montag muss ich zu einem Mann gehen, der mich nervös macht, und ihm sagen, dass er gefeuert ist.« Sie würde Marbury gegenübertreten, aber das bedeutete nicht, dass sie nicht immer noch Angst hatte. Sie würde immer Angst haben. Das machte es umso wichtiger, dass sie sich dem stellte, wovor sie sich fürchtete. Dann wäre der Triumph umso größer.

Luke sah ihr zärtlich in die Augen. »Ich werde dir bei allem helfen, wobei du mich brauchst.«

Sie hatte noch nie jemanden um Hilfe gebeten. Sie würde nie darauf vertrauen, dass man ihr half. Sie hatte noch nie jemandem ihre Ängste anvertraut. Oder ihre schrecklichen Geheimnisse. Nicht seit dem Tag, an dem ihre Mutter beschlossen hatte, lieber ihrem Vater als ihr zu glauben. Aber jetzt würde sie Luke ihr Vertrauen schenken. »Ich habe viele Geheimnisse, von denen ich dir erzählen muss«, flüsterte sie. »Und einige davon sind gar nicht schön.«

Sie zweifelte nicht daran, dass Luke sie akzeptieren, ihr glauben und beistehen, sie niemals verlassen würde.

In seinen Armen war sie sicher. Mit ihm an ihrer Seite konnte sie alles bewältigen, alleine war sie verloren. Doch verloren war sie jetzt nicht mehr.